ミュンヘン市街図

至 28

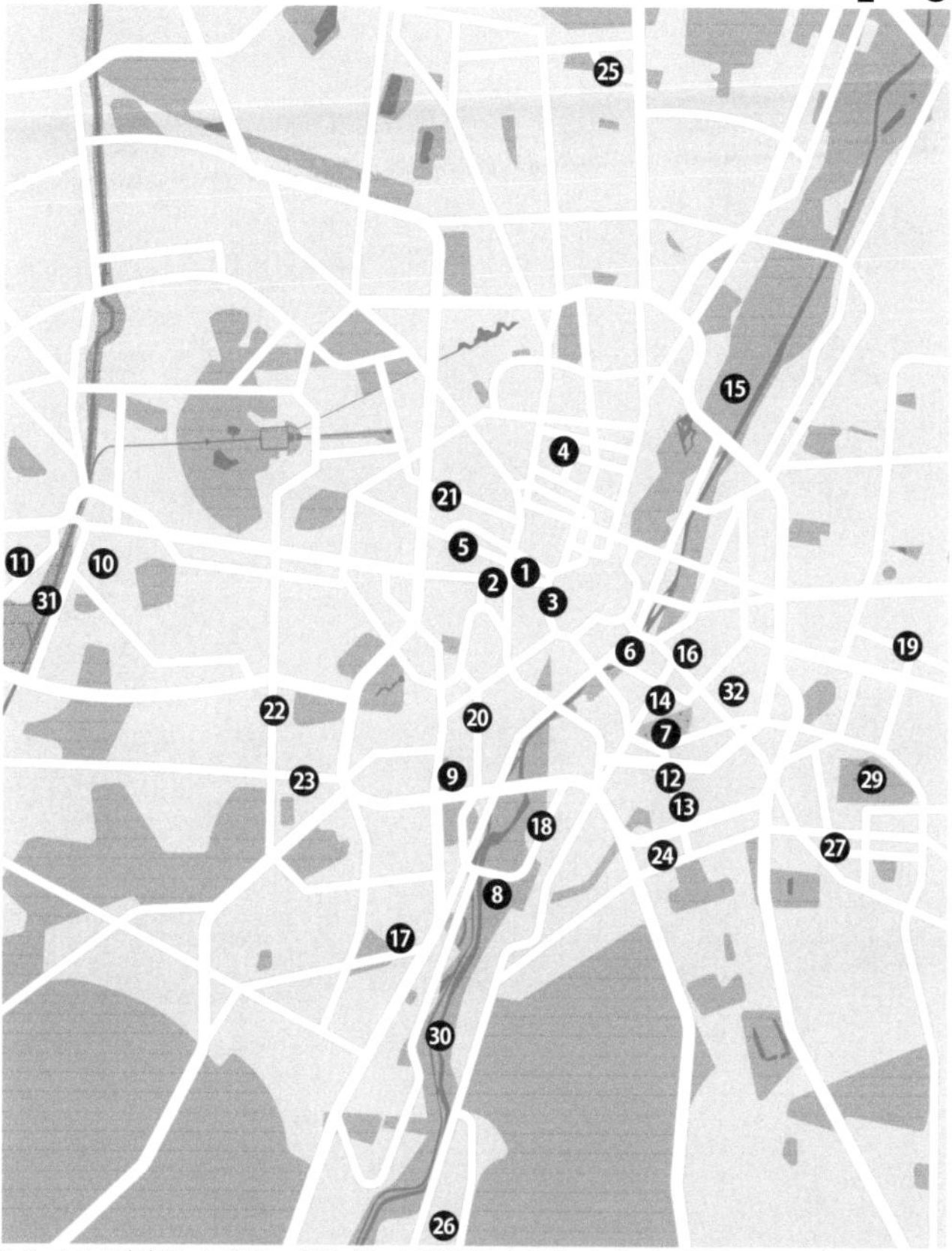

1 ミュンヘン中央駅、**2** バイヤー通り（ミュン警察第１１分署）、**3** ゾンネン通り、**4** ヨーゼフ教会、**5** アルンウルフ通り、**6** ドイツ博物館、**7** オスト墓地、**8** ヘラブルン動物園、**9** ゼンドリング、**10** パージング、**11** ミューラー通り（両親のアパート）、**12** ギージング、**13** シュリールゼー通り、**14**ヴェルフェン通り、**15**エングリッシャー・ガルテン、**16**ハイトハウゼン、**17** ジーメンスアレー、**18** シェーン通り、**19** トルーダーリング通り、**20** アルラム通り、**21** アルブレヒト通り、**22** フュルステンリーダー通り、**23** ワルトフリートホーフ通り、**24** テガーンゼー通り、**25** ミルベルツホーフェン（ソーニャのアパート）、**26** グリューンヴァルト、**27** ラーメルスドルフ（居酒屋スージー）、**28** フライジング（アンツのアパート）、**29** オストパルク、**30** イザール川、**31**ヴュルム川、**32** クンストパルク・オスト

ミュンヘン警察
失踪者捜索課警部
タボール・ズューデン
シリーズ第1弾

スター ウォーカー

Die Erfindung des Abschieds

ラファエル少年失踪事件

フリードリッヒ・アーニ
Friedrich Ani

鄭 基成［訳］

日曜社

スターウォーカー
――ラファエル少年失踪事件

Die Erfindung des Abschieds
Friedrich Ani

目次

主な登場人物

タボール・ズューデン　　　　　ミュンヘン市警察第一分署失踪者捜査課主任警部
ソーニャ・ファイヤーアーベント　同主任警部
マルティン・ホイヤー　　　　　同主任警部

カール・フンケル（チャーリー）　ミュンヘン市警察第一分署長
フォルカー・トーン　　　　　　失踪者捜査課長
パウル・ヴェーバー　　　　　　主任警部
フライヤ・エップ　　　　　　　上級警部
フロリアン・ノルテ　　　　　　上級警部
アンディ・クルスト　　　　　　新人警察官
ヨーゼフ・ブラーガ　　　　　　殺人課上級警部
スヴェン・ゲールケ　　　　　　殺人課上級警部
ロルフ・シュテルン　　　　　　殺人課第一主任警部

ゲオルク・フォーゲル　ラファエルの祖父
トーマス・フォーゲル　ラファエルの父親、ゲオルクの息子
キルステン・フォーゲル　ラファエルの母親
ラファエル・フォーゲル　少年九歳
ハンス・ガルボ　キルステンの恋人
サニー　ラファエルの女友達
アラース　ラファエルの友人
リーロ　娼婦

アウグスト・エマヌエル・アンツ（グストル）　庭師
フランク・オーバーフェルナー　庭師

エヴェリン・ゾルゲ　ゲオルク・フォーゲルの恋人

プロローグ

男が一人、裸で雨の中を、一本脚で立っている。両腕を上に伸ばして。男は森の中の一本の木だ。男の眼差しは、しわだらけの根っこのようなあるものに注がれている。それは、盛り上がった土から生え出て踊りを踊るように見えた。男は身動き一つせず、静かに立っている。全身に鳥肌が立つような強い風も、湿地に繁る樅の葉も、髪の毛から耳の中に、冷たいヌルヌルとした虫のように入り込んで来る雨水も、集中しきった彼の心を乱すことはない。

男は不動の姿勢で両腕を高く伸ばしたまま、右足の裏を左脚の太ももに押し付けた。そのとき性器がかかとに触れてむず痒かった。すでに一五分間もその姿勢を続けている。一本脚で、静かにそして力強く、祈りのときように両手を頭に乗せて。踊る根っこは小さな茶色い目で彼を眺めている。

暗がりが雨の淡い光でキラキラと輝いた。単調な雨の音だけが森の音だった。その煌《きら》めきは、まるで、雨が月を隠してしまった遠い空にかかる黒い雲から持ってきたようだった。花輪のような雨に飾られて、男は暗闇の中で聳《そび》え立ち、じっと動かなかった。洗って乾かした衣服は、数メートル離れた山小屋の中に置いてある。寒さでしだいに四肢の感覚が痺《しび》れてはきたが、服を着ようとは思わなかった。日課のごとく昼も夜も同じ時刻に、小屋の前で裸の修練をする。九カ月前にここに住むようになってから、絶やさぬ日課だ。だから、自分をじっと見て、目の前であちこちピョンピョン跳ね回る根っこに突然気付いたときも、もはや驚くことはなくなった。

確かに最初にそれを見たときは、驚いて体をびくっとさせてバランスを失い、よろめいて倒れてしまったものだった。そのとき、ケタケタと笑う声が聞こえた。声のする土の中に向かって、膝をつき、よく見えるように目を細くした。最初赤い根っこのように見えたものは、実は元気な生き物だったのだ。

そのときからこの生き物が彼の友達だ。樹木と動物たちでいっぱいのこのジャングルのような森の中で、ただ一人の友達だ。町から遠く離れて、村からも五キロメートルほど奥まったこの森の中で、ふやけた顔に赤い団子鼻と潤んだ目をしたお供ができたのだ。彼はその友だちをアスフールと名付けた。この世界のことがいかにわずかしか見えていなかったんだろうと気づいて、われながらハッとした。そして、孤独の中で怯えている自分がときどき情けなく思えた。だからアスフールという友を得て、二人で兄弟の契りを祝うために乾杯した。アスフールは彼よりも倍ぐらい歳をとっている。肌はしわくちゃで歯はまるで荒地のようだったが、冗談好きで、姿を見せるたびごとに、面白くて、こちらを笑わせてくれるのだった。

さて男がアスフールを、目尻一つ動かさずにじっと見ていると、ハッとして体がグラグラしてくるのだった。アスフールの頭には真ん中に、ある町の紋章になっている一二芒星をあしらった薄っぺらい緑色の帽子が乗っている。その星が何かは男にはすぐにわかった。ドイツ連邦警察のシンボルだ。ゆがんだ指でアスフールは帽子を目深にかぶり、手を上げて挨拶をした。さっき男がした格好を真似て、片脚を折り曲げ、円を描きながらぐるぐると回った。アスフールが二回りは大きすぎる帽子をいつのまにかぶったのか、男にはわからなかった。というのも、それまでアスフールは、いつものようにハゲ頭のまま土の上をうろちょろして、いたずらをしようとしていたのだから。もっとも、それは成功したためしがなかったが。今までに一度も。何年も前に自分が毎日かぶっていた馴染みの帽子を、顔半分が隠れるほどにかぶったその姿を見て、彼は体のコントロールを失った。雷のような笑い声が彼の口から轟いた。両手を腰に当てて、谺《こだま》が返ってくるほどの大声で笑った。裸でずぶぬれになり寒さに震えながら、両脚を広げて泥土の中にくるぶしまで埋めて立ったまま、肺が痛くなるほど笑った。堪えようとしても堪えきれなかった。

突如として笑い声は消え、谺は沈黙し、雨の降る音さえ小さくなった。男は腕を下ろし、眼差しはトロリとした鉛色になった。土の盛り上がったところを眺めた。まるでカーテンに仕切られて向こう側が見えなくなったかのように辺りは暗くなっていたが、自分が一人になったことがわかった。緑色の帽子をかぶって目の前で踊っているものは誰もいない。今、彼にはわかった。楽しくて興奮して笑ったわけではないと。恐怖感だ。あの恐怖感が彼を再び捕らえ、揺さぶり、彼の声をヒステリックな叫び声に変えたのだ。この世を生きることの不安。この人生を、彼は、まるで使い古したコートのように脱ぎ捨ててしまいたかった。毎日裸になって、どれほど地を這い、許しを乞うても、それを捨て去ることはできなかった。彼という男は、自分の影の投影なのだ。今も、光のない森の真夜中過ぎに映る、長い影。小屋に戻り、毛布に身を包んで暖炉の残り火の前にひざまずくと、自分の影が、いつまでも覚めやらぬ夢の中の息詰まるような迷路へと、彼を連れて行くのだ。体はカッカと燃え、汗びっしょりになって、朝を迎える。起き上がってよろめきながらドアに向かうとき、そのドアを開けるときの恐怖感ほど耐え難いものはなかった。そのたびに、あの少女がそこにいて、今にもこう訊ねるのではと思うのだった。今までどこにいたのかと。君を探せなかったのだ。いつものようにそう答えたところで何になろう。耳も聞こえず目も見えず、空腹でさえなくなった。自分の指の爪を齧《かじ》っていたのだ。それを禁じるものは誰もいなかった。地下室の箱の中に一人閉じ込められていたのだから。

「ああ、神様!」彼はあの笑い声と同じように大きな声で叫んだ。そして谺は〈神様〉とともに返ってきた。

　それから周りを見回したあと、修練の最後にいつもそうするように、谷間を見下ろした。ホッと息をする。ガサガサとかすかな音がする。猫が銀紙の上を歩くような音だ。アスフールが近くにやってきて、彼がバカをしでかさないように見張っているのが彼にはわかるのだ。

　そこで男は右腕を高く上げて暗闇に向かって合図する。一瞬音がやむ。きっと、あいつが合図を返してくれている。ようやく胸がかすかに暖かくなり、苦しみが和らいでいく。せめてしばらくの間は。ありがとうよ、アスフール。その合図で気持ちが楽になったよ。アスフールにどうしてそんなことができるのか、知る由もなかった。

　自分はそろそろ狂ってきたのかもしれない。しかしお終いではない。そうだ、希望というものが、まだあるのだ。

第一部

1　鏡の中の美しい惑星

　こんなに冴えない日は、いつものように仕事場に出るなんてバカバカしい。七時に飛び起きて朝のラッシュの中へとアクセルを踏む。仕事場に急ぐドライバーたちのマナーの悪い運転や、ラジオのパーソナリティの面白くもない冗談を何とか我慢しながら、やっと駐車場にたどりつく。守衛の男から、レオポルド通りは今日も混んでいたかとおきまりの挨拶をかけられる。こんな日は、彼女はベッドに寝そべったまま、いつになく時間をかけて天井をじっと見つめるのだ。するとそこに、赤い蛍光色の文字が浮かび上がってくる。やれやれ、どうして警察官なんかになってしまったんだろう、という文字が。そして目をつぶると見えてくる。朝日が部屋に射し込んで、この現実がアイスキューブのようにあっけなく溶けてしまう光景が。

　ごみ収集の男たちがコンテナを道路上に移動しながら、バイエルン訛りとトルコ訛りが入り混じって、何を話しているのかよく聞き取れないが、何やら面白そうなことを大声で話している。こんな味気ない冴えない日は、ソーニャ・ファイヤーアーベントは、耳元でうるさく鳴り続けるデジタル目覚ましに一発くらわせて黙らせる。そして仰向けになって天井を眺める。それにしても、どうして？　やれやれ……。

　電話が鳴った。ハッと我に返り、ベッドを飛び出した。

　電話器の向きを変えて呼び出し音を小さくするまで、頭の中では一秒ごとに時限爆弾の爆発音が聞こえてくるようだった。

「もしもし！」と彼女は威嚇するように語気荒く答えた。

　返事はない。ソーニャは即座に受話器を置き、電話器を出窓にどかんと置いた。棕櫚《しゅろ》の木の長く伸びた葉に隠れて、電話器は普段この部屋では影のような存在なのだ。きっとたいした電話じゃないわ。プライベートの電話がかかって来ることはほとんどないし、たまに誰かからかかってきたとしても、出ることはめったになかった。去年一年で、友人関係は女性一人と男性三人に減らした。男友だちとは定期的に会っていた。女友だちの方は近所のスポーツセンターで一緒になったとき、ひと汗流したあとのビールに付き合うくらいの間柄で、親友と言えるほどのものではない。三人の男友だちのうち、一人はハンブルク近郊で不動産業を営んでいた。結婚してからはなんとなくやましさを感じている様子だった。おかげでソーニャからすれば、彼の存在がますます鬱陶しくなっていった。とはいえ、きれいな字とは言えないが今でも送られてくる彼からの手紙は嬉しかった。残りの二人のうち、一人は毎日職場で会っている。結婚するかどうかについてのお互いの考えに深刻な違いがあるためにその話は空中分解してしまったが、二人はよく話をするし、お互いを信頼している。それに月に二、三度は一緒に食事をし、二人の愛情が今も変わらないことを確かめ合っている。三人目の男。これは一種の人食いだ。というのも、彼は二人の心の半分ずつを食ってしまったからだ。もう何カ月も連絡がない。その方がこちらとしてはありがたいのだが、それも時による。彼から電話がないときは、なんてひどいやつだと思う。そのくせ電話が鳴ったとしても、そもそも彼女は電話には出ない。

「もしもし！」再び電話だ。彼女は受話器に向かって声を荒げた。

「どうしたんだい。いい目覚めじゃないようだな？」

声の主が誰なのか、すぐにはわからなかった。

「そんなに大声出さないでちょうだい！」

受話器を抱えて彼女はバスルームに入った。ドアには子供の字で青く描かれたプレートがかかっている。バスルーム。目覚めの後、いの一番に思うのはクローゼットのドアの後ろの部屋、このバスルームのこと。バスタブがどんなに小さくても、洗面台がどんなに安っぽく見えても、壁際のトイレの便器が近すぎても、そんなことは気にならない。おまけに鏡は表面がざらざらしていてよく見えない。お化粧するには小さすぎ、そのうえ、真っ白いライトのおかげで、顔はまるでホラー映画に出てくるお化けの顔のように見える。でもそれは私だけのバスルームなのだ。この私だけの、というなにげないことばが大事なのだ。なにしろこの空間は彼女だけのものなのだから。カールと同棲し始めてから二年が過ぎたある日、蝋燭《ろうそく》の灯の中でカールにプロポーズされたとき、いいわ、と小声で答えた。二人で暮らし始めた一六五平米もある、大きくて古風なアパートメントを飛び出してから、最も自由な空間なのだ。カールとの生活は、あのアイルランドでの休暇で全てが終わった。

今の私には、何はなくとも自分専用のバスルームがある。四一歳の自分には、意外とぴったりだと思えた。「君の歳で、もうそんなにたくさん飲んではいけないよ」と、電話のむこう側の声が言い、ソーニャは受話器を置く。誰からの電話かはわかっている。歯を磨く間にバスタブにお湯を貯めながら、間違っても鏡を見ないように気をつけよう。二、三分もすれば、湯気で曇るだろう。そうすれば顔を上げても大丈夫。

三度目の電話が鳴った。しばらく待たせてから受話器を顎と肩の間に挟んで、お湯の温度を調節した。蛇口をひねり、すぐに湯船の中で座れるように、熱すぎない程度のぬるさになるまで水を入れた。ただし、ぬるすぎてもいけない。この季節に湯冷めは絶対に禁物だ。

「すぐにこっちへ来てくれ」電話の声が言った。

「わかったわ」ソーニャは答えた。

「今すぐだ！」

たとえ上司でも、朝の七時に、人に指図されるなんて、もうごめんだわ。なんのためにこんな穴ぐらみたいなバスルームで我慢していると思ってるのよ。ミルベルツホーフェンの、月九〇〇マルクで三八平米のアパートに越した。窓の外には舗装された中庭が見える。日曜の朝になると子供たちが楽しそうにスケートを楽しんでいる。やっと一人になれたのだから、贅沢は言ってられない。

「行方不明者だ。九歳の男の子の行方がわからなくなっている」とカールが言った。彼の耳にはバスタブのお湯が立てる音と、ピチャピチャという小さな音しか聞こえない。「母親が届け出たんだ。その母親の義理の父親が今日埋葬される。それを追いかけるように今度は息子がいなくなったってわけだ。どうも、お祖父さんの死をうまく受け入れられないのかもしれない。聞いているのか？」

ソーニャはトイレの水を流し、電話をバスタブのへりに据えて、その横に受話器を置いてからTシャツを脱いだ。ベッドで身につけているのはこれだけだ。それを自分で壁に取り付けたタオル掛けにかけ、やおら、ご満悦の様子で鏡を覗いた。しめしめ、完璧に曇っている。

「ソーニャ、どうしたんだ！」赤い受話器から聞こえる声はだんだん大きくなった。「一体どうしたんだ？　男の子を見つけ出さなきゃならないというのに、君はのんきに風呂ってわけか。早くこっちへ来いよ。君の仕事だろ」

「おはよう、カール！」受話器を置いたまま話した。頭をバスタブの縁に斜めに傾げながら。蛇口を閉めて、左足をお湯につけた。緩すぎず、熱すぎもしない湯に体を浸け、腕でバスタブの縁を持ちながらゆっくりと入っていく。両脚を伸ばすと、足と膝から下の大部分がお湯の外に出てしまった。彼女は受話器を手にとった。

「いつからなの、その坊やがいなくなったのは？」と彼女は訊いた。

「まだ正確なところはわからない」と彼が答えた。

たった今までお互いにつっけんどんにしていたことなんて、二人とももう忘れてしまったようだ。「母親が言うには、朝息子を起こそうとしたらもういなくなっていたというんだ。五時半ごろだ」

「そんなに早く？」ソーニャは湯気のあがるお湯の中で目をつぶったまま、一語一語耳を澄まして聞いていた。

「住居はパージングで、埋葬はオスト《東》墓地だ。亡くなった母親の義父はギージングに住んでいた」

「で、その子の父親は？」

「この父親というのがまた問題でね。家にいないんだよ。というかいつもいるわけじゃないんだ。町にガールフレンドがいる。中央駅の近くらしい」

「つまり母親は、夫が家にいないときにどこにいるか知らないってこと？」

「そうだ。知ってはいるけど、息子がいなくなったので気が動顛《どうてん》してしまって、夫がいる場所をすぐに思い出せないだけだと本人は言い張ってはいるがね」

「ということは、あなたはその子の父親とは話していないのね」とソーニャは言いながら目を開けた。首筋を汗が流れる。両足を湯船につけて肘で膝を抱えた。

「つまり父親はこのことについて何も知らない」

「そうだ、何も知らない」カールが言うと、がちゃんという音がした。「すまない。コーヒースプーンを落としてしまって。母親の夫は、息子がいなくなったことはまだ知らない。でも埋葬には来ることになっている」

「始まるのは何時？」

「八時だ。君が行って、関係者と話してくれないか」

彼はそう言ってコーヒーを一口飲んだ。

「もしかしたらその子は自分でそこへ来るんじゃないかしら」

「それは私も母親に言ったんだよ。だけど彼女は、そうは思わないって言うんだ。消えたのはこれが初めてではないんだそうだ」

「九つの子供が？」

「ああ」

これは初めてのケースだ。失踪者捜索課に着任して二年半になるが、覚えている限り、こんなケースは一件もなかった。そもそも一〇歳以下の子供の失踪は初めてで、大抵は一四から一八歳。それもほとんどが女の子で、何日か、あるいは何週間かすれば戻って来る。ソーニャは、一五回も家出して、親のところに帰ってきた女の子のことを覚えている。両親は精神科医に多額の金をつぎ込んだが、教育的成果はゼロだったようだ。

「これで何度目？」

「二回目だと母親は言っているけど、たぶん嘘《うそ》だね。息子が何かの事故にでも巻き込まれたのではと母親はパニックに陥ってるんだ」

「ちょっと待ってくれる？」と言ってからソーニャは受話器をバスタブの縁に置き、ローズマリーオイルの瓶を振ってお湯の中に数滴たらした。両手でお湯をかき回しながらもう一度上体を後ろにそらして、目をつぶり、ゆっくりとオイルの甘い香りを吸い込んだ。それから、灰色の床石にお湯がかかるほど勢いよくバスタブからガバと飛び出た。タオルを手に取り、体を拭いた。

「もしもし、お待たせ」

ザラザラした手触りのするタオルを頭からすっぽりかぶっているせいで、声が相手に聞こえない。

ソーニャは最近、茶色の髪を極端に短く切った上に、亜麻色に染めた。それからというもの、髪を洗うたびに、頭上に降り注ぎ髪を温めてくれる太陽の光に手が届くような気持ちがして、嬉しくなるのだった。ブラッシュ・ヘアのてっぺんに毛染めしない部分を残して、それが前から後ろに向かってまっすぐなラインにならずに、まるでうねうねと流れる川の水のように、茶色の部分が見えるものだから、同僚たち、特に女性の同僚たちはそれを、口をあんぐりさせて眺めるのだ。

彼女はバスタブの栓を抜き、ふたたび受話器を手にした。朝の入浴の儀式はこれにて終了だ。左手の拳の裏で曇った鏡の表面を拭いて、自分の顔と同じくらいの大きさの円を描き、じっと我が顔を見た。緑色の目、キラキラと水滴が二滴ほど光っている高い額、先端がか弱そうに上を向いている細い鼻は、彼女のお気に入りとは言えない。しかし唇の完璧なフォルムは、いつ見てもうっとりするほどだ。それも燃えるような赤い口紅を塗っているときは、鏡に映った自分の唇にキスしたくなるほど気に入っている。彼女はすべすべで小麦色の、ほどよくふっくらとした頬を見つめながら、「きれいよ、私」と微笑んで、自分の所有する宇宙の中の最も美しい惑星の光景にしばし見とれたあと、裸のままで廊下を歩いて、クローゼットから新しい下着を取り出した。

「君と一緒に暮らすのをやめて正解だったよ」とカールが言った。彼女は答えなかった。バストを軽く撫でてから、ブラをつけるのに忙しかったからだ。そして今日の服は黒のタートルネックのセーターと黒のジーンズに決めた。これから埋葬に参列するのだ。

「その子、この前はどこで見つかったのかしら?」足首までの浅い黒のブーツを磨くためのブラシを探しながら、そう訊いた。

「父親のところということになっている。我々の情報はまだてんではっきりしないところがあってね。だから、君が母親に会って、女どうしで直に話を聞き出して欲しいんだよ。マルティンもそこへ行って父親に話を聞くことになっている」

「とんだ話よね。埋葬だなんて」そう呟いたとき、彼女は台所のゴミ箱用にストックしておいたレジ袋の下に靴ブラシを見つけた。「で、母親は、息子がいなくなってから、まだ夫とは口をきいていないの?」

「ああ。夫がどこにいるか知らないんだから」

「電話番号も?」

「そうだ」

「それはどうかなあ」受話器を肩と頬の間にはさみながら、膝が隠れる黒のウールのコートを着た。受話器を左手に持ちかえ、下顎で押さえながら、クローム製のスタンドに掛かっている革製の帽子に手を伸ばした。

「きっと旦那の居所を知っているはずよ」

「じゃ、なぜそう言わないのだろう?」

「たぶん旦那が警察嫌いで、よりによって女房からの届出で警察がやってきたら、腹をたてるに決まっているとわかっているからよ」

「息子がいなくなったんだぜ、ソーニャ！　自分の幼い息子の心配よりも旦那が怖いのが先に立つっていうのか？」

「そういうことじゃないわ」と彼女は言った。「でも今の彼女は、旦那がいなくてもすっかり怖がっているじゃない。なんていう名前、その子？」コーヒーが飲みたい。自分が住んでいるコルヴィッツ通りとオスト墓地の間にスタンドカフェはあったかかな？　月曜日の早朝の埋葬の前に濃いコーヒーが飲めないなんて、こっちが死んじゃいそうだわ。

「その子の名前はラファエル・フォーゲル。さっきも言ったように九歳だ。今日埋葬される男性、つまりラファエルの祖父の名前はゲオルク・フォーゲル、五四歳。死因は肺癌だ。職業は路面電車の運転士」

「路面電車の運転士？」ソーニャにはかつて恋のライバルが一人だけいた。その女性も路面電車の運転士だった……。

「デパートの万引き監視人だったが、クビになった。もしもし、聞いてるのか？」

「何ですって！」彼女は上の空で聞いていた。ライバルだった女の顔が、壁にかけてある赤い額縁の中で拡大写真のように映っている朝日の中に、突然現れた。

「どうやら昨日はしこたま飲んだようだな」カールが言った。急ぎの話があるから電話を切ってくれ、と誰かの声が聞こえる。

「いいか、よく聞けよ」カールが続ける。「父親だ。今オスト墓地に向かっている。息子から連絡があったと言っている。電話で。それで家に電話したら、誰も出なかった。ただ、キルステン・フォーゲルが……」

「それが母親の名前？」

「今言ったはずだ。キルステン・フォーゲル。頼むからよく聞けったら。父親はトーマス・フォーゲル。元デパート専属の監視人だ。さっき言ったように今は無職。それで……」彼は咳払いをして、コーヒーを一口飲んだ。彼が今何をしたのか、ソーニャにはわかった。そしてそのカールを妬ましく思った。「それで、キルステン・フォーゲルは、今警察に行っていると、留守番電話にメッセージを残していたんだ。もし息子から連絡があったときのために。というわけで、フォーゲル氏が墓地へやってきたってわけだ」

「今すぐに捜索手配書を出すの？」オスト墓地の近くにすぐに何か飲めるカフェが絶対になくてはいけな

い！

「連絡をくれ。たぶん、その子は現れるよ。パトカーを二台そっちへやる。署の奴らが墓地の入口で見張っている。ラファエルが現れず、両親にも何も連絡がないとなったら、捜索手配をすることにしよう。まだ何か聞きたいことは？」

彼女は首を振った。

「訊いてるんだぞ！」カール・フンケルは受話器に向かって怒鳴った。

「何も」と彼女は答えた。

「夜っぴて飲みほうけてたんだな？」

彼女はそれには答えずに受話器をもどし、部屋を出た。昨日はスポーツジムで一汗かいたあと、夜に先輩のエディットと待ち合わせて、女二人でヴァイスビール（白ビール、表面発酵のビールで、炭酸分が少ない）を飲みに出かけたのだった。それぞれがグラスで五杯飲んだあと、ヘッドライトが壊れたままの自転車で部屋に帰ってきた。アルコールが入ったときは、自動車を運転するのは厳に慎んでいる。

ミュンヘン市警察の犯罪担当部課は四階にある。最高責任者のカール・フンケル刑事部長が合計四つの課を率いている。K一一一（殺人課）、K一一二（死亡事件調査課）K一一三（放火事件捜査課及び環境犯罪課）、最後にK一一四（失踪者捜索課および身元不明者死亡事件課）である。今は朝八時。人の動きは少ない。昨夜は大掛かりなガサ入れもなかったし、わけのわからない苦情電話も、酔っ払いの絡み電話もなく、夜勤の警官たちもそれぞれ引き払った頃だ。フンケルが招集した最初の会議が開かれるまで、まだ一時間ある。フンケルはそれまでに、ラファエル・フォーゲル失踪事件の捜索の進捗状況について、失踪者捜索課の同僚たちとゆっくり話をしたかった。彼らの話から判断するに、少年がいそうな区域の捜索には百人隊の投入とヘリの用意が必要な状況だと思われる。一言で区域と言っても、範囲は広い。子供の両親が住んでいるパージングはミュンヘンの西側だが、そこから中心部へ向かって歩いたかもしれず、祖父が埋葬されるオスト墓地の方向に向かった可能性はある。あるいは、理由は誰にもわからないのだが、ヴュルム川沿いを南へ、グレーフリング、プラーネッグ、クライリングの方へ足を運んだかもしれない。しかしなぜ？　そしてそこで誰かと会ったとしたら、それはいったい誰だろう？

「おはようございます。フンケル部長！」

フンケルは振り返って言った。「おはよう、ヴローニ。君に仕事だ。録音テープなんだが、ごちゃごちゃしてて、よく聞き取れないんだ。このご婦人がひっきりなしに途中で話し出すものだから。九つの息子が家出したんだよ」

「そりゃ大変。すぐに文字起こしをしておきます。任せてください。コーヒー、淹《はい》ってますよ。うーん、いい香り！」フンケルの秘書ヴェロニカ・バウツ、四四歳。フンケルにいつもと変わりない微笑みを投げかけながら、手にしたカセットテープを持って給湯室に向かい、ひとつ優しく肯きながら、コーヒーカップを手にボスの部屋のドアを閉めた。

フンケルは再び眼下の中央駅に目をやった。往来する人々、客を待つタクシーの列。ホームレスたちが階段に腰をかけてワインやシュナップスを飲んでいる。ときどき物乞いのために手を出す。その手を重たそうに震わせながら。それでも何ももらえないとき、鳩がその手に止まって指を突っついたりする。

カール・フンケルはこの部署を一一年間率いてきた。仲間たちとは信頼できるチームを作ってきたし、中には付き合いの長い連中もいる。新聞で叩かれたときや内輪の揉め事があっても、いつも頼りになる仲間たちだ。彼が警察のような組織で気に入っていることは、チームスピリットというやつで、ある種の親密な連帯感があることだ。そのためには任務でも私生活でも、ある程度犠牲を払う価値がある。そんな価値など今ではもはやなくなってしまったとよく言われることではあるが。チームの仲間が心配事を抱えていたり苦境に陥ったりしたときには、まるで重大な捜査上の問題か、自分の家族の問題であるかのように、親身になって真剣に考えてあげた。もっとも彼には家庭はないのだが。ソーニャ・ファイヤーアーベントとの婚約が破綻して以来独り身で、他の女とは二カ月と続いたためしがない。カール・フンケルが三五年前に警察官になったのは、しっかりした信念があったからというわけではない。どんな仕事に就けばよいかわからなかった。そんないい加減な気持ちからだった。それに、兵役につきたくなかったというのがいちばんの理由だ。一九六四年といえば、ちょうどビートルズがアメリカのヒットチャートで立て続けに五曲もヒットさせていた頃だ。そんな時代に士官の命令に振り回されて軍事訓練に励むなんぞ、バカらしくてまっぴら御免だ。署の仲間のうちの誰一人として、はっきりした信念があって警察官になった者なんていなかった。たいていの者は、どんな職業を選ぶべきか、はっきりとした考えもなく、なんとなくこれしか思い浮かばなかったからだった。それでも結局はそれなりに高い社会的地位を得るようになり、そうこうしているうちにカール・フンケルは第一一分署を率いることになったのだ。彼の威信は誰もが認めるところだ。なにしろ自分たちの上司は、デスクワークばかりで役立たずの刑事なんかじゃない。それどころか、かつては犯罪防止課のリーダーとして、また失踪者捜索課と殺人課のプロとして、現場経験が豊富で、そのうえ、捜査に進んで参加して報告書まで書き上げることをいとわない御仁ときている。警察本部では彼のことを自分勝手で指導力に欠けると評する者もいるにはいる。しかし、ことクリスマスパーティーに限っては、その評価が一八〇度変わるのだ。出動中に片眼をなくしたカールが黒いアイパッチをつけているのを、海賊みたいだと影でジョークを飛ばしても、誰もがもはや気にせずに軽く聞き流すようになっていた。

「どうぞ！」

ドアにノックの音がした。彼は息を深く吸いこみ、事件とは無関係な一切の雑念を頭の中から追い払った。

男が二人ドア口に立っている。一人は六一歳、屈強というよりごつい感じだ。頭は灰褐色のちぢれ毛。輪郭のはっきりしない横広の顔にはゲジゲジ眉毛と赤みがかった耳朶《たぶ》がくっついている。ズボンは垢染《あかじ》みた革のニッカボッカ、袖をまくり上げた赤と白のストライプのシャツの中から、毛むくじゃらの二の腕が見える。

もう一人は、三五歳、一見すると張り切りすぎの銀行マンのような格好だ。絹のネッカチーフ。袖には革のパッチが縫い付けてある。シワひとつない三〇〇マルクのズボン。健康そうな匂いを放ち、香り高い香水をつけている。それで署全体が丸ごとご利益に預かれるとでもいうように。この男の近くにいる同僚の刑事は誰であれ、汚れた靴で仕事机に足を乗せることはおろか、だらしなく椅子に腰掛けることなど、厳に禁じられている。名前はフォルカー・トーン主任警部。K一一四、失踪者捜索課の課長だ。すでにフンケルの仕事机のところに腰を下ろしているニッカボッカの男の名前はパウル・ヴェーバー。若いトーンの両親がまだ知り合ってもいない頃から、もう巡査になっていた。

　五三歳のカール・フンケルはこの二人の警部の直属の上司だ。そしてこの若いトーンを、多くの同僚の反対を押し切って、この失踪者捜索課の課長に抜擢するよう署長にねじ込んだのは彼だ。特に女性たちには自惚れの強い生意気な若造に映るかもしれないが、フンケルは、トーンのチーム作りに長けている点や、偉ぶらない話し方、それに、どの部下に対してもオープンでダイレクトに、そして、どんなに言いにくいことも、はっきりと自分の意見を言うように促すことに力を注ぐ姿が気に入っていた。

「その子は、じいさんの埋葬にはやってくるさ」ヴェーバーが口を開いた。三人ともA4の紙にメモを書いた。

「いなくなった理由はなんですか?」ヴェーバーの方を見ずに、トーンが訊いた。フンケルはデスクの短辺に座ってじっと聴いていた。

「おじいちゃんの死がショックだったからさ」ヴェーバーが答えて、ジャーナリストがするように、自分の言葉を括弧付きで認《したた》めた。

　ヴェーバーの意見『それは気まぐれのなせるわざだった』

「それは違う」とトーンが言った。しばし沈黙が訪れた。ドアの外から、秘書のヴェロニカが打つタイプの耳障りな音が聞こえてくる。仕事によっては、彼女はパソコンではなくタイプライターを使うのだ。パソコンというものが好きになれないようだ。

「違う」トーンは繰り返した。「あの子がいなくなったのは、お祖父さんがいなくなったからではなくて、そのことについて話す相手がいなかったから」

『……話す相手が誰もいなかったから』ヴェーバーは括弧付きで自分のノートに書いた。トーンの意見！と感嘆符付きで。

「前にもう二回もいなくなってるんですよね」トーンはフンケルの方に顔を向けた。フンケルはひとつ肯いて、それから自分の机のところに行った。前かがみになって、引き出しの中を探った。「で、なんで二回もいなくなったんでしょうね」

　フンケルは探し物が見つからず、引き出しの中をごそごそまさぐった。ワインレッドのジャケットを着た彼の手が、ボールペン二本と二つある中国製の鉄製の球のうちの一つに激しく当たり、ボールペンと鉄製の球は床に転がり落ちた。がちゃんという音を立てながら宙に舞ったあと、石のように動かなかった。

やっとのことで探し物が見つかった。煙草の缶とパイプだ。節煙しようと思っているので、見えないところに隠しておくのだが、いかんせん、その隠し場所を探し当てるのは彼にとっては朝飯前だから、世話はない。ヴェロニカもそれは先刻承知で、フンケルがパイプと烟草を彼の節煙宣言と口先だけの約束と一緒に、机や書類棚のどこかに仕舞いこむのを見つけたときには、ニヤリと笑うのだった。

キラキラと光る鉄の球とボールペンを拾い上げて、二人がいる窓際に腰を下ろし、唇をひと舐めしてからパイプに煙草を詰めた。まる一週間吸っていなかったのだ。

「母親だが……」フンケルは煙草の香りを嗅ぎながら話し始めた。「彼女が言うには、息子がいなくなったのは、どうして父親が一緒に暮らさないのか、知りたかったから、ということらしい。どうしても父親に会いたがっていた。おそらく父親のところに泊まっていたんじゃないかと」

「母親は息子に事情を話していないのかな?」ヴェーバーが訊いた。

「話そうとはしてみたが、聞こうとしなかったそうだ。自分の部屋に閉じこもってしまって。父親のことが好きなんだろうな」フンケルはパイプをくわえて机に目を向けた。マッチを忘れてきたのだ。トーンがフンケルの目の動きに気がつき、ブルーの麻のジャケットから銀のジッポを取り出した。

「ありがとう」フンケルは言い、甘い香りの煙と喜びを、肺いっぱいに吸い込んだ。

トーンとヴェーバーは、ニヤリとからかうように笑ってその様子を眺めていた。フンケルは、素知らぬ顔で、借りたジッポを表面がすべすべした木製の机に置いてから、トーンの方へ押し出した。トーンはそれをポケットに戻した。彼はツィガリーロが好みだが、吸っても昼食後に一本、あとはそろそろ仕事も終わる頃合いに一本吸う程度だ。

「母親からは何も聞き出せなかったってことですね」トーンが言った。「息子が行き先も言わずに出て言ったということだけですか。お祖父さんとはどんな関係だったんでしょうね?」

「誰よりも親密な関係だよ。父親の父親だ。お袋さんがいうには、毎週末にはギージングのじいさんのところろへ出かけてたんだとさ。蚤の市や鉄道博物館なんかを見て回ったりして……」

「何だって？」ヴェーバーが言った。

「もともとお祖父さんは路面電車の運転士だっただけあって、鉄道ファンで……」

「ああ、そういうことか……」

「なんだと思ったんですか？」突然トーンが言いながらヴェーバーの顔を見た。

　プップーという鋭い音が近所から聞こえてくる。薄い窓ガラスを通して、行き交う自動車のクラクションが遠慮なく入ってくるのだ。

「やっぱり、あの子は埋葬には来ないかもしれないな」ヴェーバーが紙の上にギザギザの線を描きながら言った。

「〈やっぱり〉ってなんですか。それに〈かもしれないな〉って、どういう意味ですか？」トーンがヴェーバーの方に身を屈めるようにして訊いた。

「じいさんは死んじまったんだ。あの子と話をする人間がいなくなったんだ。お別れもできずにな。だったら墓の前で何をすればいい？　サヨナラはもう済んじまったんだよ。墓場には、お互いに話すこともない両親と、他に路面電車の運転士たちとかが来るだけだ。誰も口はきかないだろうし、ビールでも飲みに行くだけさ。それでおしまい。で、子供は？　ラファエルはどうすりゃいい？　そう、私の考え違いだった。あの子は来ない。きっと現れないよ。行ってもどうにもならないことを知っている。できることなんか何もない。じいさんは死んじまったんだ。土の下に眠っている。誰もじいさんの死体を掘り起こそうなんてしないだろうし。絶対に来ないね……」ヴェーバーは頭を振りながら、手首で右耳の後ろをグリグリ擦った。もともと赤みがかったところがさらに赤くなった。「この子がいなくなったのは、自分とまわりの世界とのソリが合わなくなったからだ。大人たちに裏切られ、一人ぼっちにされてしまったからだ。どこに隠れているのか、私には見当もつかない」

「とはいえ捜索を始めるのは埋葬が終わってからだ」とフンケルが言った。「おそらく路面電車に乗ってミュンヘンのあちこちをぶらついているんだろうな。ということは、いずれ見つかるさ」

「見つかるとして、で子供はどうなるんで？」とヴェーバーが訊いた。

ちょうどそのとき、隣の部屋のタイプライターの音が止まった。二台の電話が同時に鳴った。フンケルの電話の緑のライトが点滅した。

「そうしたら、すぐに母親のところに返すしかない」とトーンが言った。

「あの子が路面電車に揺られてこの辺をさまよっているとは思えないな」とヴェーバーが言った。「それはないな、絶対に」

2　かみさまにきいてよ、どうしてなの？

早朝の陽の光が、オスト墓地の上空を覆っている分厚い灰色の雲のむこうに消えた。植生豊かな公園のように、この墓地はギージングとハイトハウゼンの二つの区域に広がっている。墓地の二辺には、一五分ごとに轟音を立てて通り過ぎる電車の線路が走っている。楓《かえで》や橅《ぶな》や樅《もみ》や白樺の樹々の間には、この町のありとあらゆる階層と職業の死者たちが肩を寄せ合って横たわっている。パン屋、肉屋、職人、教頭先生、役者、コンサルタント。庶民も偉い人も、大風呂敷の詐欺師も世捨て人も、忘れ得ぬ人も忘れ去られた人も、皆そこに眠っている。鴉《からす》たちは、そこに何かついばむものがありさえすれば、そして、お定まりの狭い花壇が大理石の板でふさがれていないうちは、どの墓にでも喜んでやってくる。砂利道をそろりと歩いては、いかにもぎこちなさそうに、眺めのいい木の枝に、羽をバタバタさせて飛び乗る。かあかあと啼くその声の下で、首をうなだれた黒い喪服姿の人たちが、涙を流すのだった。

神父は彼女の手をもう一度握りしめた。今度もハンネ・ヴェックは溢れる涙をこらえられなかった。瞬《またた》きをしながら神父の顔をじっと見ると、神父は肯いて、今度は両の手で彼女の手をしっかりと握りしめた。神父の体にまとわりつく香の匂いがした。遠くで鴉が啼いている。ミサの侍者の一人は、すでに煙も出なくなった香炉を振りながら、神父の退場を、ジリジリしながら待っている。

「ありがとうございます」ハンネ・ヴェック未亡人が小声で言った。そのとき彼女は、神父が彼女の手を離して、今日の侍者を務める二人の少年の方に目をやったことを認めた。これで儀式は終わったのだ。神父たちは祭具室に戻らねばならない。一〇分後には次の埋葬が待っているのだ。

足音が軋むのが聞こえる。見上げると、ハンネの前に黒いコートの女性が立っている。納骨堂の近くに立って、ハンネをじっと見つめている。

「だれかしら？」死者の息子の嫁キルステンが震える声で訊いた。ハンネは首を横に振る。「さっきからずっといるの、あの女《ひと》。それであそこに男の人が一人いるでしょ。ずっとこっちを見ているのよ」

ハンネはゆっくりと、生垣の向こうに立っている男の方を振り向いたが、見えたのは男の頭だけであった。男は分厚い暗緑色のマフラーを首に巻いており、顎と口もとが隠れて見えなかった。身じろぎもせずにじっとこちらを見つめている。

死者の息子のトーマス・フォーゲルが、妻のキルステンが持参したグラスの聖水に、一本のハイマツの枝を浸して、四つの献花と赤や白のバラのブーケで覆われた、まだ開けたままの墓石に、その枝をパシッと叩きつけた。そして生前のゲオルク・フォーゲルの同僚たちであり、今は灰色のコートに身を包み、路面電車交通の名前で花環を献花してくれた、五人の運転士のうちの一人に、その枝を渡した。キルステンとトーマス夫妻、そしてハンネ・ヴェックというフォーゲル一家のほかにも、女性が二人参列しているが、家族の者は誰一人として彼女たちに見おぼえがなかった。名前を言われても、誰も思い出せなかった。

墓は質素なものだった。木の十字架と、ゲオルク・フォーゲルのモノクロの写真が掲げられている。長く尖った鼻が際立つ貧相な顔である。写真の上に黒いナイロンのリボンが垂れ下がっている。

埋葬の儀式は一五分で終わった。まもなく職員が墓に土をかけて埋めるだろう。

吹く風が空を灰色にした。

「あいつに一発食らわせてやる！」トーマス・フォーゲルが言った。ズボンに劣らず目いっぱいきちきちの黒ジャケットのボタンを外し、革製の細い黒ネクタイを緩めた。ちょうどそのとき、祈りを終えた妻が立ち上がり彼を押しとどめようとしたが、一瞬遅く、彼は柵の後ろに立っている男の方に勢いよく向かって行った。二メートルまで近づいたところで、その男が片方の腕を高く上げた。フォーゲルが急に立ち止まったので、踏みつけた砂利が飛び散った。「さっきから何をぎょろぎょろ見てるんだ、えっ？」フォーゲルが大きな声でそう言った。そのとたんに、目の前にぶら下げられた緑色の身分証明書のせいで、自分より頭一つ背が低いその男の目が見えなくなった。「あんた、耳が聞こえんのか、えっ？」そう言ってから、相手が鼻先にぶら下げた身分証明書に目を凝らした。そして、ケ、イ、サ、ツ、と声を出して読んだ。続けて写真の下のマ、ル、ティ、ン・ホ、イ、ヤ、ーという名前も。「警察だと？　あんたら、うちの息子は見つけたのか？　息子はどこにいる？」

　マルティン・ホイヤーは警察手帳をポケットにしまい、マフラーを振りほどいた。爆撃隊が着る青緑色のジャケットに黒の英国製の靴、それに黒の皮ズボンできめている。だが、頭の上では暗褐色の髪がくしゃくしゃの鳥の巣状態になっていて、目の下には大きな涙袋がぶらさがっている。顔には色と呼べるものはなく、ダンゴ鼻の珍妙な色合いだけが目につくだけだ。三八歳になったばかりだが、マルティン・ホイヤーは、優に四〇は越した男の風貌だ。刑事という仕事の疲れと、やりどころのない心の惑い、底なしの焦燥感を紛らわすために、非番ごとに酒を浴びてビリヤードに耽る時間の中で、身も心もボロボロになった男の顔だ。

「お悔やみ申し上げます」ジャケットのポケットに両手を突っ込んだまま、彼は相手に言った。

「うちの息子は見つけたのか？」

「いや」

「じゃ、ここになんの用だ？」

「あなたと話がしたい。フォーゲルさん」

「親父の葬式が終わったところだぜ……」

「しかし息子さんはまだ見つかっていません。我々には彼を見つけ出す義務がある。あんたらにはその義務があるさ！」

「もちろんだよ。あんたらにはその義務があるさ！」

「トーマス！」

　キルステンの呼ぶ声がした。彼は声のする方を振り向いた。納骨堂の中から埋葬を眺めていた黒いコートの女が、いつの間にか墓のあるところにやって来ていた。

「同僚のファイヤーアーベントです」とホイヤーがソーニャを紹介した。

　フォーゲルは一言も言わず、そのまま妻のところへ行った。ホイヤーが後について行った。

　ソーニャ・ファイヤーアーベントは、会葬者全員の身元調査と人物観察を一通り終えていた。子供の母親のキルステン・フォーゲル。歳は二〇代の終わり。ガリガリといっていいくらいに痩せている。疲れた目。それに、ひっきりなしに左の手のひらをゴリゴリと掻く癖がある。ソーニャには、自分の感情を押し隠そうと必死にもがいている女の姿に見える。顔は仮面のようにこわばり、埋葬の間、一度も夫のほうに目を向けることがなかった。先ほどトーマス・フォーゲルを観察していたとき、すぐさま気になったのは、彼の周りに漂う冷たさのオーラであった。歳は三〇前後。中途半端にのびた暗い金髪の先端はささくれていて、口髭を生やしている。きちきちのスーツが窮屈そうに見え、まるで、監獄から出ることしか頭にない四人を思わせた。彼は埋葬の間ずっと足元の土を、そして棺が地中に降された後は、開いたままの墓を、じっと睨んでいたが、ソーニャはその目の中に、むき出しの憎悪を見る思いがした。この父親と母親が、ラファエルの失踪と何らかの関わりがあるのか、今のところ分かる由もないが、それを否定する材料も存在しない。

「結婚して一一年目に私たち別れたんです……、っていうか、彼の方から出て行ったんですよ」未亡人のハンネ・ヴェックは洟《はな》を拭きながらそう言った。息を深く吸い込み、墓の方を見やり、そして黙りこんだ。ソーニャは会葬者ひとりひとりに自分の名前を告げたあと、彼らの名前を訊いた。交通局の四人の男たちは、ホイヤーにそれぞれ自分の電話番号を教えてから、仕事があると言ってその場から引き上げた。遺族ではない二人の女性は、小声で話を始めた。

ホイヤーがトーマス・フォーゲルを、どうにかして墓の近くから引き離そうとしている間、キルステンは、お腹の前で腕組みをして、唇をぎゅっと引き締め、ソーニャから何か訊かれるのを待っていた。最初に訊かれるのが、なぜ自分ではないのか、彼女には納得できなかった。

「最近、亡くなられたご主人とお会いになったことは？」ソーニャが訊ねた。

「ええ」とハンネ・ヴェックが答え、申し訳なさそうに嫁の顔を見ながら、「電話してきたんです。私と話がしたいって……息子のことで……キルステン、あなたのことも……」

キルステンは二本の指で左の手のひらを掻きつづけながら、姑の顔を睨《にら》みつけた。ハンネは、一瞬ソーニャ・ファイヤーアーベントの顔を不安げに見つめてから、腕を伸ばして嫁の手に触れようとした。だが、キルステンはさっと手を引っ込めて、腋《わき》に隠した。

「キルステン……」

年若い女の、凍えたような顔。筋肉一つ動かさず、石のように固く結んだ口元。目は据わっている。誰も手にしようとせずに見捨てられた人形のようだ、とソーニャは思った。この女は、悲しみで身も心も疲れ果ててしまったのだ。涙を流すことで、いや、せめて口から言葉を出すことで、心を和らげることすらできない。そんな人間を見たことが、これまであっただろうか。

「あの人、あなたたちのことを心配していたの」というハンネ・ヴェックの言葉もキルステンには聞こえていないようだ。

「つまりご主人はお孫さんのことも話されたのですか」ソーニャは訊きながら、同僚のホイヤーが何やらノートに書き込んでいる様子を、目の隅っこでとらえた。トーマス・フォーゲルからなんとか情報を引き出すことができたようだ。

「ラファエルがいつも訪ねてくれるって言っただけです。ついこの間も、長患いの最中、病院に訪ねてきたって……」

「病院におじいちゃんを訪ねて行ったの?」キルステンが訊いた。声が小さいのと、後ろでかあかあと啼く鴉のせいで、ソーニャにはほとんど聞き取れなかった。

「そうよ」ハンネが短く答えた。そして嫁に向かって直に話しかけた。「そうよ。ゲオルクがそう言ったの。ラファエルが病院に訪ねてきて、お話を読んでくれたって。奇跡の列車シルバーナーゼとかなんとか……」

「お義父《とう》さん、私にはそのことを隠していたんだわ」キルステンが囁《ささや》くように言うと、その顔色にわずかな変化が起きた。ソーニャはそれに気づいたが、それが一体何なのか、すぐにはわからなかった。キルステンは微笑んだのだった。思わずこぼれてしまった弱々しい微笑みは、すぐに彼女の顔から消えた。

「ゲオルクがあなたに話さなかったってこと、知ってるわ。あの人、あなたには知られたくなかったのよ。ラファエルには訪ねてきてはいけないって言ってたのよ。でもあの子、毎日のように学校帰りに……」

「そう、だから……」キルステンは言いはじめたが、額にしわを寄せて、なにかを一生懸命に考える様子だった。ハンネは言葉を続けるのをためらった。

「ご主人と最後にお話をされたのはいつですか、ヴェックさん」ソーニャは、別の話題で話をつなげる必要を感じて、そう訊いた。それには立派な理由が二つほどある。

「ひと月くらい前かしら」ハンネが答えた。「電話をしたら、もう退院して家に帰っていました。なにも心配いらない、大丈夫だと言っていました。医者が退院していいと言うし、腫瘍もなくなったんだ。そう言うので、私も彼の言うことを信じました。声もしっかりしていました。それが、三日前にキルステンから電話で、あの人が死んだ、家で一人っきりで死んだって。そばには誰もいなかったって聞かされたんです」ふたたび頬に涙がこぼれた。彼女は涙を無意識にハンカチでぬぐった。「警察はドアを蹴破って中へ入るしか他に方法がなかったっていうんです。信じられますか、誰も鍵を持っていなかったなんて！」

「ラファエルが、お祖父さんの死を知ったのはいつですか？」とソーニャが訊いた。とそのとき、思案にふけっていたキルステンが、おどろいて二人の話に気がついた。

「ラファエルに伝えたのは、あなたですか、フォーゲルさん？」

キルステンが肯いた、と思うと、それから首を横に振った。そしてふたたび縦に振った。「いいえ」と囁くように言うと、「私……　私じゃない……いつのことか、私、わからない。どこにいるの、あの子？　あの子はまだ見つからないの？　あの子、お葬式に来るはずじゃ……」

「どうしました、フォーゲルさん？」突然ソーニャは、キルステンのロボットのような身のこなしが、義父の死と息子の失踪のせいだけではないような気がしてきた。「何か薬を飲みましたか、フォーゲルさん？」

彼女は肯いた。世界でこれ以上に当然のことはないのだ、と言わんばかりの表情をして。コートのポケットから取り出した小さなプラスチックの筒を手のひらにおいて、こちらへ差し出した。ソーニャはラベルの文字を読んだ。トラマドール。「ゲオルクの部屋で見つけたんです」キルステンが小声で言った。瞳がピクッと右のほうに動いた。そこには彼女の夫が、両手で腰を支え、両脚を大きく広げて立っている。

「その薬、こちらにもらっていいかしら」ソーニャは言った。キルステンの手がそのまま動かなかったので、ソーニャは手を伸ばして筒を取り、自分のポケットに入れた。ゆっくりと、まるでトランス状態に陥ったように、キルステンは腕を下ろした。その視線はあちこちの墓の間を彷徨っていた。

「つまり、あなたではないのですね。ラファエルに、お祖父さんが亡くなったことを最初に伝えたのは？」

「私……　どうだったかしら……」

ソーニャは再びハンネに向かって訊ねた、「お孫さんのことはご存知ですね?」

「もちろんです。いえ、あの子が五歳のときまではね。それからあとは会っていません」

「なぜですか」

「四年前に私たち、いえ、ゲオルクが私と離婚したいって…… それで、私はベルリンに引越したんです。前から住んでみたい街でしたし、それにドイツが再統一されて……ともかく、ラファエルが今どんな顔をしているのか、本当のところ、私にはわかりません。ゲオルクが半年前私に……」ハンネは口ごもり、再び泣きそうになったが、すぐさま先を続けた。「写真を見せてくれたんです。駅にあるスピード写真で二人で撮ったものです。ゲオルクとラファエルの二人で。ラファエルがゲオルクの肩越しに嬉しそうに笑っていて……ここに持っているんですよ。見せましょうか?」

「ええ」とソーニャは言った。

「私、そんなこと何も知らなかった」キルステンは小声で言った。その顔がさらに暗く、さらに虚ろになったように、ソーニャには見えた。ぱっとしない今日の空模様のせいかもしれなかった。

「ほら、これ」ハンネはソーニャに小さな写真を手渡した。尖った鼻をした男。木の十字架の横に掲げられた写真で見たあの顔だ。少年は目を見開いている。歯並びの中央に隙間が見える。おじいちゃんの肩を後ろから抱きしめながら。二人ともフラッシュの光に驚いたような顔だ。

「私も見ていいかしら?」キルステンが訊いた。ハンネが「もちろんよ」とすぐさま答えた。ソーニャは写真を渡そうとしたが、キルステンは受け取ろうとしなかった。前かがみになってのぞきこみ、「ラファエル……」と呟くだけだった。

「何してんだ、そこで。あ?」キルテステンの祈る思いを引き裂くような声がした。夫のフォーゲルがこっちを振り向いて、女同士の間で何かが持ち上がったと気がついたのだ。彼はこちらへやってきて写真に手を伸ばした。しかしソーニャの方が一瞬早かった。「俺に見せてくれ。さあ、早く!」ゴム鉄砲のように早口だった。

ソーニャは微動だにせず写真をハンネに返した。ハンネはそれを財布にしまい込んだ。フォーゲルは怒りのやりどころがなかった。

「あんたの仲間なあ。俺に御託を並べやがって、息子はどこにいるのか、未だにわからねえ、ときた。で、あんたはどうだ？　俺の女房になんの用だ？　それに継母《かあ》さんもなあ……」とハンネ・ヴェックに向かって言った。「ここで何をしてんだよ。ベルリンへ帰りな！　あんたの探し物はここにはないぜ。わかったか。とっとと失せろ！」

「もしよろしければ、どこか場所を変えてお話をうかがえませんか」ソーニャが訊いた。近寄ってきたホイヤーも、そうしたらどうかと肯いた。

「あの、すみませんが……」と少し離れたところで話をしていた二人の女性たちの一人が言った。

「お二人にもまだお聞きしたいことがあります」ソーニャは答えた。

それがスザンネ・クラインだったか、エヴェリン・ゾルゲだったかは忘れたが、ともかく二人の名前をまだ記憶していてよかった、とソーニャはひそかに思った。

「仕事に行かなきゃ」もう一人が言った。

「俺の息子はどこだ?」フォーゲルは大声で言った。そして、お前は知ってるんだろ、お前のせいだ、と言わんばかりに、女房の目の中を覗き込んだ。

「まだお聞きしたいことがあるんですが、ええと……」ホイヤーが言った。

「クラインです」と相手の女性が名前を言った。

ありがとう、マルティン。ソーニャは心のなかでそう言った。

「お前、警察に一体何を話したんだ、えっ?」フォーゲルが女房をなじった。キルステンは夫を見つめながら、その横を通り過ぎて、墓場の壁の外側にある近郊鉄道のプラットホームを眺めていた。電車が来るのを待つ人々が見える。「なんか言えよ、クソッ！」

「おたくだって全く責任がないってわけじゃないでしょ、フォーゲルさん」ホイヤーが言った。フォーゲルはホイヤーの方に俊敏な動きで振り返り、拳を握りしめた。何かを言おうとし、何かをしようとした。が、何も言わず、何もしなかった。顎を動かし、目を細め、薄笑いを浮かべただけだった。

「ラファエルの声を最後にお聞きになったのはいつですか、ヴェックさん」ソーニャが訊いた。なかなか言い出せなかったのは、フォーゲルの乱暴な言葉のせいだけではなく、まだ開いたままの墓の前に参列者がいるところでは、ちょっと場違いだと思ったからだ。

「ゲオルクと最後に電話で話したときに。四週間前、そう六月末だわ。ベルリンは温かい日だった。まだ覚えています。部屋の窓を開け放して。私、ヴィルマースドルフに住んでいるのだけれど……そのとき電話で、孫がまた訪ねてきたところだって言って、地下室で鉄道を、模型の鉄道ですけど、それを動かして遊んでたって言って。本当に子供みたいなんだから……」彼女はこぼれ出る涙をこらえきれなかった。ずっと泣いてばかりいるのが辛そうであった。涙で濡れたハンカチで目と鼻を拭った後に深くため息を漏らし、ソーニャを見ながら微笑んだ顔が、そう語っているようだ。

「ごめんなさいね。泣き出すと、止まらないのよ……」

「わかります」ソーニャが言った。この私にわからないものですか。

「あの人の趣味だったんですよ。いつも一人で遊ばせておいたの。私はそんなものに興味はないし、なんか可笑しいでしょ。そう思わない？　あの人ったら、しょっちゅう展示会や鉄道模型の仲間との会合に出かけては、新しい部品を買ったり交換したりしていたわ……」

「その電話でご主人、お孫さんのことで何ってておっしゃってました？」

教会の鐘が四つ鳴った。遠くに葬列が見えた。少なくとも五〇人の参列者が歩いている。

「特に何も。ただ、父親が……ですからラファエルの父親がいつも家にいなくて、寂しいって、だからときどき泊まっていくって……」

「泊まっちゃいけねえってのか？」フォーゲルが大声で口をはさんだ。

「それは誰のところに泊まっていったということでしょうか」ソーニャが訊いた。「お祖父さん、それとも父親？」

「父親に決まってるだろ！」フォーゲルが大声を出した。

「で、ご主人とはほかに何を話されたのですか」

「ほかにはなにも……」ハンネが答えた。答えるのが一秒早すぎるようにソーニャには思えた。

「話したくないのですね、今は」

「なんだってんだ。二人でなにをくっちゃべってるんだ？　あんたが俺の親父を殺したんだ。よくわかってるはずだ。あんたのせいで癌になっちまったのさ。あんたさえいなけりゃ、親父はまだ生きてた。絶対にそうだ。あんただよ、親父を墓に放り込んだのは。だからさ、さっさと消えちまえよ、ハンネ！　耳に栓でもしてるのかよ。もう我慢ならねえ……」

今度こそフォーゲルは限界に達したらしいと見定めたソーニャは、彼と真っ向からやりあうしかなかった。あまりの勢いに驚いて、キルステンが突然虚脱状態から我に返ったほどだ。「いい加減にお黙りなさい、フォーゲルさん！　あなたのおしゃべりは本当に恥知らずですよ。もう一言言ったら、私が相手になります。私を怒らせたら、痛い目に会いますよ。これだけは言っておきます。フォーゲルさん！」

「黙れ、このバカな……」

「なんですか？　バカな何ですか？　バカな雌豚？　バカなケツの穴？　何よ？　ええっ？　ヘル《ミスター》・フォーゲル！」

彼は肯き、口を曲げ、歪んだ薄笑いを浮かべた。そして、大きな音を立てて何度もつづけざまに鼻から息を吐いた。これ以上ないほどの、人を軽蔑した態度だ。

「こちらへ、フォーゲルさん」ホイヤーが言う。「さっきあなたが言っていたレストランに入りましょう。息子さんのためにどうしたらよいか、話し合いましょう。さあ、急いで行きましょう」彼はフォーゲルの腕を取ったが、フォーゲルはそれを振り払った。何か言いたいことがある様子だったが、ソーニャがまだ睨《にら》みつけているので、黙った。妻の手を掴み、無理やり引っ張って行った。

「待って。聖水のグラスを持っていかなきゃ。盗まれるといけないから……」

そんなことどうでもいい、と夫が言うので、キルステンは仕方なく従った。夫の後ろを小刻みに歩きながら、ソーニャの方をちらと見た。そして他の女性たちも見回した。そのときの彼女の顔には怒りも悲しみもなかった。

「どうぞ私の同僚と一緒にいらしてください。すぐにすみますから」ソーニャは二人の女性に伝えた。二人は歩いて行った。

ハンネ・ヴェックはもう一度墓の方へ行った。両手を合わせ、頭《こうべ》を垂れた。ソーニャが横に立ったとき、彼女は言った。「全部で九人。友人が多かったとは言えないわね。そういうことよね、この人の一生は。新聞広告を見て、来てくれた人が九人。お墓の周りに立って、特に話すこともない。トーマスは私を嫌っていました。最初の日から。なぜだかわからないけれど。ゲオルクの最初の奥さんの息子なの。ゲオルクと知り合ったとき、トーマスは二〇歳だった。警察官になりたかったって、ご存知でした？　でも警察では採用されませんでした。すぐにカッとなって攻撃的になるんです。さっきみたいにね」

「ゲオルクさんと、最後の電話で何を話されたんですか？」とソーニャが訊いた。あと三分もすれば、この場から退散だ。

「トーマスの暴力についてです。自分の妻にも、それに息子にも暴力を振るうんです。他人が皆自分の言う通りにしないと気に入らない。でもキルステンは……嫁はもともと自立した女性だし、ホテルの専門学校に通いたかったの。でもトーマスがだめだと言った。家にいろって。そういう男なの。長いあいだデパートの万引き監視人をしていたのだけれど、買い物客にあらぬ疑いをかけたのがわかり、クビになった。そうなんです、ラファエルが外からなかなか帰ってこなかったり、街中をほっつき歩いていたりすると、殴ったんです。でもあなたに知ってほしいの……」

ハンネは胸の前で十字を切り、前かがみになって聖水を墓にかけた。

「ラファエルは街中をほっつき歩いていたわけではないの。いつもお祖父ちゃんのところに行っていた。お祖父ちゃんと路面電車に乗って。ゲオルクはよくグリューンヴァルト方面行きの二五番電車に乗って行ったわ。ラファエルが好きな路線だったんです。私にはよくわかる。おじいちゃんが死んだって聞いたとき、あの子の受けたショックが。おじいちゃんのことがとても好きだった。たぶん母親のことよりもね。ゲオルクはあの子の全てだったんですよ。お父さん、おじいちゃん、友達、仲間、その全部だった……」

ハンネは啜《すす》りあげながら、金製の腕時計に目をやった。「お腹が空いたわ。コーヒーも飲みたい。死にそうだわ」

「私もです」ソーニャは答えた。それが、この場を即刻立ち去りたいただ一つの理由だった。来るときは、ミルベルツホーフェンからギージングまでの間でたった一軒のカフェに立ち寄ることもできなかった。駐車場が満杯だったり、気づくのが遅すぎて、ラッシュでUターンできなかったりしたのだ。「それじゃ、行きましょうか」

「ラファエルが家出するのではないか心配だ、とゲオルクは言っていました」ザンクト・マルティン通りの出口に向かって歩きながら、ハンネはそう言った。木の葉が震えて雨が来るのを知らせている。この三週間、この街を覆っている嫌な天気がまだ続いている。「ラファエルは最近ますます心を閉ざすようになって。ゲオルクにも、何かほのめかすようなことを言って……」

「ほのめかすって、どんな?」

「もう我慢ができないって。母親は、たしか洋品店で働くようになって、ちっともかまってくれない。父親には新しい女ができたとかで……」

「ラファエルが隠れていそうな場所、見当はつきませんか」

ハンネは首を横に振り、黙ったまま歩いて行った。

「ご主人はよく旅をされたのですか?」門まで来たところで、ソーニャが言った。

「いいえ、全然。旅行好きではありませんでした。路面電車を運転していましたから、それで十分でした」

ソーニャはその場に立ったまま冷たい空気を吸い込んだ。コーヒー抜きの朝よりも滅入るものがあるとしたら、それはコーヒー抜きの月曜日の朝だろう。極めつきは、早朝に執り行われる埋葬だ。月曜の早朝。それも濃くて熱いブラック・コーヒーが飲めない朝なんて。とはいえ、彼女の葬式嫌いの本当の理由は、いつ執り行われようが、コーヒーを何杯飲んでからであろうが、墓場というものが彼女を重く憂鬱な気分にさせるからなのだ。墓場を遠くから見るだけで、自分の中の全ての力と世の中を見る冷めた目が消えてなくなってしまう。そして自分が大海原の波の一つになって、わずかのあいだ、変化のない永遠の平板な動きの中に飲み込まれてしまったように感じるのだ。そんなときはいつも、もう一度少女の姿になって、自分は不死身だと思ってみる。すると、自然と手をお皿の形にして、落ちる涙を受けることができるのだった。ソーニャが波濤の先端に達したとき、ハンネ・ヴェックが彼女と腕を組んでいることに気づいた。

「やあ、パンキー娘!」ソーニャがハンチングをとったときに、太陽のように黄色い彼女の髪がおもしろい形になって現れたのを見て、ホイヤーが言った。ホイヤー以外は皆ビールを飲んでいる。彼は紅茶が来るのを待っていた。ソーニャはコーヒーを一杯注文し、ハンネ・ヴェックの希望を訊いた。「お水と、コーヒーをたくさん」とハンネが答え、テーブルの端っこになるようにソーニャの隣に座った。トーマス・フォーゲルから一番遠くに。トーマスは片手でビアグラスをつかみ、もう一方の手はぶらりとしたままだ。背中は後ろにもたれ、面白くもない会合に居あわせたようにだらしなく座っていた。ソーニャとハンネが入ってきたときも、二人には目もくれなかった。

ウエイターがミネラルウォーターとコーヒーを運んでくると、ソーニャはすかさず、コーヒーが熱いかどうかチェックした。コーヒーカップから湯気が立ち上っているのを確かめると、彼女はひとときも任務を忘れた。

マルティン・ホイヤーは一同を見回して警察ノートをテーブルに置いた。ボンバージャケットのジッパーを下ろしていたので、下に着ている茶色のタートルネックがのぞいている。あまりに汚れているので、署のみんなのからかいの対象になっている代物だ。

「個人的な感情は横に置いてくださいよ」とフォーゲル夫妻に向かって言った。「お二人に重要な質問があるんです。できるだけ正確に答えてもらいたい。言っておきますが、答えてくれないようなら、署にご同行願うことになります。われわれは九つの少年、あなたの息子さんを探しているんです……」キルステンが手のひらを掻きながら、灰皿においてあった吸いかけの煙草を手にしたが、そのまま、吸おうとはしなかった。

「……息子さんのラファエルです。あなたたちの協力次第では、それだけ早く探しだすことができるのです」ホイヤーは少し間を置いたあと、再びフォーゲル夫妻に向かって言った。「まず一つお訊ねしたいのですが、急いで答える必要はありません。ゆっくり考えてからで結構です。これからお訊きすることは、あなたたちを挑発しているわけではありません。あくまでも一つの可能性についてです……」

それを聞いたトーマス・フォーゲルは、視線をビアグラスから離し、ホイヤーを横側から睨みつけた。つい一時間ほど前に知り合ったばかりのスザンネ・クラインとエヴェリン・ゾルゲは、木の椅子に腰を掛けて、仲よさそうに言葉を交わしていた。キルステンは煙草を灰皿で消し、フィルター部分を指の爪で強く押しつけた。

「フォーゲル夫人、フォーゲルさん」ソーニャが質問を始めると、一同の目が二人に集まり、静かにソーニャの言葉に耳をすませた……「お二人の息子さんのラファエルは、ほんとうに家からいなくなったのですか」……一同のテーブルを越えて、ウェイター仲間とたった今まで、この週末に羽目を外して遊んだことを自慢げに喋っていたウェイターまでもが、突然しーんとなった。

キルステンが何か言おうとしたが、黙ってしまった。身動きひとつしなかった。代わりに夫が反応した。腰を上げ、椅子を手にして、ずるずると音を立てながら数センチほどテーブルの方に引きずり寄せた。そこで再び腰をおろした。右側に体をひねり、テーブルの短辺に座っているソーニャの顔が見えるように、妻の肩を後ろへぐいと引っ張った。そして鼻から息を押し出した。

「なんだって？　あんた、今なんて言った？　もう一度言ってみろ、さあ、もう一度。聞きたいんだよ、もう……」

「息子さんのラファエルは、ほんとうにいなくなったのですか？」ソーニャはくり返して、熱い光輝あるコーヒーをもう一口飲み込んだ。彼女の内なる生命の精霊たちがようやく荒れ始めた。トーマス・フォーゲルに負けず劣らずに。

「俺はね、なにもあんたをバカにして言ってるんじゃないんだ、女刑事さんよ……」女房の顔のすぐそばでそう言った。ソーニャの顔が再び隠れてしまわないように、彼女の肩を引っ張ったままの格好で。「だがなあ、そんなとぼけた質問に我慢できると思うかよ、えっ？　できるわけないだろ、絶対に！　息子は消えちまったんだ……」声がますます大きくなったので、キッチンにいるコックまでが顔を出して、カウンターにやって来て聞き耳をたてるほどだった。「……だから、警察には、なんかやる義務ってものがあるだろうに！　今すぐにさ！　それだけじゃないぜ……」

「子供になにが起こったか、ちゃんと分かっていながら、捜索願を出す両親がときどきいるんですよ」フォーゲルの斜め横に座ってメモを取っていたホイヤーが言った。

「なんだって？　なにが起こったか知ってるって、なにをどう知ってるっていうんだ？　刑事さん、いいかい、ちゃんとはっきり言うから、警察の力で探してくれよな。分かったか？　俺は息子にはなにもしちゃいない。あんたが言いたいことがそういうことならなあ。女房だってそうだ……」

「ええ、なにも……」キルステンは小声で言いながら唇をぎゅっと閉じた。

「俺たちゃ、息子には何にもしちゃいないって。そんな親じゃないんだ、俺たちゃな。どうだ、分かったろ？　刑事さんよ。ラファエルのやつは全くすごいやつだ。なかなか難しいところはあるけど、あいつとは何でもうまくやってきたんだ。そうだろ、キキ。なんか言ったらどうだ、おい！」女房の肩を揺さぶりながらそう言った。

「ええ、そうよ。」キルステンはそれで元気付いたように、「ええ、そうよ。あの子は勇気のある子です。あの子は朝の五時半にうちを出て行って……」

「どうしてそんなに正確に五時半だとわかるんです？」ソーニャが訊いた。部長のフンケルからそこまで詳しいことは聞かされてはいなかった。

「何か……何か物音がしたものですから……」

「何が聞こえたんです？　フォーゲルさん」ホイヤーが訊いた。

「物音が聞こえたんです」か細い声で彼女が答えた。

「だからなんの音かって訊いてるんだよ。早く言えよ、もう！」フォーゲルが言いながら彼女の肩を再び揺さぶったので、彼女の頭が前後に揺れた。

「そのことを私の同僚におっしゃいましたか？」ホイヤーが訊きながら一字一句メモに取った。

「ええ」と彼女は答えた。

ホイヤーはソーニャの方をちらと見たが、彼女は首を横に振った。「それで、その物音はなんの音でした？　フォーゲルさん。どんな物音でしたか？」

「ドアの音かどうかってことか？」フォーゲルが呟いた。

「ええ、ドアの音でした」話すというより息を吐くような声でキルステンが言った。「玄関のドアが、あの……ひとりでに閉まるんです……重いものだから。でも……でも、知らなかったんです……」

「知らなかったって、何をですか？」とソーニャが訊いたとき、他の三人の女性が魔法にかかったような顔つきで聞き入っている様子が見えた。カウンターの後ろでも皆大いに緊張した面持ちだったが、店の従業員たちには、テーブルで何を話しているかはわからなかった。

「玄関ドアの音だったということ。うちの重いドアの音だってことがわからなかったんです……」

「息子さんが部屋にいないことがわかってから、そのことに気がついたということですね」ホイヤーが言いながら自分の腕時計を見た。九時二五分。キルステンが肯いた。

「つまり五時半にその音を聞かれたんですね」ホイヤーが言った。「ベッドサイドに目覚まし時計を置いているので、それで五時半だってわかったということですね」

「違います」とキルステンが言った。

メモの途中でホイヤーはペンを止めた。ソーニャは、ちょうど残りのコーヒーをカップに注ごうとしたところだったが、ポットを元に戻して、キルステンを見つめた。

「目覚ましは必要ないです。起きなければいけないときは、目覚ましがなくても大丈夫です」

フォーゲルが妻の首から手を離して、ビールを飲んだ。

「では、それが五時半だったって、どうしてわかったのですか？　フォーゲルさん」ホイヤーが言った。

「それが……」彼女は、夫の方をちらと見た。彼は鼻の中にポリープでもあるかのように、再び鼻を鳴らしながら息を吐いていた。

「私の彼氏が教えてくれたんです。彼……、あの、私に、もうちょっと寝てていい、まだ五時半だからって言ったんです。ライト付きの腕時計を持っていて……」

ソーニャにはこれも初耳だった。ということは、キルステンは署では黙っていたということだ。

「なぜ署では黙っていたんですか。あの夜、お一人ではなかったってこと？」とソーニャは訊いた。

「どういうことだ？」、旦那のフォーゲルが吠えた。

「その人、今どこにいるのですか。名前は？」ソーニャが訊いた。

「ハンス」とキルステンが早口で答えながらソーニャの方へ向き直った。ソーニャはその目にかすかな光を見たような気がした。遠くてうっすらとした光。「ハンス・ガルボです。あの……女優のグレタ・ガルボと同じ」と言ったとき、さっき見せた微笑みが口のあたりに戻ってきた。「よろしかったら、電話番号を教えましょうか」

「ええ、もちろん知りたいわ」

「2、7……」キルステンが言った。

「2、7……」ホイヤーが繰り返すと、キルステンは、話の速度と同じくらいにゆっくりと彼の方を向いた。

「2、7、1、5、0、4、2、です」

「あなたのボーイフレンドもその物音に気がついたのですか。そのことについて彼とお話は?」ソーニャは少し早口でそう訊いた。もうとっくに署に帰って報告書を書いていなければいけない時刻だ。それに、トーマス・フォーゲルの存在のせいで、これまで苦労して貯めてきた博愛精神の残りが急速に底をついてきたのも事実だ。

「どうだったかしら……彼はそのとき起き上がって、お風呂場に行きました。運送会社でトラックを運転していて、朝が早いんです。シャワーのあと出かけて行きました……」

「つまり彼はあなたの息子さんがいなくなったことは知らないんですね」ホイヤーが、イラついた様子もなく訊いた。署で尋問するときのホイヤーの我慢強さとしつこさは、着ているタートルネックの丈夫さと同じくらい、みんなの話のネタだった。

「いいえ、知っています」とキルステンが言った。「彼に電話して、伝えたんです。ラファエルを一緒に探してくれるって約束してくれました……」

「笑わせてくれるぜ!」フォーゲルが口を挟んだ。

「何がそんなに可笑しいんですか?」ソーニャが訊いた。


聴き取りは、他の三人の女性への質問も含めて、およそ一五分で終わった。ソーニャは、スピード写真で撮ったという、ラファエルと彼の祖父が写っている小さな写真を手にして、キルステンとトーマス・フォーゲルに向かって念を押した。自宅にいるように、決して外出しないように。それから、もしかしたら、息子さんはもう家に帰っているかもしれないし、電話をかけてきたかもしれない。それ以外のことは全て今のところは警察の仕事だ、と付け加えた。

「やるじゃないか、パンキー娘」ソーニャと二人ザンクト・マルティン通りに出て、ほんの一瞬の間、暇を持て余した観光客のふりをして、まわりの建物を見物しているときに、ホイヤーが言った。「奴さん、なかなか手こずらせる。で、早回しに聞くが、奴は息子の失踪と関わりがあるのかな?」

「わからないけど、少なくとも間接的にはあるかも。息子があんなに怖がってるんだもの」

「母親は、息子の失踪と関わりがあるのかな?」

「わからないけど、少なくとも間接的にはあるかも。玄関のドアがひとりでに閉まるのを聞いている。朝五時半に。だけどそのまま寝続けた」

「彼女のボーイフレンドは関わりがあるのかな、あのガルボって名前の?」

「ない」

「誘拐かな」

「いや」

「まだこの街にいる?」

「どっちかというと、いる」

自動車のクラクションが鳴ったので、二人は話を中断した。話といっても、これまでもう何百回も似たような会話を交わしてきたのだが。二人の横に止まったパトカーの窓が開き、制服警官の一人が話しかけてきた。「やあ、どうも。墓場を見てこいって言われたんですよ。その少年を探せって。しかし、それらしい少年はどこにもいなくて、そろそろ署に戻るところです」

「ご苦労さん」ホイヤーが言った。「君たち二人だけか?」

「いや、他の連中はたった今他の事件で呼び出しがあって、そっちへ行きました。彼らにも見つからなかったようです。少年はここにはいないようですね。残念ですが」

「わかった」

パトカーは走り去った。ホイヤーはジャケットのジッパーを引き上げた。

「寒い?」ソーニャが訊いた。

「お祖父さんの埋葬に来るつもりはなかったんだろうか、あの少年は?」

「そうは思わない」

「ということは、見つからないようにこっそりとやって来たんだ」

「たぶんパージングから直接ここへ来て、どこかに隠れていた」

「花占いみたいなもんか。今、あの子はお墓にいる?いない?」

二人はそこから立ち去った。ホイヤーは携帯電話で、署にいるフンケル部長と情報を交換した。

墓はすでに土で埋められていた。ソーニャとホイヤーは周りを見回した。腰が曲がった老婆たちが分譲墓地の間を歩いていく。納骨堂から、市の園芸課の小型トラックが近づいてくる。中には男が二人乗っている。どこにも子供の姿は見られない。

盛り土の上には花輪がきちんと並んでいる。十字架には黒いリボンが風になびいている。写真の下に何か白いものがかかっている。そんなものはさっきはなかったのだが。ソーニャは近くに寄って見た。折り畳まれた紙切れだった。木の十字架から用心深く画鋲を抜いて紙切れを外し、写真を元の位置にピンで止めた、A5の方眼紙の両面に朱色のペンで書かれている。読みづらい子供の文字だ。ソーニャは紙切れを、ホイヤーにも見えるように、上に持ち上げた。


おじいちゃん、ぼくのすきなおじいちゃん、いなくなってさびしいよ。なんでかみさまがおじいちゃんにそんなことしたんだろう。どうしてしんじゃったの。ママは、ぼくがしらないとおもってるんだ、しぬってどんなことか。でも、ぼく、ちゃんとしってるよ。だいじなひとがいなくなってしまうことだって。かみさまなんていじわるだ。だから、だいっきらいだ。

かみさまにあったらそういってよ。どうしてなのって。

ぼく、もういえにはかえらない。ママにもパパにもあいたくない。

なにもわかっちゃいないんだ。

ぼくはかなしいんだ。

おじいちゃんがでんしゃであそんだり、
かわべりでぼくにようせいのおはなしを
してくれたりしたよね。でもママとパパはいつもそのことで
おじいちゃんのことしかるんだから。

とってもたのしかったのにね。

でも、ぼくはいまはひとりっきりさ。だけどぼくはだいじょうぶ。しんぱいしないでっていいたいんだ。もうひとりでもいきていける。ぼくがいなくなったって、さびしがるひとなんかいないもの。おじいちゃんのほかは。ぼくだって、おじいちゃんがいなくてさびしいし、ふたりともさびしいから、それでいいじゃない、

そうでしょ？　ひょっとしておじいちゃん、しんでなんかいないのかもね。そうしんじていれば、きっとまたあえるよね。ぼくまっているよ。そしたらまたようせいたちんとこへいこうね。おどりをみようね、やくそくしてくれる？　げんきで、おじいちゃん、ほら、ぼくだよ。おじいちゃんのラファエル。

欄外に、丸い太陽と悲しい顔が描いてある。そして口の代わりに路面電車。その下に名前のわからないどこかを指している矢印。その下にはこう書かれている。このようせい（みえない）おじいちゃんのためだけにおどっている！

携帯電話でホイヤーはオスト墓地へパトカー四台を要請した。

ソーニャの方を振り向くと、雨の雫が鼻の上に落ちた。

3　夢に消えたホテル

呪文をかけられたように、一同の目は彼女に釘付けになった。失踪者捜査課に転任して三か月。真面目で任務に熱心な上級警部《オーバーコミッサー》。三二歳。彼女が作る報告書には間違いがなく、完璧にして明瞭。簡にして要を得た文章。強情で口を割らない人間たちの背後関係を素早く調べあげる。テレビの刑事ドラマのことなら彼女の右に出る者はいない。この部署にとってはまことにありがたい存在だ。ただ、その彼女が、調査結果を口頭で報告するに及ぶとき、その巨大なカバンの中の埋蔵庫《カタコンブ》から書類を引っ張り出して照明の光にさらしながらその中身を開陳し始めるとき、たちまちあたりには、えもいわれぬ驚嘆の空気が漂いはじめるのだった。

フライヤ・エップの報告は、まるでダダイスト宣言の抜粋のごとく開始されるのだった。切れ切れの文章、単語の欠片《かけら》、暗号めいた文脈、まさかと思わせる挿入句、そしてありったけの人物名の羅列。それらは、少なくともフライヤの大げさな表現によれば、極めて重要な人物たちであり、その人物たち自身が認める以上に失踪者と緊密な関わりがあると推測されるらしい。何十枚もの詳細なメモを手に、フライヤはそのクリクリした目をパチパチさせながら、流行の眼鏡越しに皆の方を見やった。目に入るのは、言葉もなく魅せられたように聴き入っている同僚たちの表情だった。彼らはそれと気づかれないようにこの混沌とした情報をなんとか頭の中で整理しながら、ともかく平静を装っていた。中でもマルティン・ホイヤーの場合、文章が五つ以上続く説明は、彼には全くの時間の無駄と思えた。

「この女性の教師だけど」と彼は訊きながら、髪の毛を掻きむしるように両手で頭を撫でた。「父親の言うとおりにしないと殴られると、ラファエルが友だちに言っていたって証言している。そうだね？」

ミーティングにはフライヤとホイヤーの他に、失踪者捜査課主任のフォルカー・トーン、それにソーニャ・ファイヤーアーベント、そしてもう一人、古参のパウル・ヴェーバーもいる。幅の広い窓辺の下の丸テーブルは、書類や、メモ書きや、ボールペンや、写真であふれている。そしてその上に今、くしゃくしゃの地図が一枚広げられたところだ。それに、ミネラルウォーターの瓶が二本、グラス、そしてクリップが山盛り入った三角形のガラス製の灰皿が真ん中に置いてある。ソーニャとホイヤーがフライヤと共用している隣室へのドアは、半開きになっていて、電話の鳴る音や、立て続けにかかってくる電話の応対に追われたり、ラジオ局の人間に少年の年恰好について説明したりする警察官の話し声が聞こえてくる。

「いいえ、違います」フライヤ・エップが言いながら書類の山を掘り返した。「その教師は、あのつまり、ラファエルが通っている小学校の女性の校長ですが、その校長が、そう聞いたと言っているのです。しかし、今言ったように、彼女はラファエルの担任ではないのです。ラファエルの担任の先生はもう三年も前からラファエルのことを知っていて、家庭の事情もよく知っているんです。つまり、父親のことなんかも。彼は家から出ていって、今は新しいガールフレンドと暮らしています。ええと住所は……」

「わかった」とトーンが言った。「ラファエルの行き先を知っていそうな人間から話を聞き出せたかどうか、それだけを知りたいんだ」

ホイヤーがうなずいた。ソーニャが彼の方を見たとき、二人ともタートルネックだということに気づいた。彼は茶色、彼女は黒だ。ただし、彼女のはカシミアで、彼のはナイロンの混紡だ。見られたものじゃない。彼はソーニャの視線に気づき、ニヤリとして彼女のセーターを指差し、次に自分のセーターを指でつまみあげ、一緒だな、というように親指を上に向けた。ソーニャは思わず微笑んだ。あの頃、少なくとも週に一度は、マルティンともう一人、彼女の親友でもあり、マルティンとはお互いのことをとことん知り尽くした親友だと思っている男と一緒に、三人で街中を飲み歩いたものだ。ときどきマルティンが、少年みたいにぎこちなく、彼女にちょっといちゃつくふりをしてくると、ソーニャはいっしょに踊り出して、その親友の嫉妬を買ったりした。彼らはテキーラを飲みに行った。三人とも大人のくせして、まるでティーンエージャーのように遊び回った。警官三人でギャング映画を観ながら、トンマなへボ警官をバカにして笑ったものだ。今がすべてだった。大いなる現在。そんな日々が七年も続いたのだ。もう二度と返ってこない、あの七年という歳月。だがしかし、思い出すたびに、ソーニャは辛くなる。マルティンには毎日のように会っているのに、自分と言葉を交わすのをやめてしまったもう一人の男の声が、電話の向こうから聞こえてくるのを待つたびに。

「この女の子ですが」フライヤがそう言いながら、一枚のメモに書かれた名前に赤いフェルトペンで下線を引いた。「サニー・ホイスという名前で、『ナイトホークス』というテレビの連ドラに出ている俳優のホイスの娘なんです。その娘によるとラファエルは、自分の存在が両親の邪魔になるなら、お祖父さんと一緒に出て行くって言ったらしいんですが……」

「で、どこへ行くって？」とソーニャが訊いた。

「どことは言わなかったそうです」

トーンは体をうしろに反って頭を振りながら、うなり声をあげた。そして立ち上がり、うろうろと行きつ戻りつした。窓の向かい側の壁にしつらえたボードには、考えられる限りの名前や、時刻や、場所の名前が書かれていた。右上端に少年の年恰好のメモがある。年齢九歳、華奢な体つき、髪の毛は中くらいの長さの淡褐色、上唇の上に小さな傷跡あり、縞模様のウールのセーター、焦げ茶色のバックスキンのジャケット、ナイキのシューズ、赤いストライプ模様がついた黒色のリュック、それにWalking Manのロゴ。ホイヤーが墓地でラファエルの目の色を訊いたとき、トーマス・フォーゲルはすぐには答えられなかった。「茶色だよ、決まってるじゃないか！」逆にキルステンは「どちらかといえば黒」と思っていたが、確信を持って言えなかったので、恥じ入る様子だった。ホイヤーは、友人や、ましてや連れ合いの捜索願を申し出た人は、ほとんどが、背丈や年齢、あるいは目や髪の色など、そんな単純なことも忘れてしまうものだ、と言って彼女をなだめた。そして、たいていの場合、こういうことはあまり大事なことではない。失踪者が大人の場合、警察はすぐに大がかりな捜索を開始せずに、本人が自分から姿を現すまで二、三日時間をおく。だいたいは帰ってくるものだ、と付け加えた。

しかし期待に反して子供が帰ってこないとき、両親や友人たちはパニックに陥るのだ。ホイヤーは経験上、彼らが慌てふためいて語る矛盾だらけの話から捜索に役立ちそうな確かな事実だけを抽出することが、どれほど難しいことか、十分すぎるほど身にしみて知っている。性犯罪者による子供の誘拐、そして殺害のニュースが流されるようになってからというもの、市民団体などが、犯罪者への罰則と警察の監視による強化を訴えるようになった。失踪者捜索課の責任者であるフォルカー・トーンはそれをひしひしと感じていた。

だから、もしラファエル・フォーゲル少年の写真が明日の朝刊に載るようなことにでもなれば、町中が大騒ぎになるのは目に見えている。第一一部署全体が迷惑を被ることになる。本来この事件とは関わりのない、放火事件や環境汚染の捜査班の係官までが駆り出されることになるだろう。

「親しい友達はいたのかな？」

お祖父さんとラファエル、二人していなくなる、とボードに書いてから、トーンが訊いた。

「学期末の休みでみんなどこかへ行ってしまっているこの時期に、一人でもこの子の友達に会えたのはラッキーでした」とフライヤが答えて、「それに、ラファエルは一人ぼっちで。それはあの女性教師も言っていました。で、校長先生はさいわい休暇には出かけていませんでした。病気の母親の面倒を見なければと……」トーンがじれったそうに、彼女に肯いてみせたので、フライヤは先を急いだ。

「隣に座っている少年ですが」と彼女は続けた。「トルコ人の男の子ですが、真っ黒な目をしていて、こんなに大きな目、すごいでしょ。見入ってしまうほどですよね。この子が言うにはですね、ラファエルは学校が終わるといつもすぐにお祖父さんのところに行っていたと……」

「パージングからギージングへ？」とヴェーバーが訊いた。薮のような眉毛の下で陰鬱な目つきをして。

「そうです」とフライヤが言い、眼鏡の上側のフレーム越しにみんなの顔を見まわした。

「どうやって行ったんだろう？」とホイヤーが訊いた。

「わかりません」とフライヤが答えた。

「そのトルコ人の子供に訊かなかったのか？」

「訊きました」

「で？」

「わからないって」

「つまり、ラファエルは学校が終わってからいつも一人で、お祖父さんに会うために、パージングからギージングへ行っていた」とソーニャが言った。

「そう」とフライヤが言った。

「あるいはお祖父さんの方がパージングに来たのかしら？」

「何ですって？」フライヤは自分のメモを懸命に繰った。

「ちょっと待ってね。トルコ人の子供は、こう言ったの。〈ラファエルが僕をお祖父ちゃんのところへ電車に乗って連れてってくれたのは一度きりだよ。僕はあいつをうちに何度も連れて行ってやったのに……〉それに、教師たちも、あの、校長先生と——私がお話しした教師のことですが——二人とも、ラファエルがお祖父さんのところへ電車で行ったということを疑っている様子はなかった。だから逆はないわ。それでもまだ納得しない？」彼女は同僚のソーニャの方を見やり、バッグに手を突っ込んでタバコの箱を取り出した。

「少年はギージング界隈をよく知っているってことさ」とトーンが地図を上から眺めながら言った。ソーニャはトーンがつけているオーデコロンの匂いを逃さなかった。イマイチ冴えない匂いだ。「あの子はあの辺をよく知っているんだよ。墓場にいたのに、我々は全く気がつかなかった。あるいはみんなあの子の姿を見かけなかっただけのことか……」

彼はガバと身を翻し、デスクに近寄って受話器を取った。

「ゲッパルトさん？　オスト墓地の周りを巡回している巡査のうち、誰でもいいから電話口に出してくれないか。捜索中の少年のことでちょっと……」彼は返事を待ちながらシルクのハンカチを指で撫でた。「ルッジ、トーンだ。何かわかったか？」相手の言うことを聞いてから、受話器を置いた。「何もないとさ。墓地の庭師二人に聞いたんだが、二人とも誰も見かけなかったらしい。こいつはずいぶん奇妙なことだ。墓地は広いよ、確かに。だが、あんな子供が歩いていたら目立つはずだ。リュックも背負ってるし。きっと少年は、お祖父さんとよく行った場所のうちのどこかにいたに違いない」

「俺もそう思う」とホイヤーが言った。「だから、その場所を早く見つける必要がある」

トーンが再び受話器に手をのばした。フライヤは額にかかった髪を指で後ろに撫でながら、メモの山を店じまいし始めた。一枚一枚をこまめにチェックして、ページ番号を振り、手元の四角い箱にしまい込んだ。

「写真のコピーはできたか？」トーンが電話に向かって訊いた。「よーし、じゃあ、交通課の広報室に電話して、写真を運転手たちに一番早く配る方法を教えてもらうんだ。バスの運転手、地下鉄と近郊電車の運転士、特に路面電車の運転士たち全員にだ。全員だぞ！

近郊電車の駅にも写真を貼ろう。簡単な年恰好も書いてな、いつもの通り。今日中にだよ、今日しかないだろ。違う、当たり前だ。パージング・オスト墓地間だけだ。なんていったっけ？　オスト墓地から東方面の最寄りの駅名は」

「ザンクト・マルティン通り駅」とホイヤーが言った。

「そうだ。ザンクト・マルティン通り駅だ。わかったか？　オーケー。全ての巡回パトカー、救急隊、空港、病院、デパートに知らせるんだ。ちょっと待った……」フライヤの方を振り向いて、「少年が自殺する兆候は？」と訊いた。

フライヤは首を横に振った。

「母親に訊いたが、彼女も否定している。だが、それが保証になるわけでもなし。ロニー？」トーンは再び電話に向かって続けた。「いいか、救急隊に連絡するんだ。それからタクシー運転手、当然だな。もちろん多くは期待できないのはわかっている。少年がタクシーを使うことはまずないからな。それに、運転手だって、警察に知らせるために、少年一人に気をつけるなんてこともないだろうし。あまり多くなくていいから、少しでも写真は配っておいてくれ。コピーは何枚作ったんだ？　わかった。じゃ、五〇枚追加だ。そうすれば三〇〇枚になる。初動としては十分だろう。じゃあな！」彼は受話器を置いた。

「そんなにたくさん刷ったことあったかな、これまでに」とヴェーバーが言った。数分前から、彼のお腹が規則正しくぐうぐう鳴っていた。

「オーケー、アンケート調査だ。あんたならどうする、パウル？　あんたは今九歳の少年だ。おじいちゃんが死んじゃった。そのことを話す相手が誰もいないと、あんたは思っている。あんたがラファエルだとしたら……」

ヴェーバーは、両方のズボン吊りの間で威勢よく膨らんでいる腹を撫でながら、秘書のエリカ・ハーベルが、どういう理由かは不明だが、バジルを栽培している小さな陶の鉢の斜め上方の壁の一点を見据えて口を開いた。「警察を巻くくらいの知恵は働くのだから、墓場にもう一度行くことはしないな。少なくとも暗くならないうちは。暗くなったらもう一度行くかもしれないが、それまでは。それより、おじいちゃんがいつも一度は行ってみたいって言ってたところに、どうしたらいけるか、考えるな。どこだろう？　アメリカかな？　どっちにしても、とりあえず路面電車には乗らない。おじいちゃんはもう路面電車の運転士をやめたんだから、僕ももう乗らないな」

ヴェーバーはボスの顔を、そしてその隣に座っているマルティン・ホイヤーの顔を見た。

「俺はパス」とホイヤーが言った。自分としては九つの少年に変身するのはごめんだ。三八になったばかりだ。おじいちゃんはとっくにいないし帰る家庭もない。そんなことを考えて心の平衡を失う前に、ホイヤーは立ち上がって、窓の方へ歩いて行き、窓を開けた。外から心地よい冷たい空気が入ってくる。

「フライヤは？」とトーンが訊いた。

フライヤにとって、この種の質問ゲームは初めてのことだったので、自分に振られるとすぐさま、これは何だか嘘くさく怪しげなゲームだと思った。「私にはわかりません。少年についての情報が少なすぎますし……」と答えておいた。

「逃げようったってダメだよ、フライヤ。君ならどうする？　幼い年頃に、大好きな人に死なれたら」

「私のまわりはまだみんな生きています」とフライヤは明るく言った。深刻な顔つきで考え込んでいたソーニャは、それを聞いて、一瞬微笑んだ。「でも、少年が時々家出して父親のところに泊まっていたというのが事実なら、私にもわかります。そう、私ならそうする。だって、きつくあたるし意地悪だけど、僕のこと一度も放り出したり追い払うことはなかったんだもの」

期待に違わず、彼女が、パウル・ヴェーバーとまったく同じように、子供の口調で話したのを聞いて、トーンとしては至極ご満悦であった。

次はソーニャの番だ。自分でもなぜだかわからないが、彼女は、まるで前もって十分に熟考検討していたかのように、素早く、決然と答えた。「私なら、空っぽのアパートに隠れるわ」そう言って、トーンの目を見た。

「鍵は持っているのか？」とトーンが訊いた。

「もちろん、持ってる」そう言って彼女は黙り込んだ。

ドアをノックせずに、カール・フンケルが入ってきたので、ミーティングはそこで終わった。トーンは刑事部長に初動捜査の成り行きについて報告した。その間、ソーニャ・ファイヤーアーベントとマルティン・ホイヤー、それにパウル・ヴェーバーとフライヤ・エップが二つのチームに別れ、それぞれの捜索プランについて話し合った。

　八月二三日の午後一二時前のこの時刻、雨降る夏の日に九歳の少年ラファエル・フォーゲルの捜索開始に当たった者のうちで、少年の捜索がどのような悲劇を招くことになるのか、知るものはまだ誰もいなかった。


　彼女はそれに向かって祈った。早く答えて！　しかしそれは、答えなかった。彼女はそれをじっと見た。お願いだから、と手を合わせた。しかしそれは彼女の願いを聞き入れなかった。沈黙を続けている。グラスを手に取り、水を一口飲んだとき、彼女の手は震えていた。もう薬なんか飲まないと決めていた。どうしても頭をスッキリさせないと。しかし霧は晴れない。目の前の重い霧。彼女に見えるのは青白くか細い子供の顔のぼんやりとした輪郭と、曇りガラスのドアだけだ。その閉まった扉の向こう側で何かがあったと、誰かが噂していた。だから彼女はそこを覗いてみようとした。だが、起き上がることができない。「たすけて！」小声で言ってみたが、黙り込んだ電話器はなんの音も出さない。そこに自分を救い出してくれる我が主《しゅ》が待っている聖なる櫃《ひつ》があるかのように、彼女はそれをじっと見た。

　彼女の我が主《しゅ》は神ではなかった。失業中の元デパートの万引き監視人であった。天から降ってきたかのように、突然キッチンに現れたかと思うと、彼女をつかんで殴りかかった。殴られた彼女が椅子から転げ落ち、つかまる先もないままに、素早く左右の手が彼女の顔を殴りつけた。右から左から、上から下から。顔をかばった両手を彼女がほどこうとしないので、夫は彼女の体をつかんで引っ張り上げ、その二の腕を鷲づかみにした。一瞬、喘ぎながら動きを止めた。今だ！　と思ったが、しかし彼女の希望もたちまち消え失せてしまった。彼はあらん限りの力で彼女の体を壁にぶち当てた。その瞬間、彼女は背中の骨がバラバラになってしまったように感じた。犬のように喘ぎながら、息を吸うこともできず、目の前の夫の顔を睨みつけた。黒いだぶだぶのスーツの中に、色あせた白いシャツがズボンからはみ出ている。襟の下のシミが彼女の目に入る。細い革製のネクタイがひん曲がっており、結び目がほとんどほどけていることも。彼女は口を大きく開けては見るが、言葉が出てこない。激しく壁にぶつけられた痛みが彼女の声を奪ってしまったのだ。痛みだけではなかった。さっきゆっくりと晴れはじめたかと思ったのに、再び彼女を覆って飲み込んでしまった霧も共犯者なのだ。彼女は叫ぼうとした。私、ここにいます、ここにこうして。どうして私のことをしっかりつかんでくださらないのですか、以前のように。だが、声は返ってこない。彼女は愕然とした。

左耳と頬を殴られたのを感じたとき、はじめて彼女はその手を見た。何が起こったのかわからないうちに、両足ががくんと折れ曲がり、キッチンの床に倒れ、冷蔵庫の横腹に、ゴミ箱に体をぶつけた。ゴミが外にこぼれ出て、コーラの空き缶や、野菜のクズや、黴《かび》が生えたパンや、ぐちゃぐちゃになったコーヒーの粉が彼女の体に覆いかぶさった。鼻からは血が、ボロボロのラップの上にポトポトと垂れる。心臓の鼓動が激しくなり、彼女は無意識に拳を握りしめ、死ぬほど驚いたケダモノのように体を硬直させた。そのケダモノの両脚はグレーのレギンズをはき、硬質の突起物のように素足がそこから突き出ている。両手はへし折れた触手のように彼女のそばにだらりとしている。彼女の目の前を、汚れた黒靴があちこちと動いている。擦り切れた靴底、傷だらけの革。雨の匂いがする。それとも血だろうか。彼女はクンクンと嗅いだ。靴は目の前から姿を消し、彼女の体の横側に姿を現した。彼女には、その靴は見えなかった。鉄のように固くなった頭を捩《よじ》ることはできないのだ。

「お前、ラファエルをどうしたんだ、えっ？」その言葉が、拳みたいに大きな雹《ひょう》のように彼女の上に降ってくる。彼女は、体を両腕の中に隠れてしまうほど小さく縮めたのを、かすかに覚えている。「口を開くんだ。じゃないと思いっきりぶん殴るぞ。自分が誰だかわからないくらいにな。わかったか？ わかったのかよ！このバカ雌豚！」彼女は肯いた。しっかりと肯いた。なのに、どうして彼が彼女の髪をつかんで頭を引っ張り上げ、あんなに痛めつけたのか、わからなかった。どうして？ 彼女は心の中で肯いただけだったのだ。彼には見えない。彼に見えるのは、そこに横たわり身動き一つしない彼女の姿だけだ。それが彼を荒れ狂わせるのだ。「俺に答えないと、やばいことになるぜ！」彼は叫んだ。手で髪の毛をがっちりつかまれると、頭皮が燃えるように痛む。

「あ、あ、あ……」これ以上大きく出せないほどの音量で彼女は呻き声をあげた。「……あ、あ、あ、い、た、い……」

「なんだ、なんだよ?」声が吠えた。「俺に答えるんだ。じゃないと、ただじゃおかねえからな!」

彼女がまた声を出そうとした矢先に、夫は彼女の首をひねり回して、膝をつき、両手を彼女の両耳に押し付けたまま、彼女の体を自分の方に引き寄せた。霧と、目の前の、汗臭い匂いのするヴェールの背後に、彼女は彼の顔を見た。あるいは、それは髭を生やした石だったのだろうか。いやそうではない。夫のトーマスの顔だ。彼だ。大声で叫んでいる……。

「答えろよ、この!」

「ええ」と彼女は言った。どこから声が聞こえてくるのかわからなかった。彼は耳をそばだてた。

「なに、なんだと?」彼女の耳の中に向かって叫んだ。

「ええ」微かな声で彼女は答える。彼は妻から手を離した。

骨ばった万力から解放された彼女の頭は、がくんと垂れ下がり、体が前に傾いたので、フォーゲルは彼女の体を掴まえるしかなかった。額は彼の肩に、汗とタバコの匂いのするジャケットにもたれかかった。他の何よりも彼女の好きな匂いだ。よく知っている匂いだ。鼻から血が落ちて、ダークカラーの布を汚しても、彼女には気にならないほどだ。

「わ、わかったわ、あなた」彼女がそう言うと、彼は肯いて、彼女の肩を二度ほど叩き、トレーナーを彼女に手荒く渡した。膝まで届くシャツで、前側にスヌーピーがプリントされてある。夫の行為が彼女に安堵をもたらし、そのせいで彼女は声を取り戻した。「いきなり……、どこから入って来たの?」キルステン・フォーゲルはそう言いながら瞬きをして、左の手のひらを指で掻いた。

「ここは俺の家だぜ!」そう言いながら、フォーゲルはガバッと立ち上がって、あたりを見渡した。使ったままの食器類が流しの横に重ねて置いてあるのを見て、頭を振りながら冷蔵庫の扉を開けた。キルステンは床に座ったまま、出窓に置いてあるティッシュ・ボックスに手を伸ばした。ティッシュを一枚取り出して目を拭き洟《はな》をかんでから、驚いてティッシュを見た。血が激しく出ていたことを忘れていたのだ。頭を後ろに反らして数秒間動かさずにいたそのとき、夫の姿が見えた。冷蔵庫からコーラを取り出し、缶を開けて口に当てている。シャツに何かが滴り落ちているので、彼は頭を前に動かした。口から垂れ落ちる茶色いねっとりしたものが床に落ちて、細い筋状の流れとなってガスレンジの下に流れていった。

「彼女のところじゃなかったの？　どうして？　もしかして……」彼女は先を続けられなかった。鼻血が手に落ちるのをそのままにしたくなかったから。注意深く頭を後ろに固定しながら、出窓と椅子の背もたれをつかみながら、体を持ち上げた。ようやく立ち上がったとき、フラついて、素足の下に床の冷たさを感じながら、狭いキッチンの壁を手で伝って、さらに狭い廊下を端まで歩いた。右側に風呂場がある。ラファエルの子供部屋の向かい側だ。部屋には、イルミネーションが点滅していた。それはキルステンが、アーノルド・シュワァルツェネッガー主演『キンダーガートン・コップ』のポスターの額縁にかけておいたものだ。

「おい、どこにいるんだ?·」フォーゲルが大声で言い、手の甲で口を拭った。

突然彼は何かを思いだした様子で、せかせかとジャケットの全部のポケットの中に手を突っ込んだ。探し物は見つからなかった。さっき彼女が汚れたスプーンやナイフやフォークを投げ入れた流しに、彼はコーラの缶を投げ入れて、半開きのままの玄関ドアの方に急いだ。ドアの鍵を外から差し込んだままだったのを見て、フォーゲルがそれを抜き取ろうとしたとき、二階から灰色のプードルが降りてきて、彼の前で憑かれたようにぽかんと立ち止まった。

「おや、スージー！」とフォーゲルは挨拶を送ったが、スージーはいつになくヒステリックに吠えた。

「こんにちは、フォーゲルさん。帰ってらしたのね、よかったわ。どこに行ってらしたの？　研修?·」ベージュのポプリンコート姿のずんぐりした老女がすり足で階段を降りてきた。茶色の不恰好な健康靴を履いて買い物かごを手にしていた。体重は少なくとも九〇キロはあるだろう。額に汗が光っている。

「やあ、タウジッヒさん」フォーゲルは挨拶してから、エボナイト製のミニ・サッカーボールを取り付けた鍵束をポケットにしまった。

「しばらくいらっしゃらなかったのね、フォーゲルさん。あのね……」彼女はペットのプードルの横に立ったが、けたたましく吠える犬の声が階段室に鳴り響いた。「ときどきうるさく吠えるんですよ。あなたがいないときなんかね、フォーゲルさん。こう言ってはなんだけど、でも正直、ときどきちょっと困ることがあるのよ。奥さんに言ってくださらないかしら。この建物は音が漏れてよく聞こえるのよ。わかるでしょ、フォーゲルさん……」

「で、どんな音が聞こえるんです？」と彼が訊いた。

「どんな音っていっても、フォーゲルさん、声なの。とても大きな声。奥さんお若いから、音楽かけたりするでしょ。何も音楽が悪いなんて思わないのよ。またここで暮らすんですか、フォーゲルさん？」

「いや」

「そう。で、息子さんのラファエルちゃんは？　本当にいい子よね。元気にしていて？」

「ああ」

「今朝出かけるところを見かけたのだけれど、おかしいなと思ったの……」

「ラフを見たって？　いつだそれは？」

「どうして？　何かあったの？　知らなかったのよ、私……」

「いつラフを見たんだ？　何時何分に？」彼はその小さくこわばった目で彼女をじっと見たので、彼女は思わず一歩あとずさりした。プードルはきゃっきゃっと吠えたが、突然静かになった。

「六時ごろかしら。六時一五分前。驚いたのよ。だって……」

「驚いたって、何に？　えっ？」

「まあ、落ち着いて、フォーゲルさん……」

「なんで俺が落ち着かなきゃならないんだ？　え？　ラフを見たのは何時なんだ？」彼は老女に詰めよった。彼女は衝動的に体を引こうとしたが、その場に踏みとどまって、彼に指を突きつけた。

「脅かそうったってダメですよ。なによ。奥さんをほったらかしにして。違う？　あなたを必要としている息子がいるのに、外に女をつくったりして。私に凄《すご》むのはおやめなさい！　きっとあの子がいなくなったのは、あなたのせいだわ……」

「なに、なんだって？」彼は思わず彼女を階段の手すりに押さえつけそうになった。彼女の正面に体を寄せたが、彼女は一センチたりとも逃げなかった。プードルは彼女の分厚い靴の後ろで体をよじった。

「あなたのせいで、あの子はいなくなったって言ったんですよ……」

「あいつがいなくなったって、なんで知ってるんだ？　えっ？」

「なんですって？　いなくなった？　ラファエルが？　でも、でも今まで知らなかったのよ。私は……、あの子を見たって言っただけですよ。リュックを背負って。あの赤いストライプの。今日はずいぶん早い時間におい祖父さんのところへ行くんだなと思ったの。でもそのとき、きっと今日はどこかへ一緒に遊びに行くんだろうな、と思ったの。だって休暇だし、リュックも背負ってたから。そうかもしれないでしょ、ね？」

彼女は彼の目をじっと見て、買い物かごを弄びながら、アパートの中を覗こうとしたが、それはできなかった。フォーゲルが視界を遮ったのだ。

「あいつがどこへ行ったか見たのか、見なかったのか？」彼はそう訊いて口を歪めた。

「いいえ」タウジッヒ老女はすばやく答えた。「いつものようにミューラー通りに出て行ったから、特に何も考えなかったわ。窓からちょっと見ただけですよ。うちの窓、通り側にあるの、知ってるでしょ……」

「で、どこへ行った？」

「知りませんよ、フォーゲルさん。何があったんですか？　フォーゲルさん」

「ラファエルがいなくなったんです」フロアから微かな声が響いた。キルステンが風呂場から出てきて、ハンカチを鼻に当てながら言った。「どうも、タウジッヒさん。あの子、今朝早くに出かけて、まだ帰らないんですよ。埋葬には来ていなくて……」

「おやまあ、誰が亡くなったっていうの？」マティルデ・タウジッヒが訊いた。

「今日、主人の父親の埋葬があって」キルステンが言いながら夫の方へ目をやった。

「まあ、そうだったの。それは御愁傷様ね、フォーゲルさん。まあ、なんてこと。お父様がねえ。本当にお気の毒に……」

「ああ、どうも……」

「おいくつでしたの？　お訊きしてよければ」

「五四歳」

タウジッヒは黙り込んだが、その代わりに犬がまた吠え出し、飼い主の脚の間をすり抜けて、階段のへりのあたりで飛び跳ねたので、今にも地下室に転げ落ちそうだった。

「ラフを見たんだってよ」とフォーゲルが言いながら玄関ドアの方を振り向いた。

「本当に？」とキルステンが訊きながら両腕で体を抱えた。体がひどく冷えていたのだ。

「偶然窓から見えたのよ。あの子が出かけるのがね。今日はいつもより早いのねって思ったんだけど、考えてみれば、一人前の男の子だし、それにきっとお祖父ちゃんのところへ行くんだわと思って……」

「でも六時なんて！」とキルステンが言った。ソックスにエスパドリーユ（底に麻、アッパーもキャンバス地を使用した靴）を履いていたが、足は氷のように冷たかった。

「どうしてそんなに早く出かけたんでしょうね」とタウジッヒが訊いた。そしてその体重に似合わぬ素早さで、犬の頭をポンと叩いて、吠えるのをやめさせた。

「俺も知りたいよ！」とフォーゲルが言いながら、アパートの中へ入って行った。

「それで、何かあの子にいつもと違ったところはありませんでした？」とキルステンが訊いた。

タウジッヒは首を横に振った。キルステンの顔に残った赤い傷跡と、泣きはらした目の膨らみを、彼女は見逃さなかった。二人は向かい合ったまま、黙り込んだ。一階の二番目の部屋の玄関ドアの中から足音が聞こえた。見られているのだ、いつものことだ。

「ありがとう」とキルステンが囁いた。

「何か私にできることあるかしら？」とタウジッヒが訊ねた。

キルステンは床に目を下ろし、両腕でもっと強く体を抱き抱えながら、向きを変えて部屋に入って行った。老女の顔をもう一度見てから、ドアの鍵を閉め、暗い廊下に立ちすくんだ。

雨が規則的にリズムを刻んで窓に打ち当たる。

「警察に言わなくちゃ！」キルステンは居間に行き煙草に火をつけた。カウチに腰をかけた。派手な色の刺繍を施したカバーがかけてあるカウチのへりに足を組み、貝殻の形をした灰皿を膝に乗せながら。フォーゲルは窓際に立ち、カーテン越しに外の芝生を眺めていた。立入り禁止の立て札が見えた。きちんと刈り込まれた芝生も、雨に打たれて、ただの灰色の草に変わってしまっていた。

「何のために？」とフォーゲルが言い、窓に近寄ってリモコンを手に取り、テレビをつけた。「あのばあさん、あいつが出かけるのを見ただけだ。日がな窓辺で外の人間を眺めてるんだ。だが、何も見えやしないし、頭もろくろく働いちゃいないんだ」

「あの子、ずぶ濡れだわ。傘も持ってないし、パーカーも廊下にかかったままよ」とキルステンが、煙草に向かって言ったあと、灰皿で押し消した。突然窓の向こう側からフォルクスムジーク《民俗音楽》が鳴り響き、その大音量に彼女は身をすくめた。フォーゲルは音を消してテレビを観た。若いカップルが、花の咲いた木々とバラの花に囲まれて、歌を歌っている。背景は太陽の光に包まれた緑の丘。観衆は、木骨組の家やメイ・ポール（「五月の柱」。森から切り出した木を飾り、その下を人々が踊り回る）をしつらえた広場のセットの長椅子に腰かけて、リズムに合わせて手拍子をとりながら、体を左右に揺らしている。

「あの子が家を出て行ったのじゃなくて、誘拐されたとしたら？」彼女はそう言い、テレビから目を離さなかった。若いカップルは手を取り合って、ぶどうの木に覆われたあずまやの中でにっこりと笑った。

「何を馬鹿なこと言ってやがる！」とフォーゲルが叫んで、リモコンをカウチに放り投げた。「誘拐じゃないよ。ここが我慢できなかったんだ。お袋はいつだっていないし、あんなクソ野郎といちゃついてやがるんだから、嫌気もさすぜ……」

「やめてよ、トーマス、お願いだから……」

「なんだ？　なんか言うことあるのかよ？　文句でもあるってのか？」彼は彼女の前に立ちはだかった。彼女は体をすくめた。カウチの端っこに座り、左の手を爪で掻いた。手のひらも手の甲も。やがてミミズ腫れになり、血の筋が肌の表面に現れた。

「やめろったら！」と彼は大声で言い、彼女の手をぴしゃっと叩いた。彼女は手を掻くのをやめ、夫の体越しに、テレビの若いカップルがお辞儀をして、男の方が大きな花束を持って近寄り、女の方がそれを顔を輝かせて受け取るのを見た。

　彼女の部屋に生きた花は一本もなかった。今そのことに気づいたキルステンは、両手を組み合わせてため息をひとつついた。花を買うお金などない。

　電話が鳴った。暗い廊下からリンリンと鳴る。キルステンは飛び上がり、膝に乗せた灰皿のことも忘れていた。タバコの灰と吸い殻がカーペットに飛び散った。三度目のベルで彼女は受話器を取った。

「もしもし」彼女は息をはずませた。「もしもし。お前なの？　ラフ？　え？　あなたなの！　今時間がないの。ごめんなさい。わかったわよ。うん。じゃ、来ないでよ。何？　今は言えないの。違うの……」

フォーゲルは彼女から受話器を引きもぎ取った。「失せろ、このクソ野郎！」電話に向かって吠えたて、がちゃんと大きな音を立てて受話器を置いた。

「コーヒーを淹れてくれ！」

「わかったわ」

彼女がキッチンに行こうとしたとき、再び電話が鳴った。今度はフォーゲルの方が早かった。

「よく聞け、クソ野郎！　もう一度電話かけてきやがったら、おめえの頭にガソリンをぶっかけて火をつけてやる。おめえの頭が自前のエンジンじゃないかって思うまでつけてやるぞ。わかったか、ガルボ！　まだなんか言うことあるか……え？　お前なんかに用はないよ。なんだって？」

キルステンは、相手の話が聞こえるように、夫に体をピタッと寄せた。女の声のように聞こえた。

「いつだ？」とフォーゲルが言って、首を横に振ったので、キルステンは床を見た。「で、あいつは何を言ったんだ。もっと大きな声で話せよ、くそっ！　なんでそんなに小声で話すんだよ？　お前がどこにいようが、どうでもいいんだよ。なに？　ああ！　チクショー！　今すぐそこへ行くから、ああ！　チクショーめ！」再び受話器を乱暴に置いて、口元を拭いながら、ジャケットから車のキーを取り出した。

「どうしたのよ？」キルステンが訊いた。「ラファエルからなの？　なんか言ってよ、あなた！」

彼はすでにドアのところにいた。「あいつだよ。俺と話したいって。俺はなんでこんなとこへ来たんだ。クソ！」

「で……なんて言ってたの、あの子？　元気だって？　何を言ってたのよ？　今どこなの？」

「言っとくが、キルステン。もしラフに何かあったら、お前を殺してやるからな！」彼は鼻を鳴らして踵《きびす》をかえし、外からドアをバタンと閉めた。

キルステンはその場に一人立ちすくんだ。激しく耳鳴りがした。しばらくして、硬直状態から抜け出た彼女は、ドアを開けて階段室に駆け出した。

「待って！　トーマス！　お願いだから、ラフが何を言ったか教えて！」

建物の正面玄関でフォーゲルは立ち止まり、妻の顔をじっと見た。まるで、楽園からの追放が彼女のせいであるかのように。そして雨の中に消えていった。ドアがゆっくりと閉まった。

キルステンは両手を広げた。手のひらを上にして、天井を見上げた。一階のドアの後ろに隠れた女スパイが、聞き入れられない恩寵を願う哀れな聖母のように立っている。キルステンは正面ドアに続く階段の一番上に座って両脚を手で抱えた。「神様、ラファエルが無事でいますように。そしてすぐに家に帰ってきますように！」彼女はそう囁いた。殴られたところがとても痛くて、立ち上がって部屋に帰ることができないほどだった。彼女は冷たい石の床に座ったまま、息子のこと、彼女が一九の時に身ごもった息子のことに想いを馳せた。ちょうどホテル経営学の単科大学に願書を出した頃だった。ある夏の夜だった。トーマスは、真面目に生きるからと彼女に約束し、そしてプロポーズした。警察の主任巡査の職の見込みがあるというので、彼女はそれを受け入れた。それから二人は一緒に暮らし、ラファエルが生まれた。ホテル経営学の単科大学も、職業訓練も、将来の自立も、全てが流れた。ラファエルのためには全てを犠牲にした。細かなことは今も聞かされてはいないが、トーマスが、本人の話では、面接に失敗したという理由で警察に採用されなかったときにも、三人の生活は続いた。休暇にはイタリアのガルダ湖へ出かけたりもした。そしてトーマスは警備関係の仕事を見つけた。かなりの残業代を加えてだが、月に四〇〇〇マルクを稼いだりもした。それでなんとかしのいだ。生活を切り詰めても、ラファエルにはいつも、他の子供と同じように、きちんとしたものを着せ、運動靴が古くなると、新しいものを履かせることに心を配った。友達は多くはいなかった。キルステンは、トーマスの仕事仲間たちはあまり好きではなかったし、ある時期から、夫が仲間と飲みに出かけて無駄遣いをしているときなどには、家で過ごすようになった。彼女が夫にそのことで小言を言うと、彼は腹を立てた。そしてあるとき、初めて彼女を殴ったのだ。彼女は身を守ろうとしたが、彼の荒れ方はますます酷くなっていった。ある夜には、彼は妻をベットに縛りつけズボンのベルトで殴りつけた。彼女がついに気を失うまで殴ったのだ。そしてラファエルはその一部始終を見ていた。キルステンが不思議に感じたのは、トーマスが荒れているのが、アルコールのせいではないということだった。仲間の連中とは違い、彼はあまり酒を飲まなかったし、最近では全く飲まなくなっていたのだ。暴力を振るうときも彼は全く素面《しらふ》だった。自分が何をしているのか、完全にわかっているのに、決してあやまろうとはしなかった。春祭りのとき、ビール・テントの中で、手製のバラの造花を彼女にプレゼントしたこともある。幸せなひとときだった。一リットル・ジョッキで乾杯し、ブラスバンドの音楽が鳴り出し、彼女は踊りたい気分になった。しかしトーマスは絶対に踊らない。警備の仕事を辞めたとき、彼は何日も帰宅しなかった。警察に届けても、埒が明かなかった。一人前の大人なのだから、何をしようと本人の勝手だ、というのが理由だ。ひょっこり帰ってきたときは、どこにいたのかと訊いても、一言も言わずに、テレビの前に寝転がって、缶ビールを飲みながら、誰とも口をきかなかった。息子とも。ラファエルは泣いた。父親に無視されたからだ。キルステンは夫に、せめてラファエルには優しくしてくれるように仕向けてみたが、彼はそれが癪にさわり、彼女の顔を拳骨で殴り、鼻の骨を折ったのだった。二週間の入院中、彼女は痛み止めを飲み始めたが、それは体の痛みのためというよりも、無力感と恐怖心を和らげるためであり、そして鏡に向かう時に目にする空虚な世界から逃れるためであった。いつかホテルを経営し、客をもてなし、それぞれ自分の運命を背負って生きている、興味をそそる人々に囲まれて生きるのが、彼女の最大の夢だったのだ。高価な絨毯に重厚な革製の家具調度品を置いたラウンジや、大きな広間。小声で話し合う人々の声や、クロムメッキの光る厨房から聞こえる食器類の音。それらをキルステンは心に思い浮かべた。レストランにはシャンデリアが燦然と輝き、テーブルには大きな花束が装いを凝らして飾ってある。そして彼女はそのホテルの主人なのだ。すっきりしたブルーのワンピースに身を包むか、あるいはパンツとブレザーでさっぱりと決め込むか。左手には、誕生日に自分にプレゼントした指輪。あちこちの部屋を見回りながら、あれこれと段取りを決めていくのだ。ときには彼女は怒ったりすることもある。メイドの仕事がずさんだったり、一四番目の花瓶に新鮮なグラジオラスやヒアシンスを生けておくのを、従業員が忘れたりしたときには。全ては自分が決めた通りになっていなければならない。そうだからこそ彼女は賞賛されるのであり、彼女が知らない遠くの地の珍しい品々を、宿泊客がお土産として彼女に持ってきてくれるのだ。気楽な生活ではない。彼女は毎日一六時間も働かなければならない。でもそのおかげで、夜中には明るい夢を見るのだ。それは確かだった。そして朝目覚めると自分の世界がある。自分の家だ。そして鏡を覗くと、そこには紛うことなき自分の姿が映っている。

彼女は階段室に腰をかけた。そこでは掃除用の洗剤の強い匂いがしたが、どこを掃除したのか、汚れたままであった。冷え冷えとした階段に座っていたが、電話が鳴る音にびっくりして立ち上がった。部屋に入るときに、もはやそれほど寒く感じなかったのが、自分でも少し不思議だった。

「ママ？」

「ラファエル！　まったくもう、どこにいるのよ？　ママは……」

「ぼく、家には帰らないよ、ママ。あとちょっとここにいて、それからたぶん、どっかへ行く……」

「ラファエル、どこにいるの？　お願いだから言って！　お前のことが心配でたまらないのよ……」

「大丈夫だよ、ママ。ぼく、元気だから。食べるものだってあるし。グストルって、とっても親切なんだ……」

「グストルって、誰？　ねえ、ラファエル！　ラファエル！」

「おじいちゃんに手紙を書いたんだ……」

「え？　手紙って、どんな？　ラファエル、グストルって誰なの？　男の人なの？　なぜその人といるの？　何かされたの？」

「何も、ママ」

「その人と話せる？」

「電話を切るからね、ママ……」

「待って、切らないで、ラファエル！　お願いだから、切らないで！　どこにいるの？　どうして今朝早く出かけたの？　ママに何も言わないで。ママ、本当にびっくりしたわ、お前の部屋に入ったら……」

「おじいちゃん、どうして死んじゃったの？　ママ」

「ええ？　それは、彼は、おじいちゃんはね、病気だったのよ、ラファエル。重い病気。お前だって知ってたでしょ。だって、おじいちゃん、病院にいたじゃない。それに……」

「でも、どうして死んじゃったの？」

「それは……それは……電話ではよく説明できないわ。お前が帰ってきてから話してあげる。だから、ね。言って、どこにいるの？」

「パパに電話したんだけど、いなかった。でも、あの女《ひと》が、何を言っているのかよくわからない、あの女《ひと》が、パパはここにはいないって言ってた。パパそこにいるの？」

「ううん。さっきここにいたけど、また出て行ったの、あの女のところへ……」

「あの女《ひと》、ぼく嫌いだよ」

「パパがね、お前のこと、とても心配してるの。パパのところへ行く？　お前が来るのを待ってるわ」

「ううん、行かない。パパのところへも、ママのところへも帰らない。二人とも僕に嘘を言ったから。おじいちゃんを探しに行くんだ。そうするんだ……」

「ラファエル、なんてことを言うの！　ラファエル！　もしもし？　もしもし？　ラファエル！　お願いだから、何か言って！　まだそこにいるの、わかってるのよ。ママと話をするのよ……」

「なんで死んじゃったの、おじいちゃん？　ねえ、ママ……」

「でもそれは……あの人は……ラファエル？　お前？　ああ、なんてこと！　おねがい！　おねがいだから！……お前のこと……こんなに……愛しているのに！」

4 嘘の揺籃《ゆりかご》

午後三時までに一四人の聴き取りが行われた。シュリールゼー通りにある六階建ての共同住宅の住民たちは、みな物腰が柔らかく、進んで聴取に応じた。ここはゲオルク・フォーゲルが生涯最後の二〇年を過ごした場所だ。聴取に応じた人たちがソーニャ・ファイヤーアーベントとマルティン・ホイヤーの質問に口を揃えて話したところによると、ゲオルクが妻のハンネと二人で始めた生活も、最後は一人きりであったが、特にそれで困った様子はなかったようだ。ショルシュは――彼らはゲオルクのことをそう呼んだ――退屈などせずに生活を楽しんでいたという。孫と一緒に街を歩いたり、イーザル河畔で散歩を楽しんだ。そして一人のときは、地下室で過ごしていた。そこにある、自分が作った町で。

それは町というよりも村といったほうがいいのかもしれない。製材所があり、その前には大きな倉庫が建っていて、長さを揃えてカットされた材木が収まっている大きな積材所がある。後ろには森が広がり、その前に一本の道路と、それと平行に走る鉄道がある。三本の線路が駅で合流する。駅舎は灰色の建物で、赤い鎧戸の前では乗客が列車の到着を待っている。長さ三メートル、幅二メートルほどのプラットホームの左右には、壁画が描かれた一階建と二階建の木骨組みの家が並んでいて、家の前では住人たちが緑地でおしゃべりをしている。いたるところ、樹木や灌木が茂っている。村の中央にある市場の飾りといえば、つるべ井戸と薄青色のメイ・ポールの樹だが、そこには巨大なゴジラが力強く前脚をあげて、今にも村ごと踏み潰してしまいそうな勢いで立っている。四本の指の鉤爪はその巨大な足爪と同じく真っ赤だ。異様な形の猿の頭をしたその巨大な姿は、緑色のうろこ状の幽霊のように田園風景の上に悠然と立っていて、風景はそのために背景の中で奇抜なものに変化している。プラットホームはカーブを描き、青く光る広い海へとまっしぐらに続いている。海の真ん中には島があり、そこには赤い色の岩が一つある。フェリーや漁船が海上を走り、ゴールデン・ゲート・ブリッジのように見える橋の上には線路が海の上を島まで続いている。そこには桟橋のある港や、居酒屋や、税関がある。人々が立って手を振っている。中には旅行鞄を手にしている者もいる。赤い岩の端には灯台が天高く聳え立ち、空は虹色の天蓋のように島の上空に広がっていて、しかもそれは色紙でできているのだ。

「ちなみにこれは本物の草だよ」と管理人のロルフ・シュッツが言いながら、地下室全体に広がる鉄道模型の中の緑色の箇所を指差した。「それから砂利はコーヒー滓《かす》に色をつけたものだ。信じられんだろうが、かつての東ドイツじゃそうしてたらしい」

「自分たちが乗る鉄道の砂利を?」子供のように驚嘆しながらジオラマをじっと眺めて、ホイヤーが訊いた。とりわけ細部にわたって本物とそっくりに作られた客車に魅入られながら。

「冗談がうまいね、刑事さん! もちろんそうじゃなくて、鉄道模型の砂利だよ。本物の鉄道にだなんて、そこまで酷かあなかったさ、向こう側だって」

ソーニャも本物と見紛うほど生き生きとしている鉄道模型には感動させられた。ホイヤーに、そろそろここを出ようとせかされなければ、いつまでも眺めていたかった。

「お祖父さん、ずいぶん暇な時間があったのね」二人がひんやりした地下室の廊下を通って上に向かう途中、ソーニャが言った。他の部屋も点検したが、どこにも子供の姿はなかった。

「ショルシュは鉄道マニアだったんだ」とシュッツが言いながら、地下室へつづく重たい鉄の扉の鍵を閉めた。「それが孫にも感染してね。最後の数カ月は二人してこの橋を作るのに一生懸命だったよ。さっき見たあの島につながる橋だ。こりゃもう芸術品だね。しかしなんとまあ手間と暇のかかること。私にゃなんの価値もないがね、あんな細工物は。私は実物派なんで」

すでに雨は上がっていたが、空はまだ灰色に曇り、空気は冷たかった。玄関ドアの前に立ったとき、ホイヤーはボンバージャケットのファスナーを引き上げて身を包んだ。気温がまるで、北極のように急降下するのを予測するかのように。

「ちゃんと見張っているよ、心配いらない。子供が現れたら保護する。約束だ!」シュッツが鍵束を鳴らしながら作業服のポケットに放り込んだ。

「他の間借り人と違って、フォーゲルさんの地下室はずいぶん大きいんですね」とソーニャが言った。彼女には、マルティンが一日中寒がっていて、そのくせ何も口にせず、奇妙なくらい心ここに在らずなのが気に入らなかった。

「もともとそこは以前私たちの自転車置き場で……」

「えっ？　ああ失礼……」彼女はそのときマルティンがジャケットに首をすくめて襟を高くして、両手をポケットに突っ込んでいる様子を見つめていた。

「自転車用の地下室だったんだ」とシュッツが言いながら、ソーニャとホイヤーを交互に見た。二人とも、普段から抱いている刑事のイメージとはずいぶん違う感じがした。どこがどうだとうまくは言えないが、とにかく短髪の淡い金髪や、こんなに痩せぎすなイメージではない。「でも、ショルシュ爺さんが、趣味を始めたいからここを使ってもいいかと訊いてきたとき、誰もだめだとは言わなかった。みんな爺さんのことは知っていたし、それにみんな彼のことが好きだった。だから問題なしさ。で、自転車は今は廊下や裏庭に立てかけてある。誰も盗んではいかないしね。ここには変なことをする人間はいない」

「そうね」とソーニャが言った。「ありがとうございました」

「ああ、さようなら」シュッツがホイヤーの方を見やったが、ホイヤーは背を向けて携帯電話を取り出して耳に当てていた。

「チャーリーか？　マルティンだ。ここは何事もなしだ。ラファエルはいない。覆面パトカーを一台よこしてくれ。あとで現れるかもしれない。地下にすごいもんがあるぞ。鉄道模型だ。二人はこれでずっと遊んでいたんだよ。なにしろすごいもんだよ。プラットホームや、ポイント切り替えや、橋や、家なんかも。ブンデスバーン《ドイツ連邦鉄道》から何か言ってきたか？」その間ソーニャは道路に出た。シュリールゼー通りの反対側には黄土色の三階建て共同住宅が建っている。その裏庭に面してまた別の家屋が並んでおり、芝生の緑地や、物干し竿や、ガレージ、それに子どもの遊び場がまとまってしつらえられている。その一角にある緑の建物は、ソーニャが長い間定期的に訪ねて行っていた場所だ。二部屋のアパートには彼女の恋人が、愛する人が暮らしていた。部屋は今でも彼の名前で借りられていて、家賃は彼が支払っている。ただし、もう九カ月以上も前から彼はそこには暮らしていない。彼女は部屋の方を眺めながら彼のことは考えまいとしたが、無駄だった。

「小さな世界だ」と、いつの間にか彼女の隣に立っていたホイヤーが言った。彼には、ソーニャの考えが読めた。

「大きすぎるわ。いなくなった子供を探すには」と彼女は言った。

「あそこにカフェがある。何か飲みたい」

二人はカフェに入り、コーヒーと紅茶を頼んだ。ソーニャはクルミ入りクロワッサンを追加した。ホイヤーは彼女に、新たに組織されたラファエル失踪事件特別捜査本部長のカール・フンケルから聞かされたことを伝えた。「パウルが同僚たちとパージングの家を捜索したんだが、あの子はいなかったとさ。パウル・ヴェーバーは、隣の女性に話を聞いたんだが、彼女は早朝にラファエルが出ていくのを見た、きっとお祖父さんのところへ行くのだろうと思った、と言っていたと。朝の五時半にだぜ! それで子供はまだ帰ってこない。ここまではっきりしている」

子供の捜索願が出された時に警察が最初にやることの一つは、両親の家を徹底的に捜索することだ。家出人が、勝手知ったる場所に隠れていることはよくあることだから。地下室や、食料品貯蔵庫や、納戸や、庭のあずまやなどだ。一度など、ある少年が自分の両親の寝室のクローゼットに隠れているのを見つけ出したことがあった。学校から帰らないので、母親が動転して警察に届けたあとだった。警察は両親の家だけでなく、親戚や知り合い全員と、子供とつながりのある人間たち、友人たちも含めて、全員に訊いて回る。一人ぐらいは何か知っているものだ。信頼できる人に何も言わないでいなくなるなんて、滅多にないことだから。

「フライヤがもう一度例の女の子のところへ行ったそうだ。あの役者の娘だっていう。どうも何か隠しているって、フライヤが言うんだ」ホイヤーがそう言って、紅茶に砂糖を投げ入れた。本日三回目の割当量をかき混ぜながら、スプーンがグラスに当たる音は聞こえないかのように、話を続けた。ソーニャにはその音が耳障りだった。「連邦刑事局と地方刑事局からは、新たな連絡はない。何か「前」があれば記録に残っているだろうが、なにせ今回が初めてだからな。この子はこれまで悪いことは何もしていない。窃盗とか、無賃乗車とか、器物損壊とか、何もやっていない。清廉潔白な幼い市民ってわけだ。こっちからも報告することはなし。あの子、墓に紙切れを貼っつけたらしいが、俺たちはそのことは知らされていない。誓ってもいいぜ、どこか近くにいるよ。お祖父さんが暮らしていたこの辺とか埋葬されたところとか。バカなことをやらかさなきゃいいんだが」

「自殺の恐れはないって、聞いているんでしょ？」ソーニャはそう言って、パンくずを指でつまみあげて舐めた。

「母親がそう言っていた。彼女、あまり子供のことはわかっていないようだ。親なんていつもそうさ」そう言いながら、彼の顔つきが暗く硬くなっていった。

マルティン・ホイヤーが失踪者捜査課で勤務したこれまでの八年間で、子供のいなくなった両親が嘘をつかなかったことは一度もなかった。みんな嘘をついた。中には新聞・テレビに知らせないでくれと頼むものもいた。家庭内が戦争状態で、そのために子供がいなくなったことを知られたくないのだ。父親と母親がそれぞれ、相手をやりこめるために、互いに子供を味方にしたり敵に回したりしていることも。ホイヤーにとって家庭は嘘の育つ揺り籠なのだ。万が一、自分に子供ができるとわかったら、生まれてくる前に拳銃自殺する方がマシだと思っている。

「あの子、この近くにいるって、私も思うわ」とソーニャは言って、コーヒーカップをケーキ皿の上に置いた。「そして、自殺は考えていないと思う」

「君がどう思おうとかまわないが、首を吊る前に、君に許可を求めるとでも思うか？」ホイヤーは窓の外を眺めた。歩道の上を二人の少年が、マウンテンバイクに乗って敷石に音を立てながら通り過ぎた。

「マルティン？」

「ええ？」

「具合が悪いの？」

「いや」

「どうしたのよ？」

「車に戻ろう」

濃紺のヴェクトラがメインストリートに停まっている。

ソーニャが運転席側から乗り、ホイヤーは助手席に座った。路線バスがエンジン音を立てて通り過ぎた。ソーニャがウインドーを開けた時、遠くからヘリの音が聞こえてきた。ラファエルの捜索のためにオスト墓地を旋回したあと、この一帯を回っているのだ。

「署に戻らなきゃ」とホイヤーが言った。

「そうね」とソーニャが答えたが、車は出さなかった。フロントガラスいっぱいに溜まった縞模様の汚れのせいでワイパーがギイギイと音を立てたからだ。コンソールのボタンを押すと、サイドウインドーがスルスルと上がっていった。車の往来の多い道路だったが、それでも窓を閉じた車の中は警察署よりも静かだった。

「疲れたよ」とホイヤーが言い、両手を顔の前に出して指を広げて、その間から前方を見た。「あのアフリカ人の事件には参ったね。いまだに頭から離れないんだ」

今から五週間前に一一歳のナイジェリア人の少年が行方不明になる事件があった。両親はミュンヘンの不法滞在者で、警察に届ける勇気がなかった。一二歳になる少年の友人が、内緒で捜索願を出した。両親は自分たちに子供はいないと言い張った。あれはもう悲劇だった。父親は自殺すると言い出すし、内務省が割り込んできて、この両親を即刻国外退去させるよう要請するに及んで、刑事部長のフンケルと州の書記長官のハウザーとの間に激しいやり取りが持ち上がった。長官には子供の失踪について責任感などまるでなかったのだ。長官に責任があろうがなかろうが、フンケルは少なくとも少年が見つかるまでは両親の国外退去は猶予してくれるように交渉した。少年の名前はジャクソンといった。失踪からようやく一九日目に、ヘラブルン動物園内のシマウマの厩舎の中で、今にも飢え死にしそうなジャクソンを、係りの一人が発見したのだった。動物園内にこっそり忍び込み、ずっとそこにいたという。ジャクソンを引き取って病院に連れていったホイヤーとヴェーバーに彼は、人間よりも動物の方がはるかに信頼できると話した。ホイヤーはそれを聞いて、その子がバカなことを言っているとは全く思わなかった。そうして二日ほど前にジャクソンと両親は母国に送還された。そのときホイヤーは、この事件の最高責任者である内務大臣に電話をかけて、あんたは何てムカつく政治家なんだ！　と言ってやりたかった。しかし、そうしたところで、この大臣には痛くもかゆくもなかっただろう。母国で拷問が待ち受けていることのアフリカの家族のことと同様に。

この失踪事件の直前にも、ホイヤーはある非常に恐ろしく、想像を超えるような失踪事件を担当した。二二歳のルチア・シモンの事件だ。四カ月間にわたり一二〇人もの警官を二四時間体制で動員したのに、成果を上げられなかった警察に対する一般市民の怒りの声は、第一一署がこれまで経験したことがないほど激しくなっていたのだ。

「それで今度もまた難しい事件だよ。おまけに俺は眠れないときてる」とホイヤーが言いながら、サイドウインドーに頭をもたげた。

「週末にぐっすり寝ればよかったじゃない」とソーニャが言った。

「そうしようとしたんだが、うまくいかなかった」

「それでまた出かけたんでしょ」

答えはなかった。彼女は車のエンジンをかけた。

「あいつから連絡はあったか？」と彼が訊いた。ソーニャは、ちょうど駐車場から出るところだったが、ブレーキを踏んだ。

「月曜の朝になるとそれを訊くのね。こっちも月曜の朝ごとに答えるのよね。彼から電話はありません」

「あいつの休暇も今週で終わりだ」

「それを私が知らないとでも？」

「車を出してくれ。急がなくちゃ」

彼女はアクセルを踏んだ。アイントラハト通りを横切って、オスト墓地に沿って走り、それから、フラウエンホーファー通りの方面へ下って行った。向こう見ずな自転車乗りたちが道路を走っているのを、ソーニャはクラクションを鳴らして追い散らした。

「あいつ、今度また帰ってこなかったら、フォルカーは今度こそクビにするぜ」とホイヤーが言った。「そしたらチャーリーだってもう助けてはくれない。あいつがいないうちに停職処分ってやつだ。ろくに話し合いもせずに。最悪なら今日か明日にも」

「私にはどうでもいいことだわ」とソーニャが言った。

それは嘘だと、二人にはわかっていた。


狭い部屋は、キャベツと古くなった油の匂いがする。そこらじゅうに段ボール箱や、食料品や、電気器具の包装紙が転がっている。男三人と女一人が座っているその部屋は、居間と寝室を兼ねている。一五平米の狭い部屋にあるのは、折りたたみ式のソファー、テレビ、食卓、扉の閉まらない斜めに傾いた戸棚、色あせた傘に飾り房がついたスタンドランプなどだ。

トーマス・フォーゲルとガールフレンドは、ガタのきた茶色のソファーに座り、二人の前には、パウル・ヴェーバー主任警部とその若い同僚アンディ・クルストが真新しいスツールに座っている。女の歳はせいぜい一八くらいだろう、とヴェーバーは踏んだ。セルビア出身で、話すドイツ語はうまくない——あるいはわざと下手にしゃべっているだけかもしれないが、そのどちらなのか、ヴェーバーには確信がもてない。くるぶしまで届くきちきちの真っ赤なワンピースを着ている。顔は色艶が悪く、薄暗いところで見ると蒼ざめている。ダンサーだと自分では言っているが、とてもそうとは思えない。

「まだなにか用か？　もういい加減にしてくれ。あいつは疲れてるんだ。今夜はキツイ仕事が待っている」とフォーゲルが言った。首から革のネクタイを外してピスタチオをひっきりなしに食べている。

「時間を取らせて申し訳ないんだが、グロス……」

「グロスチク」と、エヴァ・グロスチクが言って、顔にかかった黒い巻き毛のひと房を素早い手つきで後ろに払った。

「ああ、どうも、グロスチクさん、もう一度言いますがね、ラファエルが電話をしてきて何も話さないなんて、信じられないんですよ。母親から聞いて……」

「こいつは何も知っちゃいない。その場にいたとでも言うのか?!　違うだろ！」フォーゲルはピスタチオの殻をむいて錠剤を飲むように、中身を口に放り込んだ。

「母親の話では、ラファエルはこちらに電話をかけてきて、お父さんと話がしたいと言ったそうですよ。そのように奥さんに話されたんですよね、フォーゲルさん。違いますか？」

「俺は何も話してない。エヴァから電話があって、すぐに出てきたんだ。あんな部屋にぐずぐずなんかするもんか。すぐにこっちへ飛んできたんだよ……」

「つまり、奥さんに嘘をついたんですね」とアンディ・クルストが言い、手元のメモから視線を上げた。二六歳の小太りの若者だ。何年もしないうちにきっとデブっちょになっているだろう。パスタの食べ過ぎと、ヴェーバーが羨むほどのデザートの取り過ぎがそれを保証している。もっともヴェーバー自身は、六一の齢になってもなお、いつかこの出っ腹からおさらばできると信じているのだが。

「なに？　俺が何を言ったって？」とフォーゲルは言って、ピスタチオのタネを口から吐き出して前かがみになった。「俺は誰も騙しちゃいないぜ。言ってることがわかるか？　そこに間違ったこと書くんじゃねえぞ。でないと面倒なことになるぞ。俺を嵌めようったってダメだ。わかったか、おまえ！」

「おまえ、という言い方はやめてくれませんか、フォーゲルさん」これはクルストお決まりのセリフの一つだ。大抵の人間が彼を子ども扱いにするのが嫌なのだ。ただし女性たちにこのセリフを言ったことは一度もない。

「わかったよ」とフォーゲルは言って、体を後ろに反った。それから腕時計を見るやいなや、上体を素早く前に戻した。「着替えろ、エヴァ。三〇分後に出番だぞ。まだなんか聞きたいことは？」

「ああ」と、ヴェーバーが言った。「グロスチクさんお一人と話をしたいのですが。そのあいだ、ちょっと外で待っててもらえませんか？」

「ダメだ！　こいつは全部話したぜ、知ってることは。息子が電話をしてきて、俺と話がしたいって。だから、頼むから息子を探し出してくれよ。なんのために俺たちゃ高い税金を払ってると思ってるんだ、えっ？」

「つまり嘘を言ってたんですね」とアンディ・クルストが、フォーゲルが悪態をついて荒れまくっているのも気にせずに、エヴァに向かって言った。

「違う、違う」と彼女は早口で言った。「嘘なんか言ってないわ。本当よ、全部本当のこと……」

「フォーゲルさん、お願いですから、我々だけにしてくれませんか」とヴェーバーが言った。

フォーゲルは身を反らせて、腕をエヴァの肩にかけて薄笑いを浮かべた。そうやって座っている姿を見れば、フォーゲルが姿を消した息子のことをわずかでも心配しているなどと思う人間は一人もいないだろう。

ヴェーバーには、フォーゲルを部屋から追い出す手立てが見つからなかった。失踪者捜査官がおよそどのケースでも出くわす困った状況の一つだ。犯罪行為がない以上、彼らには、法律用語を使えば、人権を侵害することは許されてはいないのだ。それどころか、子供が突然姿を消したことは犯罪行為ではない。両親も、誰も、疑わしい点が出てこないかぎり、罪に問われることはない。フォーゲルが警察に非協力的であることで、彼には子供の命はどうでもいいのだ、という非難は免れ得ないとしても、だからといって彼に何かを強制することはできない。嫌だというものを署に引っ張って、同僚たちの手もかかりながら、彼に尋問を続けることは、ヴェーバーには許されていないのだ。

「我々だけでお話しさせてもらえれば、たいへんありがたいのですがね」とヴェーバーが言ったとき、両方の耳が燃えるように真っ赤になっていた。自分でもわかっている。いい気持ちのするものではないのだが、どうすることもできない何か体質からくるものらしい。死んだ妻は生前、それを見ると必ず微笑んだものだ。

クルストは何かを言おうとしたが、ヴェーバーが咳払いをして、機先を制した。若い警官は、フォーゲルの気分を変えることはたぶん自分の手に負えないことだと思い、何も言わないほうがいいと納得した。

「ほんの一分だけでいいんですよ。形式的なことに過ぎないんです。本当のことか嘘かといったことじゃないのです。単純に事実を多く集めたいだけです。そのためには、なるべく一人一人個別にお話を聞く方がいいのです。以前は私たちの同僚だったあなたならお分かりでしょう」

フォーゲルはヴェーバーをじっと見たあと、ニヤリと笑った。エヴァの肩をポンと叩いて腰を上げた。きちきちのズボンを引き上げながら、二人の警官を見下ろした。「一分だけだぞ、わかったな！　用が済んだら、さっさと職場に戻って、俺の息子を探すんだ。いいか、今日中にだぞ」

「先ほども申し上げたように、すでに特別捜査班ができていますし、ヘリも使って、できるだけのことはやっています、フォーゲルさん。それに、我々に協力してくださるように決心なさったようで、感謝していいます」

トーマス・フォーゲルをなだめすかすためのお追従がうまいなあ先輩は、とアンディ・クルストは思った。だがそれは、特別捜査班の任務は今回でまだ二度目であり、普段は第一一二課の死亡調査についているクルストの思い違いだった。ヴェーバーは、妻をあまりにも早く亡くしたことで、どれほど深く己の運命を恨み、どれほどしばしば己の神を呪ったかしれない。しかしだからといって、彼は人間に対して疑念を持つことは滅多にない。もちろん、誰もが善良で、こんこんと諭《さと》せばわかってくれるものだ、などと思ってはいないが、彼は自分を他人よりもえらく見せたり、相手の言う言葉をいちいち疑ってかかるようなことはしない。言い間違えもあるだろうし、別の言い方があってもいいのにと思うようにしている。彼には、自分が抱えている事件が前進するように、人が協力してくれることがありがたいのだ。そして、こうして向かい合っているのは、警察官ヴェーバーが、物事をきちんと整理し明らかにしようとしているだけで、他意はないのだということを納得してもらうには、どうしたらいいかということに心を砕いているのだ。警官になったのは、裁判官ごっこをするためではない。子供の頃に緑の制服がとても気に入っていて、カーニヴァルの時期になると毎年のように、その制服を着た自分を見て母が、立派な大人に見えるわね、カッコいいわ、と言ってくれたからなのだ。大人になって保安警官になりたての頃、単調な仕事に不満で、警官の仕事を辞めて別のもっと面白い職業を探そうかなと迷っていた。そんなある日のことだった。一人の若い女性が路上で彼に道を訊ねた時、瞬時に彼には分かった。これは愛を語りかける声だと。だから彼は警官の仕事を続けた。その後昇進して、制服を着用しなくてもよい任務に就いたとき、妻のエルフリーデが繰り返し言ったものだ。あの時の制服姿、とても素敵だったわ。それが唯一の理由だったの、あなたに声をかけたのは。道を訊ねたのはただの口実だったのよ。おそらくパウル・ヴェーバーは、主任警部としての自分の存在が、愛の声のお陰だという、ドイツ国内で唯一の警察官であろう。

「小さな声でお願い」フォーゲルが出て行って、アンディ・クルストが玄関ドアを閉めたあとに、エヴァがささやいた。

「お願いだ、エヴァ。ラファエルがあなたに電話で何を言ったのか、正確に聞かせてほしい。とても重要なことなんだよ。まだ幼い少年だし、なにか大変なことを仕出かすかも……」

「大変なこと?」彼女は不安げにドアの方を見た。ヴェーバーはスツールをソファーに近づけて笑みを浮かべた。クルストはドアのそばに立ったままだ。

「そう、なにか大変なことだ」とヴェーバーが言った。

「あの子、言った、もう帰って来ない……」とエヴァは小声で言いかけてやめた。組んだ両脚に力を入れ、ソファーの上で伸びをするように体を突っ張った。

「ということは、父親と話したいとは言わなかったのだね」と訊ねて、ヴェーバーは自分の声も同じように小さくした。

　エヴァは肯いた。

「あなたが、パージングの彼の妻のところにいるトーマス・フォーゲルに電話したとき、ラファエルが彼と話したがっている、とは言わなかったのだね」

　彼女は肯いた。

「ラファエルは何を言ったのかな？」

「もう帰らないって。いなくなるって。おじいちゃんを探しに。でも……」彼女はヴェーバーをじっと見た。そのときヴェーバーは、彼女の瞳孔に小さな茶色い点があるのに気づいた。

「おじいちゃんが死んだんだ。死んじゃったんだって……」

「ほかには？」

「何も。本当よ。あたし、どこにいるの？　何かあったの？　って聞いたけど、もう電話は切れてしまって」彼女は電話を置くしぐさをした。

「それで、彼は父親と話したいとは言わなかったのだね？」

　彼女はふたたび肯いた。床を見つめながら。そしてますます体を硬直させた。

「私たちになぜ嘘を言ったのだね、エヴァ？」

　彼女は素早く頭を上げ、パニックに陥ったように、ふたたびドアの方を見た。そこにはアンディ・クルストがノートにメモを取りながら立っている。

「トーマスはよく怒って、打《ぶ》つ。あの子が言ったことをトーマスに伝えた。今あんたたちに話したことを。そしたら、あんたたちにはそれを言ってはいけないって……」

「息子が自分と話したがらないって話されると、自分の印象が悪くなるから、我々には話すなと」とヴェーバーは言いながら、うなずいているクルストの方を見やった。

「インショー？」と、エヴァが訊いた。

「ありがとう、エヴァ」とヴァーバーが言って立ち上がった。背中が痛んだが、胃袋には大きなクレーターができていた。「あんた、ダンサーだって？　いい仕事だね。『キャピトル』で踊っているの？」

　エヴァはうなずいた。踊るのは踊るのだが、それが仕事の本当の中身ではないことくらい、ヴェーバーは先刻承知だ。踊ったあとは、服を脱いで、客と別室に消えるのだ。『キャピトル』の踊り子なら皆そうするように。

「滞在許可は持ってる？」この質問は、エヴァと同じくクルストも驚かせた。彼はさっきから、彼女をさっさと署にしょっ引いて、力ずくでも、まともに答えるようにさせればいいのになぜそうしないのだろう、と訝《いぶか》っていたのだ。ドイツに不法滞在していることは、請け合ってもいい。だから、本国に送還されないためにはなんだってするだろうに。

「あたし、結婚してる」と、彼女は言って、ヴェーバーを見上げた。そのヴェーバーは、キャベツの匂いでクラクラして、鼻をさすっているところだった。「でも、離れてここで住んでる。私の夫、こわい。ここのほうがいい……」

「それで、今はトーマス・フォーゲルがあなたのことを守ってるということ?」と、ヴェーバーが言った。

彼女はうなずいた。

二人がラントヴェア通りの家を出て、トルコ食品を扱うスーパーの前に停めてあった白のゴルフに向かっているとき、雲の幕が切れて真っ青な空が顔をのぞかせた。ヴェーバーは立ち止まって、上空を眺めた。クルストが車の中からクラクションを鳴らしつづけるまで、そのまま見上げていた。

一〇分前から二人はにらめっこをしている。そしてブロンドの髪にヘアピンを刺した一〇歳の少女が、にらめっこが得意であることは明らかだ。彼女は自分のベッドに座っている。壁にはバックストリートボーイズのポスターが貼られている。彼女はじっと動かずにそのポスターを睨んでいる。そしてフライヤ・エップのほうも、じっと動かずに睨み返している。床に座り、クローゼットにもたれながら両膝を折り曲げ、静寂を満喫していた。天井の高い部屋はハロゲンランプの照明で明るい。家具は無垢のヒメコマツ製で、寄木張りの床はピカピカに照り輝いている。廊下にはアンティーク調の衣装台のうえに三〇年代の電話器が威光を放っている。壁の高さ半分のところに渡したクロム製の桟がドレッシング・ルームの役割をはたしている。その下には、緑色の縞状の布の上に、およそ四〇足の、サイズも形も違う靴が並べられている。居間の中心になる物体はというと、大画面テレビと革製のカウチだ。キッチンへの通路にはバスケットボールのゴールネットが引っ掛けてある。三〇分も前から同僚のエップが子供部屋から引き上げてくるのを待ちわびている、三三歳の上級刑事フロリアン・ノルテには、このネットが、普通の住居に住むすべての人間に対するまぎれもない挑発に思えた。キッチンは、調理台や排煙設備が全て真ん中に設《しつら》えられていて、エドワード・ホッパーの『ナイトホークス』のポスターを飾った額縁がかかっている。

三人は居間で漆黒の木のテーブルについていた。セバスチャン・ホイスが聞かれもしないのに説くところによれば、イギリス製のテーブルだそうだ。そこで三人はミネラル・ウォーターを飲んでいる。母親のヤスミン・ホイスは、子供部屋から声が聞こえなくなってから、先ほどまで飲んでいた赤ワインのグラスを前にじっとしている。

「あの子はなかなか口が固いわね」と、彼女は言った。そして、彼女の夫で、テレビシリーズ『ナイトホークス』に出演した俳優のセバスチャンはシガリロに火をつけた。

「片意地なだけだよ」と、彼が言った。

ホイス邸に向かう車中、フロリアン・ノルテは、フライヤが詳しく語る『ナイトホークス』の筋を初めから終わりまで聞かされる羽目になった。ただ、聞かされても、何を言っているのか一言も理解できなかった。それは、目まぐるしく繰り広げられるエップの演技を交えた話の内容についていけなかったというだけでなく、そもそもテレビは嫌いだし、たまに観るとしてもスポーツ観戦ぐらいがせいぜいで、『ナイトホークス』シリーズのようなミステリーなんかはお呼びでないからだ。フライヤは、正面玄関のベルを鳴らしたときに、扉を開けたのが役者ご本人だったので、興奮のあまり我を忘れそうになった。

さて、無為を宣告されたもののように、しゃれた居間の英国製のダイニング・テーブルでポツンと待たされながら、ノルテは自分という人間が、忘れ去られた存在になったような気がした。それに、何を話せばよいのか皆目見当がつかない。これまでも、その無口ゆえにしばしば人の非難を買ってきた。とはいえ他にどうしようがあるというのか。二つ三つ質問をすれば、それでおしまい。要するにおしゃべり好きではないのだから、話すことは何もない。ミステリー全シリーズの筋をすべて覚えているご本人としては、ミステリーの話題なら誰でも好きに違いないと思いこんでいるフライヤのようなタイプとは違うのだ。

「ワインでもお飲みにならない、刑事さん?」と、ヤスミンが訊いた。

「いや、けっこう」彼は床を見た。これが二〇回目だ。

話し声も、足音も、フライヤの声も、何も聞こえない。ただそこに座っていることにイライラしたので、立ち上がって、体をぐるりと一回転させた。夫婦はその様子を見て眉をひそめた。寄木張りの床の軋む音を聞きながら、こんな豪華なアパートメント、いったいいくらぐらいするものだろう、とノルテは想像をめぐらせた。

子供部屋では例の二人がまだだんまりの決闘を続行中だ。大きくカラフルな目覚まし時計が静かに時を刻む。窓外からはチリンチリンという路面電車の警笛音が聞こえてくる。

「あなたの勝ちよ」と、フライヤが言った。この意固地な小娘にはほとほと参ってしまった。こんなに長い時間こらえたのが自分でもバカらしくて、腹立たしくなってきた。

「お友達のラファエルを助けてあげる気はないのね。いいわ。あの子に何が起ころうと、あなたにはどうでもいいってわけね。でも、私にはどうでもよくないの。ラファエルは、お祖父さんが死んでしまって、とても悲しいのよ。だから変な気を起こすのじゃないかと、心配なの。ねえ、わかる？　サニー。　私の言うこと、わかる？」

今朝も、そして一時間前にも訊いたことをそっくりそのまま繰り返した。娘は自覚と誇りを持って彼女の顔をじっと見て、まるで大人の女性が着るドレスのように清楚で優雅な白いドレスを指で触りながら、うんともすんとも言わなかった。

「あの子に何が起こっても、構わないの、サニー？」と、フライヤが訊き、自分がサニーの立場であればどう反応しただろうかと想像してみた。どうしてこの娘はラファエルを庇おうとするのか？　一〇歳の娘が？まあそれもあり得るか、とフライヤは思った。「ラファエルに、恋してるの？」と、訊いてみた。サニーの顔が赤くなった。「ほんとに？　素敵じゃない。それならわかるわ、私に何も言わないって気持ち。私だってあなたなら、好きな男の子の秘密、絶対に人には言わないわ。警察ならなおさらよ」

サニーは目をそらして、部屋の外の廊下が軋む音を聴いた。

「ねえ、サニー。あなたが彼との約束を守ることはいいことだと思うの。でもね、たぶん彼は今困っていると思うの。両親だってとても心配しているのよ……」

「あの人たちは心配なんかしてないわ」と、サニーが言って、ベッドから降り、コンポのそばにある空気ポンプ式のプラスチック・スツールにどさりと乗った。

「ラファエルは両親とよく口争いをしていたの？」

「しょっちゅう。あの人たち、バカみたい。だいっ嫌い！」

「でもおじいちゃんは好きだったじゃない、あの子」

「おじいちゃんはね」

ノックの音がしたので、フライヤはドアを少し開けた。フロリアンが立っている。「もうすぐ終わるから」と彼女は言って、彼に目で合図をしてドアを閉めた。

「あの子、おじいちゃんに手紙を書いたのよ、ほらあなたに話した手紙」

「書いてなんかいない」

「えッ？」

サニーは裸足の指をいじりながら、両方の母趾球をぶつけあわせた。

「どういう意味、それ？　彼が書いたんじゃないっていうの？　サニー」

「手紙なんか書いていないったら」

「なぜそう言えるの？」

「あたしが書いたから」

フライヤは、サニーがだらしなく座っている椅子に近寄って、彼女の横に膝をついた。「あなたがあの手紙を書いたの？　なぜラファエルは自分で書かなかったの？」

「あたりまえだわ。だって自分で書けなかったから。だからよ」

「でも……でも学校では三年生でしょ。あなたとおなじ。だったら字は書けるでしょうに」

「字は書けるわ。でも、おじいちゃんが死んじゃったときに、字を忘れてしまったの。だから、あたしが代わりに書いてあげたの。さあ、これでわかったでしょ……」

彼女は飛び上がって、ドアのほうに歩いていった。

「待って、サニー。その手紙、いつどこで書いたか、教えてくれる？」

サニーは振り向くと両方のこぶしを腰に当てて、髪に刺したヘアピンを揺らしながら、「昨日よ、もちろん。ドイツ博物館で。あたしたち、雨が降るといつもそこへ行くの。大きな汽車があるの、誰でも知ってるわ」

彼女はドアを開けて部屋から飛び出した。すると目の前にフロリアンの脚が見えた。そのまま行こうとしたが、フライヤが背後から彼女をつかまえた。

「今日、ファラエルと会ったの？　サニー。会ったの？　会わなかったの？　どっち？」

「会わなかった！　ママ！」彼女は居間へ走って行き、母親の前に立ちはだかって、「あの人に、もう帰ってって言ってよ、ママ！」

フライヤの携帯電話が鳴った。「エップです。はい。今、ハイトハウゼンにいます。オスト駅のそば。ええ、ボルドー広場。えッ？　そんなバカな！　ちょっと、私も伝えたいことがあります。車に乗ってから話します」彼女は電話をしまい込んだ。

「どうしたんだ？」と、フロリアンが訊いた。

「少年を見た人がいるって。オスト墓地で」

「それはよかった」

「知らない男の人と、知らない車に乗ったところを」

「クソッ」

彼女は、居間へ行って、これから引き上げる旨を伝えた。サニーは母親の両脚に絡みついたまま、フライヤには背中を向けていた。「もう一度聞きたいのだけど、サニー。これで最後よ、約束するわ。ラファエルはあなたに言わなかったかしら、どこかあるところに行くかもしれないって？　どこか、隠れ家みたいなところがあるの？　一人で時々そこに行くとか、あなたと一緒にそこで会うとか？」

ヤスミン・ホイスは娘の髪の毛をさすった。他に何事も起こらなかった。セバスチャン・ホイスはというと、テーブルに座って、シガリロを吹かしながら、目をこすっていた。

「おじいちゃんとこの地下室よ」と、サニーは母親のジーンズの中に向かってぶつぶついった。

「あそこにはもう行ったけど、あの子はいなかったわ」

「じゃ、どこかよそへ行ったのよ」と、サニーが言った。

二分後、彼らはタイヤの音を軋らせながらボルドー広場を回り、オスト駅前の赤信号を突っ切って、ヴェルフェン通りをぶっ飛ばした。

「あら私ったらもう！」フライヤが、国道テガーンゼー通り沿いにある本屋の前で車から飛び出すと、そう言った。「サインもらっておけばよかった！」

5　そのうちって、いつ？

　ソーニャ・ファイヤーアーベントは、この二人の巨漢を見るたびに、ついニヤッと笑ってしまうのだった。二人は部屋の後ろの壁際に並んで立っていた。三階の手狭な事務室では椅子の数が足りない。刑事部長のフンケルが、三〇分前に会議を招集したのがこの部屋だ。そこにはラファエル失踪事件特別捜査班の全員が顔をそろえている。四〇人の捜査官に加えて、殺人課から数名、そしてK一一三放火事件や環境汚染捜査課からの数名も同席している。例の二人の巨漢だが、一人はヨーゼフ・ブラーガ、そしてもう一人がスヴェン・ゲールケ。普段は殺人課所属で、この警察署では最も息の合った二人組として名が通っている。身長一メートル九八センチのゲールケは相棒のブラーガを二センチばかり凌いでいる。それに相手にはないコールマン髭が自慢だ。上に向かって捻られた両先端は精緻に切りそろえられ、見事に手入れのとどいた芸術作品のごとしで、まわりの賞賛と同時に冷ややかな笑いの対象になっている。一方ブラーガは卵形のぶさいくな顔をしているが、彼はその顔を恒常的に横に引っ張っている。理由を訊かれても、本人にも答えられない。横広にひきつってニヤニヤ笑っている顔に見えるのだが、当の本人としては決してニヤついているつもりはない。たぶんある種の筋肉体操らしいが、それが何のための体操なのか、誰にも、そして本人自身にもわからなかった。この二人の上級警部は一種の珍品であった。それは二人の異様な背の高さのためだけではない。職務中以外に、二人の間にはまったく接触がないというのも大きな理由だった。仕事ではまるでシャム双生児のようにお互いにピタリと歩調を揃えるのに反して、それ以外のプライベートではまさに相手を避けて生きているのだった。クリスマスパーティーとか毎年恒例の行事である殺人課のピクニックのときですら、他の同僚たちとはうち解けて楽しむのだが、相方に限ってはそうならないのだった。いったいどういうわけなのか、説明を求めても二人とも返答を拒む始末だった。

　ソーニャは仕事上彼らとはウマが合った。彼女の私生活について訊ねることもなく、といって、たんに仕事仲間としてだけでなく、それ以上に人間的に受け入れてくれているような感じがするからだ。

座っているとなりの部屋の方を見やった。「でも、本屋の店員は自信がないようです。彼女がラジオのニュースを聴いたのが、少年を店で見た、つまり見たらしい時から、一時間経っていて、だから確信は全くないようで……彼女、さっき言いましたように、赤い縞模様のついたリュックを見たって、その彼女は……」

椅子をずらす大きな音がして、誰かが咳払いをした。

「ですから、彼女は実質的には何も見なかったのでは……」

「彼女はあの少年を見たんだ」とフォルカー・トーンが言った。彼の席はフライヤと同じく机の長辺に座っているカール・フンケルの隣だ。

「それは彼女が言っているだけで……、たぶんその通りでしょう。でも我々としては確信が持てません。そのまま信用するわけにはいきません」

「少年の年恰好についてなんて言っていた?」隣の部屋にいるシュテルンが訊いてきた。

「あまり詳しくは、私は……」

「立って話した方がいいのじゃないか、フライヤ」と、向かいに座っているヴェーバーが言った。

メモ帳を両手に持ったまま彼女は立ち上がったが、会議が開かれている二つの部屋はタバコの煙で充満していた。大量のミネラルウォーターとオレンジジュースのボトルが、書類や写真であふれた机やファイル棚の上に、そして警官たちが所狭しと肩を寄せ合って座っている椅子の間にも並べられている。この種の会合のために十分な広さのスペースは、尋問用の特別室と同様、ここにはない。全ての窓が閉められている。開ければ、道路のひどい騒音が入り込んでくるからだ。

「悪いが、ちょっとそこのところがよく飲み込めないのだが」と、殺人課筆頭主任警部のロルフ・シュテルンが言った。彼は本特捜班のメンバーではない。自分の部署で手一杯だ。シュテルンは左の耳に金のピアスを着け、頭にのせた革製のキャップを脱ぐことは滅多になかった。いつもは擦り切れたグリーンのパーカーとボロのジーンズというイデタチだ。タバコは自分で巻く。三カ月前に五〇歳になった。仲間からプレゼントされた高価な革のジャケットがいたく気に入ったらしく、あまり着すぎて早々にすり減らすのはもったいないと彼は言っている。

「たぶん車はオペル・カデットだと思います」とフライヤ・エップが言い、ゴムの木のそばにシュテルンができればすぐにでも座りたかった。みんなが彼女を凝視しているからだ。メモなしで話すのも大変なのに、特捜班の者が一同に会したところで、メモも見ずに立ったままで一席ぶつとなると、全身の毛穴から汗が吹き出るような思いがする。ヴェーバーのように、きっと耳が真っ赤になっているだろう、と自分でも思う。ヴェーバーの方を見てはいけない！　あがっていることを気取られるな！　質問はなんだったっけ？

「ええ……、この若い女性、書店員ですが」と、フライヤは報告を始めた。「ラジオのニュースをですね……」

「もうちょっと大きな声でお願い！」と、誰かが大声で言った。女の声だ。

「失礼しました。この書店員の女性が、ラジオのニュースを一時間前に、つまり五時に聴いています。つまり、少年が車に乗り込むのを彼女が見たのが四時半。それはちょうどヘリコプターがオスト墓地上空を旋回し、警官たちが墓地周辺をパトロールしていた時刻です。彼女が言うには、少年は、国道テガーンゼー通り沿いの肉屋の前に停めてあった赤のオペル・カデットに乗り込んだそうです。そのとき少年は赤いストライプの入った黒のリュックを背にしていたそうです。彼は車の中にいる男性に呼ばれて乗り込み、二人が乗った車は南の方向に発進したそうです。オスト墓地の方角ではなく……」

「その女性は写真で少年を確認したのか？」とタバコをくわえながらシュテルンが訊いた。

「最初はそうだと言っていましたが、後になって自信がないと言い出しました」

「店の主人を連れてきたんですが、彼は何も見ていないと言ってました」と、フロリアン・ノルテが言った。

「少年が着ていた茶色のバックスキンのジャケットは見たのかと彼女に訊いたら」とフライヤが続けた。

「確かに見た、と言っています。店の外に陳列してある文庫本を箱ごと中へ運ぼうと店のドアに近づいたときですが、車に乗っていた男性の姿は見なかったと……」

「なんで文庫本を？」とトーンが訊いた。

「よくわかりませんが、たぶん、雨に濡れるからでしょう」

「その女店員は歩道に立っていて、道路の向かい側の肉屋の前に停まっている赤のオペルを見たわけだ。距離はどれくらいかな?」と、フンケルが訊いて、パイプを口にくわえた。

「だいたい百メートルといったところです」とソーニャが答えようとする前に、フロリアンが言った。

「ということは、彼女はその男性をフロントガラス越しに見たはずだよ!」とトーンが言った。

「でも、見ていないんです。そもそも歩道には立っていなかったんです、フンケル部長。彼女は、文庫本の入った箱を取りに店から出たのですが、そのとき一瞬ちらっと向こう側を見たんですよ。彼女が店の外にいたのはせいぜい三〇秒ぐらいでした。そのとき、たまたまある少年がある車に乗り込んだだけです。よくあることで、何も特に異常なことではありませんよ」

「それじゃあ、少年は自分の意思で車に乗り込んだと考えていいんだな」とフンケルが言った。

「はい」とフライヤが言った。

「肉屋の店員たちはどう言ってる?」とヴェーバーが訊いた。

「彼らは何も見ていないですね。赤い車なんて憶えていないって言っています」とフロリアンが言った。

「そこは駐禁なのにいつも車が停まってるってぼやいてましたよ。目は開いてても何も見えてないんですよ」

「テガーンゼー通りの商店は全て聞き込みをしましたが」と、フライヤが引きとった。「これといった手がかりは全くありませんでした。たぶん、書店員の見間違いでしょう……」

「女の書店員というものは見間違えることはないよ」とフンケルが言うと、一同の中に陽気なざわめきが起こった。

「そうだとも!」隣の部屋からロルフ・シュテルンが、鼻からタバコの煙を吐き出しながら、大声でそう言った。周りの男たちはニヤニヤ笑った。

「彼女はラファエルを見たのさ。我々にとって幸運なことにな」と、フンケルが言った。

「今の段階でそう結論を急ぐことはないでしょう、チャーリー」と、トーンが言って、首に巻いたネッカチーフをほどいて、人差し指で首をカリカリ掻いた。ソーニャ・ファイヤーアーベントはそれを目にする度にむずかゆくなるのだった。

フンケルが後ろを向いて電話器に手を伸ばした。

「ルーディか?」と、彼は受話器に向かって言った。

「報道関係にもう一度電話しろ。彼らに重要な捜査上の情報があると言うんだ……ああ、それはわかってる！　じゃあ、遅版で書けばいいんだよ……我々は昨日の午後四時から四時半の間に肉屋の前に停められていた赤のオペル・カデットを探している……」彼はフライヤを見た。

「なんていった、その肉屋？」

「ムルです」と彼女は答えた。

「聞いたか、ルーディ？　ムルっていう肉屋だ。テガーンゼー通りにある。赤のオペル・カデット。赤いストライプが入ったリュックをしょった一〇歳くらいの少年が、その車に乗り込んだんだ。Walking Man ってのが、リュックのロゴだ……。そう……たぶんその子と思われるが、確かとは言えない。その子でなかったら、そのときは運転手が連絡してくるだろう。そうするように頼んである。テレビ局にも伝えろ……ああ……たのむ」彼は受話器を戻したが、そこに手を置いたまま言った。「他にとっかかりがない以上、我々としては、その車に乗り込んだ少年が実際に我々が探しているラファエルだとすれば、どうすればいいのか？それはだな、彼はその男のことを知っている、つまり仲間が、友達が、我々が知らない誰かがいるということだ。我々には未知の男がいる。」

「少年が自分の意思で車に乗り込んだというのは一〇〇パーセント確かですか？」と若い警官が訊いた。

「そう、一〇〇パーセント」とフライヤが応えた。彼女は再び腰をおろして、徐々に興奮状態から覚めてきた。「この女性、つまり女性の書店員ですが、彼女は店の前まで行き、少年が車を一回りして、それから助手席のほうから乗ったところを見たのです。リュックは肩にかけていました。もしその場から逃げようと思えば、逃げられたはずです、問題なく。疑う余地はありません。しかし彼は逃げずに平然と車に乗ったのです」

「少年はどこからやって来たんですかね？」と先ほどの若い警官が訊ねた。

「そうなるとまた振り出しだわ。少年は早朝からずっと、オスト墓地の周辺をうろうろしていたのに、我々の誰も彼の姿を見なかったたってことのようだわ。ということは、少年はどこかに身を隠していた、誰かのところに隠れていたに違いないわ」

「それは誰？」とソーニャが訊いた。「お祖父さんの家にはいなかった。一〇〇パーセントいなかった。アパートの全住人に確かめたから間違いない……」

「引っかかりのある人間には全部当たってみたけど、少年の居場所を知っているものは誰もいない」マルティン・ホイヤーが、椅子に全身を埋めるように座って、目の前にある空のグラスを凝視しながらそう言った。

「母親の両親はトルーデリングに住んでいる」とメモ帳を丸い腹の上に乗せたヴェーバーが言った。「我々、つまりアンディと私が両親を訪ねたときは、ずいぶん驚いてたよ。娘とはほとんど接触がなくて、おまけにお婿さんとは全然ソリが合わない。だから埋葬にも来なかった。両家がお互いに話すこともないらしい。住まいや地下室を見せてもらい、近所の人にも話を聞いたが、少年のことを知っているものはほとんどいなかった。少年が現れたらすぐに連絡をくれると両親は約束したが、こっちに来ることはまずないだろうと言っていた」

「そして同級生たちも今は休暇に入っていて」とフライヤが言った。「サニーがドイツ博物館のことを言ってくれただけでも、せめてもの幸いと思わなきゃ。母親はそのことは何も言っていなかったし。あるいは私が聞き逃したのかな?」

「いや、それはない」とヴェーバーが言った。

「四人の警官が現在ドイツ博物館で捜索にあたっている」フンケルがそう言いながら、パイプにタバコを詰めた。「しかし、少年はあそこには行かないと思うがな。我々の手元にある情報は、もう家には帰らないという、少年自身による一本の電話が全てだ。そこで提案だが、これから百人隊をオスト墓地に派遣して、一帯をしらみつぶしに捜索だ。墓地だけでなく、周りの道路や居酒屋、それにシュリールゼー通り沿いの住宅その他もだ。あまり期待はできないが、ソーニャとマルティン、君たちふたりで、もう一度あの埋葬の場にいた二人の女性と面談してみてくれないか。例の飲み屋の女主人と死んだ男の女友達だ。彼女についてはなにもわかっていないだろ?」

「ああ、何も。ゲオルク・フォーゲルの女友達だってこと以外は」とホイヤーが言った。「それしか喋らなかった。でも、彼女がどこにいるかはわかってますよ」

そのとき電話が鳴った。フンケルが受話器を取った。

「フラウ《ミセス》・フォーゲル！　え？　何ですって……それ

は何時ごろですか？　なのになぜ今ごろになってこちらに電話を？　誰ですって？　彼と一緒にいたのは。その男を、あなたは知っている？　わかりました。で、彼はあなたに何て言ったんですか？　はい、ええ……しかしそれは、電話が遅れた理由にはならんでしょ……ええ、誰かそちらに行かせますよ、もしよろしければ。太っちょの、そう……」

アンディ・クルストはヴェーバーを指差したが、差された本人はその冗談に気乗りする様子はなく、目を半分閉じたまま、電話のやりとりに耳をすませていた。

「もう一度息子さんから電話がかかってきたときはですね、フォーゲルさん、できるだけ長く彼と話を続けてください。そうすれば、どこから電話しているかがわかるかもしれませんので。ええ。それはそう難しい話ではないんですよ、フォーゲルさん。ここで説明するにはちょっと面倒な仕掛けなんですがね。とにかく我々を信じてくださいよ。お宅に部下を一人残しておきますから、そいつが、息子さんから電話があれば、どこからその電話をかけているのか探知してこちらに知らせる手筈にしておきます。そうです。大丈夫です。どうかご協力を、奥さん……、では、よろしく」フンケルは溜息まじりのうめき声とともに受話器を戻した。

「あきれたもんだ。ラファエルが母親のところへ電話してきたと。三時間前に！　そのことを私に連絡する気になれなかったと言うんだ。その理由が、なぜおじいちゃんが死んだのかと息子に聞かれて、答えられなかったからだって」

「なんだって？」とヴェーバーがフンケルの顔を見た。

「少年が電話をかけてきたらしい。おじいちゃんはどうして死んだのかと問われて、重い病気だったからと答えたのだそうだ。それも間違いとは言えない。そしたら突然電話が切れてしまったというわけだ」

「お祖父さんがなぜ死んだのかを知りたいって？」とヴェーバーは復唱した。若い相棒のアンディ・クルストが頭を振った。彼は今にもここから飛び出して、聞き込みやら、道路検問やら、とにかくなんでもいいから何かやりたくて、ジリジリしていた。確かにキルステン・フォーゲルはイライラさせるところがあるし、加えて母親としての責任は果たしていないにせよ、ともかく捜索願は出しているのだから。彼は再び頭を振りながら、でっぷりとした自分の尻のあたりを爪を立ててつねったが、尻はちっともへこまなかった。

「そうだ」と、フンケルは言った。「それに、グストルっていう名の男のところにいるって言っている」

沈黙が五秒間続いた。通りからの騒音が退屈な調子で聞こえてくる。

「ネーム・リストに誰か似たようなものはいるか？　グスタフ、アウグスト、グスト、グストル……」

この日に聞き込みをおこなったものが一斉に自分のノートを繰ってみたが、結果は誰もが首を横に振るばかりだった。

若い警官の一人が口を開いた。「グストルって名前、女性の場合もありえますよね？　アウグステ、グステなんていうのはどちらかといえば、女性の名前のようですよ。以前に実際、グストルっていう名前で呼ばれていた女性を、私は知っていましたしね」

「それは考えなかったな。いいぞ、ルートヴィヒ」とフンケルは言い、ソーニャのほうを見やった。「パウルと一緒にキルステン・フォーゲルのところに行って、今のことを確かめてきてくれ。アルバムや手紙、何でもいいからあるものをみんな見せてもらうんだ。この女に本当のことを言わせなきゃ。また薬なんか飲み込まないように気をつけろ。そうなったらたまったもんじゃないからな」

「で、私は何をしましょう？」と、アンディ・クルストが訊いた。

「君も一緒に行って、一晩中そこにいるんだ。もし少年からまた電話があったら、すぐに連絡しろ。こっちから逆探知するから」

それを聞いてアンディはがっかりした。また電話番か。

「自殺の線はないんですね？　でなきゃ新聞には知らせなかっただろうし」とホイヤーが言った。

「自殺を匂わせるものはないので、思い切って公開捜査に踏み切った」

「しかし、自分の顔が新聞に載っているのを見て、少年が逆上しないって保証はないですよね」

「それはない」とフンケルは言った。「何事にせよ、リスクに保証はないさ」


ソーニャにとって汗臭い男というのは、エロティックとはおよそ正反対の存在だった。それにしても、ワンサイズ小さいジャージを着て五分おきにキッチンに現れるこの男の発散する臭いときたら、たまったもののではなく、息も言葉も奪ってしまうのだった。おもわず鼻を手で覆った。同伴した二人の男たちにとって、この筋骨隆々の腕をした出っ腹の男の出現は、見たところ明らかにとくに不快な存在ではなさそうであった。この男は冷蔵庫から冷えたビールを取り出すたびに、ガールフレンドの髪にキスをしてから、「大丈夫だよ」とか、「落ち着けよ、ベイビー」と、唸り声で言うのだった。

「ごめんなさい」とキルステン・フォーゲルが言った。あやまるのはこれでもう三度目だ。「でもあの人、ああやってないとダメなんです。仕事が終わってうちに帰って、とりあえずカウチに寝転んで、ビールを一杯飲みながらテレビを点けるんです。トラックの運転手はきつい仕事だし、見ての通り、もうすっかり疲れてしまって。そういうわけだから、申し訳ないけど、こうしてキッチンで我慢してくださいね」

「それはかまいませんよ」ソーニャは帽子とコートを着たままで、そう言った。脱ぐにはここは寒すぎた。

「ガルボさんは一緒にお住まいではないのですか？」

ローデン製のコートに身を包んだパウル・ヴェーバーと黒のモーター・バイク用の革ジャケットを着たアンディ・クルストは、プラスティックの折りたたみ椅子に並んで座り、両手を膝に乗せている。二人とも偶然この場に居合わせた観客のような顔をしている。アンディは、おそらくこの面白くもないキッチンで、これから過ごさなければならない退屈極まりない夜に思いを馳せ、ヴェーバーはドアを凝視している。まるでそうすればドアの向こう側で何が進行しているのか、見て取れるかのように。そしてこのハンス・ガルボというジャージ姿の男がラファエルの失踪にどんな役割を果たしているのかが分かる、とでもいうように。

「ときどき泊まっていくけど」とキルステンが小声で答えた。彼女は青い目をしており、そこには傷があった。今朝の埋葬のときには、ソーニャはそれには気がつかなかった。やや屈み加減に歩くことにも。

「あなた、転んだんですか？」とソーニャが訊いた。

「ええ」

「痛みは？」

「いいえ」

「ご主人はもうここには？」とソーニャは言って唇をなめた。口の中が乾いていて何か飲みたかったのだが、キルステンは何も出さなかった。

「それはもう言った通りです」キルステンはヴェーバーに視線を投げた。ヴェーバーはうん、と肯いた。

「では、ご主人は今日の午後なぜここに？　お二人がそれぞれご自分の住まいで、あるかもしれないラファエルからの連絡を待つって約束でしたよね」

キルステンは左手の内側を指で掻きながら、大きく息を吸った。彼女が腰かけていた編み紐椅子が軋んだ。

「彼……、私がどうしているのか心配で、一度ここへ来たのだけど、また帰って行ったんです。ガールフレンドから電話があって……エヴァが……彼女……」

居間から大きな声が聞こえて来た。テレビのアナウンサーが二人のレスラーの名前を呼びあげる声と、それを聞いて雄叫びをあげるガルボの声だ。アンディとソーニャは視線を合わせ、彼女が彼に合図を送った。彼は立ち上がり居間の方へ歩いて行った。

「すみませんがテレビの音量を下げてもらえませんか？」

空になった四本のビール瓶を前にカウチの上でだらしなくくつろいでいたガルボは、アンディが入ってくると、そっぽを向いたままだった。二人のレスラーは叫び声をあげて相手に向かって飛びかかったところだった。

「お願いですからもう少し音量を下げてもらえませんか。こちらで話をしているんですよ。それにあなたのガールフレンドの具合のことも考えてくださいよ」

ガルボはビールを瓶から一口飲み、アンディを見てからテレビに目を写し、ビール瓶を床に置き、カウチの隣に置いてあるリモコンを手に取って、テレビの音量を下げた。リモコンを床に戻してからビール瓶をつかんで、アンディに目顔で出て行けと合図した。言われるまでもなくアンディは居間から出て、ガルボが半開きにしていたドアをしっかり閉めた。

「ありがとう」アンディがコートから不恰好に腹がはみ出ているヴェーバーの隣に座ったときに、ソーニャが言った。

「あなたのご主人とボーイフレンドのガルボさんですが」ソーニャは努めて急がずに、焦らずに、話を切り出した。

「お二人は知り合い？」

キルステンは肯いた。

「あなたにボーイフレンドがいること、ご主人はなんとも言わないのですか？」

「それはもう答えたはずです。彼はなんとも言わないわ！　彼にもガールフレンドがいるし、私にはボーイフレンドがいる。だからお互い様。一人ぼっちは嫌なの。わかります？　刑事さん」

「ええ、それはわかりますが、でも……」

「あなたにそれがわかるものですか」彼女はサッと立ち上がり、力強く両足を揃えて太ももを爪を立てるようにつかんだ。「男の子と四六時中一緒にいるのは大変なのよ。あの子には男の人が必要なの。一緒にサッカーをしたり、テレビでスポーツを一緒に見たりする相手が。私はスポーツは苦手だし、息子はスポーツが好きだから、その楽しみを奪いたくないの。あの子には、楽しく生きてもらいたいのよ、わかる？　あの子が悲しい思いをしたり、ドラッグとかお酒や、バカなことに手をつけてほしくないの。それに私だって、ずっと独りきりは嫌なの。ハンスが夜、仕事が終わってからうちに来てくれて、テレビの前に座ってくつろいでくれるのはありがたいわ。彼がいないよりよっぽどその方がいいの。それは絶対にそうなの。シングルマザーなんてまっぴら。子供にも良くないわ。父親を、少なくとも男の人を必要としているし、ハンスはラファエルのためにもいてもらいたい人なの。だから、ラファエルに帰ってきて欲しいのよ。あなたたち、そのためにお給料をもらっているんでしょ？　息子を探し出して！　警察だったら探し出してよ。お願い……」

「息子さんは探し出してみせますよ、フォーゲルさん。必ず。自分で帰ってくることもあり得ますし」ソーニャはそう言って、体を屈めてキルステンの手に触れようとした。だが、キルステンはガバと立ち上がって、流しのところへ行き、空のグラスを手に取り、水道水を入れて一気に飲み干した。そして両肩を吊り上げた。ソーニャはキルステンが苦しんでいることを見て取った。声をかけてもどうにもならないこともわかっていた。この種の女性のことはよく知っているのだ。夫にどんなに苦しめられようと、いじめられようと、そして侮蔑されようと、夫から離れようとしないのだ。しかもそれは恐怖心からだけでなく、彼から離れる勇気がなく、また力もないからなのだ。まるで、最高司令官の命令で無意味な戦場に送り込まれても、兵士の名誉についての不文律への義務感ゆえに抵抗することもない兵士のように。その不文律がなんなのか、だれも知らないくせに、ただ神聖な掟のごとく忠誠心を持つのだ。そんな女たちの中でも、夫に対する奴隷のような卑屈な気持ちを、たとえ夫が死んだとしても、その後でさえなお抱えて生きている女もいるほどだ。

「電話の話に戻りたいんですが」とヴェーバーが言った
ソーニャは我に返った。二人がここにいる理由を思い出させてくれたのがありがたかった。

「その話はもうしたと思いますけど」キルステンはそう言って、手をお腹の上にぺたんと置いたまま、グラスに水を注いだ。

「確かに。しかしですね、我々にとって非常に重要なのは、ラファエルが電話で言っていたグストルという人物が、果たして男なのか女なのかということでしてね。ヘル《ミスター》・グストルなのか、フラウ《ミス》・グストルなのか、ラファエルはどう言っていましたか、フォーゲルさん？」

彼女は腹を立ててグラスを流しに放り投げた。グラスはがちゃんと音を立てて粉々に割れた。「そんなこと知らないわ。グストルって言っただけ。そうよ、グストルとだけ。グストルって誰なのか知らないわ。男でも女でもグストルって名前の人、私知らないんです。どうしてわかってくれないの？」

「どうしたんだ？」

ガルボがいつの間にか、ドアの敷居に立っていた。

「グストルっていう名前の男性か女性をご存知ありませんか？」とソーニャが訊いた。キルステンは流しに散らばったガラス片を凝視している。

「グストルだって？」とガルボは言って、まるでそこが記憶の所在であるかのように、両脚の間を物思わしげに手で引っ掻いた。と突然、何かが閃いたように、

「ああそうだ、グストル・バイルハマーだ！　だけど、あいつはもう死んだよ」

「じゃ、ほかには？」とソーニャは訊いた。

「ほかには知らないなあ」と彼は言い、キルステンのところへ行き、頭一つ背の低い彼女の髪にキスをして、こう言った。「きっとうまくいくからさ。安心しろよ、なあフォーゲル《小鳥》ちゃん！」ボーイフレンドにもたれかかりながら、キルステンは泣き始めた。彼女が泣くのを、ソーニャは初めて見た。そして力の萎えるようなこの部屋と暮れゆくこの日の鬱々とした気分の中で、ソーニャにはこのやせ細った女のいよいよ激しい体の震えが、生きていることの徴《しるし》、もしかしたら自信なの

かもしれない、と思えた。

過去二年間に世間を騒がせたいくつかの失踪事件の中でも、二二歳のルチア・シモンの辿った運命ほどセンセーショナルなものはなかったが、失踪事件の記事が新聞の一面を飾ったのはそれ以来のことだった。顔写真とともに少年の年恰好その他について詳しい記事が載せられ、テガーンゼー通り沿いの書店の店員が見たという、赤のオペル・カデットについても触れられていた。あるタブロイド紙はカール・フンケル刑事部長の顔写真も付け加えた。いつものようにアイパッチを意識した顔だ。フンケルは、何らかの事件に巻き込まれた可能性は今のところ否定したうえで、少年に対して、もう一度両親か警察に電話連絡するように呼びかけた。お祖父さんの死でショックを受けていることは、みんながよくわかっていること、心の痛みをできるだけ和らげるために、みんな少年を助けたいと思っているということを訴えかけた。記者のインタビューの中でフンケルは、両親をあまり前面に出さないようにしてもらいたいと、注意を喚起した。ラファエルが連絡を絶ってしまうのを恐れてのことである。キルステン・フォーゲルからもトーマス・フォーゲルにも話を聞き出せた記者は一人もいなかった。マスコミには何も話さないようにフンケルから二人には言い含めてあり、フンケル自身あまり当てにはしていなかったものの、実際に二人はフンケルの言いつけに従ったからだ。しかるに、デパート専属の万引き監視人をやっていた頃のフォーゲルを知るかつての同僚だというローランド・B氏が、ある記者に向かってこう言ったのだった。少年が家出するのも無理はない。フォーゲルは少年にしょっちゅう暴力を振るっていたから、と。

「しばらくはこの調子だろう」ヴェーバーがそう言って、パージング駅で買った新聞を白いゴルフの後部座席に放り投げた。運転席のソーニャはラーメルスドルフにある居酒屋の前にゴルフを停めた。「少年が明日までに現れないと、新聞としちゃ、これをネタに夏場の穴を埋めることができるってわけだ」

二人は灯りの灯った居酒屋の入り口に向かった。時刻は夜の一〇時半ちょっと前、細く冷たい雨が降っていた。

ソーニャ・ファイヤーアーベントとパウル・ヴェーバーとしては、その居酒屋『スージー』で、まさかラファエルの居場所について何かヒントらしきものが得られると思っていたわけではない。とはいえ、亡くなったゲオルク・フォーゲルはともかくこの少年の最も近しい人間であり、また埋葬のときに姿を現したスザンネ・クラインも、そのゲオルク・フォーゲルの知り合いなので、ともかく彼女をフォローしないわけにはいかない。

「ちょうど新聞で読んだところなのよ」と髪を赤く染め、口のまわりに笑い皺のある四〇半ばの女主人のクラインが言った。「それでね、このかわいそうな子供が今ごろいったいどこでどうしているのかと、一日中考えていたのよ」

「それで？」とヴェーバーは訊きながら、泡立った冷たいヴァイツェンビール（白い小麦が原料のビール）への渇望を感じた。

「全くわからないわ。何かお飲みになります？」

「水を大きなグラスで」とソーニャが言ったが、ビールにすればよかった、と内心思った。そうしなかったのは、職務中だからというよりも、グラス半分で死ぬほど眠くなることを知っているからだ。

「そちらは何を？」とクラインはヴェーバーの注文を訊いたが、彼は顎をこすりながらまわりを見回していた。二つのテーブルでそれぞれ二人の男がビールを飲みながら、タバコの煙を吐き出していた。洗面所への通路では若めの男が一人、ボクシングゲーム機を相手に短いパンチを繰り出していた。

「氷入りコーラを」とヴェーバーは言った。

「ヴァイツェン、飲んでいいのよ」とソーニャが言った。「どのみち私が運転するんだから」

ヴェーバーは、即座に女主人の方を振り返り、「悪いけど、コーラは取り消し。ヴァイツェンをたのむ！」

　二人はカウンターの椅子に座り、女主人と、ラファエルのことや両親のことについて話を交わしたあと、少年が隠れていそうな場所について、二、三の可能性を吟味してみた。スザンネ・クラインが思いついたことはすでに警察が検討したことばかりで、新しいことは何もなかった。

「エヴェリンが言っていたけど」とスザンネ・クラインが別れ際に、雨に濡れないよう、短い庇の下のドアに体をくっつけて言った。「彼女、ちょくちょくショルシュに、自分の故郷に来て欲しいって言ってたんだって。確か北の出身でしょ。ニーダー・ザクセン（ドイツ北部の州）だったかしら。だから、彼も孫を連れて行くって約束してたのよ。彼女から直接聞いたことよ」

　エヴェリン・ゾルゲは、埋葬のときにトーマス・フォーゲルに無視された二人目の女性だ。彼女はゼンドリングに住んでいる。ソーニャとヴェーバーは、早速これから行ってみることにした。もっとも、エヴェリン・ゾルゲはすでに今日の午前中にブレッヒャーシュピッツェ・ホテルで会ったときに、ラファエルが彼女のところに来たらすぐに連絡すると約束してはいたのだが。

「言ったじゃありませんか。ラファエルが私のところに逃げ込むなんて、まずありえないって。どうしてここに来るんです？」エヴェリン・ゾルゲはすでにベッドに入っていたようで、膝丈までの白いガウンをまとって出てきた。その下は裸であった。パウル・ヴェーバーはそれに気づいて、なんだか落ち着かなかった。彼女はソファーに座っている彼の隣に腰を下ろした。

　ヴェーバーは彼女のつけた香水の匂いを嗅ぎ、彼女の肌の温もりを感じた。その二つが彼の血を両耳まで突き上げて、耳は真っ赤に染まった。それだけではなかった。自分でもまさかと思うような、ある種の興奮を覚えたのだった。

　エヴェリンは四二歳。顔は細く繊細に縁取られ、大きなお尻をしている。埋葬のとき、髪を高く上げていたが、今は茶色に輝く波を打って背中に垂らしている。そしてヴェーバーはその姿にこっそりと見惚れていた。とそのとき彼女が脚を組んだので、それにつられるように彼も脚を組んだのだが、ちょっとバツが悪かった。ガウンが彼女の太もものところで開いたので、すぐさま元に戻した。ヴェーバーの顔はまるで完熟トマトのような色になっていた。

「たった今クラインさんのお話を聞いてきたところなんですが、あの居酒屋スージーの……」と立ったままのソーニャが言った。彼女は、この部屋が自分の部屋と少し似ていると思った。一人暮らしの女の部屋って、みんな似てくるのかなあ？

「いい女《ひと》よ」とエヴェリンが言った。

「彼女が言うには、あなたは、ゲオルク・フォーゲルさんを故郷に招待なさったとか。そして彼も、一度一緒に行ってもいいって約束したとか。まちがいないですか？」

「ええ、でも本気にしたことはなかったわ。彼、旅に出ることなんかなかったんですもの。以前奥さんと旅行したのかどうか、それはわからないけれど……」

「その通り」ヴェーバーが、何も言うつもりはなかったのに、つい口から出てしまったというように、そう言った。

「そうでしょうね」とエヴェリンは言い、彼の顔を見た。見られた彼は肯きながら、組み合わせた彼女の脚を見ながら身のすくむ思いがした。

「ご出身はどちらですか、ゾルゲさん?」とソーニャが訊いた。ミルベッルツホーフェンの自分の部屋と同じように窓辺には棕櫚の木が一本立っていた。

「ゾルタウです。リューネベルガー・ハイデ（ニーダーザクセン州の北東部に広がる荒地と灌木の自然保護地区）。そこで生まれて、学校もその町の学校です。夏になるといつもヘルゴラントで過ごしました。花粉アレルギーがひどくて、ヘルゴラントには花粉が全然ないので私には本当に天国のようでしたわ。ゲオルクに私の故郷を見てほしかったの。両親も暮らしていたし、兄もそこで靴職人をやっていて、一緒にハイキングをしたり、ブレーメンやハンブルクに出かけてもよかった。ゲオルクと、それからもちろん彼の孫ともそうしたかった。彼は会うたびに、孫のことはよく話していましたし。本当にラファエルは彼の王子様でしたよ」

「ゲオルク・フォーゲルさんとはいつお知り合いに?」

「三年くらい前」

「で、どこで?」

「路面電車の中なの!」彼女は微笑みながらソファーの背もたれに体をあずけた。そのとき心地よく薫る一陣の風が、なるべく彼女の体を見ないように身を固めたまま隣に座っているパウル・ヴェーバーの顔を撫でた。「無賃乗車で捕まってしまって、頭のかたい検札員と口論になってしまったの。声があまりに大きかったので、運転していたゲオルクが電車を停めて、何が起こったのかと、後ろにいる私のところにやって来たのよ。そしたら彼、ポケットから切符を取り出して、自分でそれに乗車証明のチェエクを入れて、それを検札員に見せて、こう言ったの。「ほら、これでこの女《ひと》のものだ」そう言って、その切符を私の手に握らせたの。たぶん周りの人たちは、驚いてじろじろ見てたと思うわ。次の停留場でお礼を言ってお金を払おうとしても、彼、受け取らなかったんです。じゃあ、その代わりに夕食を一緒にということにしたの。うさぎ肉のローストを作ってあげたら、彼の好物だったの。食事が終わって、まもなく……、ということになって。それから私たちは恋人どうしになったの。路面電車の運転と鉄道模型作り、それに孫との時間に比べたら、私と一緒に過ごす時間はほんのわずかだったけれど、それでも恋人は恋人」

「ラファエルに会ったことは?」ノートを取りながらソーニャが訊いた。

「一度だけ、しかもほんのちょっとだけね。偶然会ったと言ったほうがいいかしら。ある停留場でゲオルクを待っていたの。何か彼から受け取ることになっていて。それが何だったかは忘れたけど。そのときラファエルが電車に乗ってたんです。ゲオルクは私のことを彼に紹介したけど、ラファエルは関心なさそうでした。お祖父さんと電車にしか興味がない感じで」

「それで、それっきりラファエルとはお会いになっていないのですね?」

「ええ。でも、さっきも言ったように、ゲオルクはラファエルのことを、しきりに話していました。学校の成績のこととか、サッカーがどれくらい上達したとか、お母さんとまた喧嘩したとか、パージングの父親が家を出て行ったとか、そんなことをあれやこれやと」

「ゲオルク・フォーゲル氏は、少年を連れて旅行に出るとか、言っていませんでしたか?」とソーニャが訊いたが、一言も言わずに釘付けにされたように座っている同僚のヴェーバーを見て、一体どうしたのかと訝った。

「いいえ、そんなことは一度も。旅行の話なら、彼より私のほう。二、三日でもいいから車で、ザルツブルクやウィーンやプラハなんかに行きたいなあって、よく言っていましたから。彼ったら、いつも、そのうちに、って言って先延ばしするだけ。そのうちっていつよ、って思ってたけど、もう死んじゃったわ」

「とても愛しておられたのですね」とヴェーバーが言い、ようやく、組んでいた脚をほどいた。

「ええ」とエヴェリンは言いながら、その言葉に驚いた様子で、前かがみになってヴェーバーの顔を横から眺めた。「確かに彼を愛してはいたけど、変な希望は持たなかった。彼はああいう人で、一人で生きていて、ちょっと厄介で偏屈な人でしょ。あの人と一一年間も一緒に我慢して暮らした奥さんって大したものだわ」

「おそらく彼女も彼を愛していたのでしょう」とヴェーバーが言った。ソーニャは眉間にしわを寄せた。

「おそらくね」とエヴェリンが同意した。「コニャックかワインでもいかが？　何も差し上げなくて、ごめんなさい」

「お仕事は何をなさっているのですか、ゾルゲさん？」ヴェーバーがエヴェリンの申し出に答えようとするのを遮って、ソーニャが訊いた。

「看護士ですの」と彼女が言った。「シュヴァービングの病院です」

「私の妻が死んだ病院だ」とヴェーバーが言った。まるで警察の事件について報告でもするように、事務的で冷めた言い方だった。

何秒かの間があった。エヴェリン・ゾルゲは寒気を感じたのか、ガウンの前立てをぎゅっと重ね合わせた。ソーニャはメモ帳をしまいこみ、同僚の顔を見た。誰も口を開かなかった。突然ソーニャが携帯電話を手に取り、警察署に電話した。

「フォルカー、ソーニャよ。少年は現れた？　で、百人隊は？　わかった。手がかりは？　そっちへ帰るから」

ヴェーバーがこちらを見た。彼女は首を横に振った。すると彼は立ち上がり、一瞬の間ソファーとテーブルの間に立ち止まった。二人に気取られずに吸い込み味わったエヴェリンの匂いが彼を興奮させることはもはやなかった。この香りに彼はメロメロになってしまっていた。


鍵穴からフロアの明かりが見えたが、少年は物音ひとつ立てなかった。男は少年の体を寝袋で覆ってから、一晩かけて妙案を考えることにすると少年に言った。やれやれありがたい。ラファエルは眠くてしかたがなかった。それに両脚が痛くて、そこに横になったまますぐにも眠りに入りたかったのだ。ママが心配していようが、そんなことはどうでもよかったし、それにパパに電話をかけたのも、パパをただ怒らせるために過ぎなかった。しかも電話に出たのは、よりによってあのバカな雌豚だった。あの女は大嫌いだ。今はここにいて、それで文句はない。それに、一晩かけてグストルが何か考え出してくれる。グストルは頭がいい。グストルはいつも何か考えつく。警察が墓地にやってきたとき、グストルは自分の車にラファエルを隠したので、警察は気がつかなかった。グストルはうまくやった。警察は、オレンジ色の荷台付き自動車を見たはずなのに、そして彼が、ラファエルが運転席に座って、グストルの腕の中からだけど、窓から顔を出していたのに、誰も気が付かなかった。

少年は寝返りを打って仰向けになり、寝袋を膝まで引っ張り上げた。ラファエルは、グストルの友達も好きかどうか、まだよくわからなかった。口臭がするし、しょっちゅうげっぷをするやつだ。二人は友達どうしで、一緒に墓地で働いている。何か警察に恨みがあるらしい。それはいいことだ。「おやすみ」と、ラファエルは言い、目を閉じた。一分後には、二人の男がフロアで口喧嘩している声も聞こえないくらいに、深い眠りに落ちた。

「お前は臆病なだけだよ、フランク。そうさ、この臆病者！」と、グストル・アンツが大声を出して、相手を玄関ドアに押しやった。フランク・オーバーフェルナー、五九歳。グストルより一〇歳年上だ。脱ぎっぱなしのゴム長靴の上をよろめきながら、壁にかかった鉄のボックスに肩が当たって擦れた。「さあ、出て行けよ！　警察《サツ》に知らせるんじゃないぞ！」

「おい、聞けよ、グストル。あの子をここに置いておくわけにいかねえだろ！　これじゃまるで誘拐じゃないか。児童誘拐だよ。またムショに入りたいのかよ、このばか」彼はげっぷをした。するとグストルがフランクの額に平手打ちを食らわせた。その勢いで彼の友人はゴツンと音を立てて後頭部をドアに打ちつけた。

「あの子はな、いたいからいるんだよ、ここに。お前だって俺と一緒に、あの子を警察《サツ》に見つからないように隠したじゃねえか。だから、くだらんことは言うなって！」

「警察《サツ》から隠した！　そりゃまた別の話だ。隠して当たり前だぜ。そうしなきゃ見つかっちまうからな。当たり前だ。だけどな、俺はあの子を誘拐したりはしないぜ。お前がやってることはな、グストル、そりゃクレイジーだぜ。おまけに俺も巻き込みやがって、クソッ！」

「そんな大声出すなよ、坊主が目を覚ますじゃないか」とグストルが言い、鍵を回してドアを開けた。

「坊主が俺たちに話したこと、お前忘れたのか？　親父にどんなにぶん殴られたかって話。帰るのが遅くなったらお袋に締め出されたって話だよ。ええ?」今は低い声で話した。そしてオーバーフェルナーは暗い玄関で照明のスイッチを探った。「それにだ、言うことを聞かないときは、食べるものも飲むものももらえなくてさ。お袋が、男と二人きりになりたいときなんか、坊主を地下室に閉じ込めたりしたんだぜ。それをお前、忘れたのかよ?」

「忘れちゃいねえけど」と、オーバーフェルナーが言った。電気が点《つ》き、二階から足音が聞こえた。「だけど、これはやっていいことじゃないぜ……」

「おまけに、祖父さんまで死んじゃって、坊主の面倒を見る人間がいなくなったんだ。どれだけ祖父さんになついていたか、お前も見ただろう。だから、もう家へ帰れよ。明日また仕事場で会おうぜ、いつもの通りにな。絶対に警察《サツ》へは行くなよ。行ったら、タダじゃおかねえからなあ!」

上の階から髭面の若者が降りてきた。黒いレンズのメガネをかけ、手には折り鞄を持っている。

「こんばんは」と言って二人の前を通り過ぎた。

「ああどうも」と、グストルが挨拶して、男が一階に降りて行ったのを見届けた。「まあ考えとくよ。なんかうまいやり方があるはずだ。じゃあな!」

「誰も俺たちを見なかったって、お前本当に思ってるのか?」と、オーバーフェルナーが言いながら、脂臭いジャケットの襟を立てた。

「そうだよ。もし見られてたら、とっくに刑事《でか》たちがここへやってきてるはずなのに、来ねえじゃねえか」

「そうだけどさ、こりゃヤバイぜ、なあグストル……」

グストルはもうそれ以上聞こうとはしなかった。彼はドアを閉めて鍵をかけた。オーバーフェルナーは、階段の照明が消える前に、そこから立ち去るしかなかった。先週、彼は暗くなったこの階段でつまずいて転んでしまったのだった。

グストルは物置の音に耳を澄ませた。静かな呻き声と規則正しい息の音が聞こえる。その中で、か弱い子供が眠っている。自分のところにやって来た。運のいい子だ。何があろうと俺がお前を守ってやる。誰にもこの子に危害を加えさせるものか。そのためにこの俺が、アウグスト・エマヌエル・アンツがいるんだ。旋盤工の彼は八年前から市の育苗所で働いている。彼は帰るところのない全ての子供たちの友達だ。ときにやむを得ない場合には、警察や国、そして子供の両親とも容赦無く戦ってきた。何があろうと誰にもこの子を渡さないつもりだ。やっと本当の友達が見つかったのだ。自らの愛を、彼の中で満たされることなく発酵し続け、今や熟しきったこの愛を注ぎ込むことができる友の到来を、ラファエルの到来を、長い間待ち続けていたのだ!

グストルは右手で優しくドアを開けて、自分の左頬を撫でた。まるで他人の顔を撫でるように。

6　夜のスペシャリスト

　小雨が降っていた。夕方も五時半ごろ、バイエルン風ニッカボッカ姿の男が、身にまとったマントで大きく風を切り、子供のようにピョンピョンと飛び跳ねながら、素足で森の中から姿を現した。力強い声で、会う人ごとに挨拶をした。暗めの金髪を肩まで伸ばし、顔はヒゲもじゃで中背のずんぐりした男。両の目がキラキラ光っている。両脚は水たまりごとに飛び上がり、背中には赤茶色のポンチョで覆われたリュックサックが上下に跳ねている。

　この男、見るからに上機嫌の様子だ。

　反対に、男の方を振り向く人々は、こいつは頭がおかしいのだと思った。男が森に住み、ときどき大声で叫んだり歌ったりすることは、皆知っていた。子供たちは彼が、根城にしている森の小屋の前で素っ裸のまま脚を上げたり、腕を伸ばしたりするのを見ていた。村の巡査に知らせると、制服姿の巡査は男に、子供たちの前に裸で現れないようにと注意し、さもないとそうあの小屋に住めなくなるぞ、と警告を与えた。男は巡査に向かって、子供たちの前で服を脱いだわけじゃない、嘘っぽい羞恥心なんか持たないこの自然を前にして裸になったのだと口答えをした。羞恥心が嘘っぽいなどということがあるものかと巡査が反論した。それは他の感情と同じで、良くも悪くもないんだ。確かに一理あるなと男は思った。しかし、それでも人は道徳的な見方を価値あるものだと思っているが、その価値そのものはそれぞれの習慣によって主観的に定義し都合よく利用するものだ、という認識だけは譲らなかった。現にもし自分が女だったらどうか？　女が森の中で裸になって踊ったりしていて、そこをたまたま漁師が通りかかったとしたら、巡査なんか呼びに行くより、たっぷりと目の保養をするだろうし、何かそれ以上にするかもしれない。ともかく男は、今後裸になるときは、前もって友人のアスフールを斥候として送るからと約束した。そのアスフールってのは誰だ。私が自殺でもしないように助けてくれるんだ、と男が答える。医者を呼んできてもいいが、と巡査が言ったが、私はどこも悪くない、健康そのものだ、と男は答えた。ただし、自分の意思でこの命を終わらせる寸前まで行ったことはあるが、病気が理由じゃないとも言った。

巡査にはその理由はわかっていた。

この男には、ラーベンコーグルのほとりの小屋で一時的に寝起きしてもよいという許可が下りたのだが、それに一役買ったのは、巡査部長のクサヴァー・ホーフェラーだった。この男にまつわる話をあれこれと触れ回ったのも、彼だった。おかげで村の商店や居酒屋での格好の世間話のネタを提供することになったようだ。なにしろこの男、九カ月前に森に現れて以来、立ち去る気配もないのだ。地の精を見たっていう男がそもそもどうしてお咎めもなしに自由にうろつきまわっていられるのかと、訝《いぶか》る村人も少なくなかった。誰も、クサヴァー・ホーフェラーさえも、この男が森の中で一体何をしているのやら、こっそり密猟でもしているのかさえ知る由もない。もっとも密猟については、森林検査官は確認するには至っていない。

確かなのはただ、男が一〇日ごとに、果物やパスタ、それに紅茶と肉の缶詰を買いに村にやってくるが、村人とは最小限必要なこと以外は言葉を交わさないということだけである。もっとも、誰かから挨拶をされれば必ずそれには答えるし、どの店に入っても、「こんにちは」と「さようなら」はきちんと言うのだが、それ以上口をきくことはないということだ。話に引き込もうとどんなにやってみても、一言で終わってしまう。ただ、低くよく響く彼の声が、そのワイルドな風体に魅力を加味していて、村の女性たちは初対面のときからすでに虜になっていた。若者たちにとってはますます薄気味の悪い存在で、その突き放したような態度に挑発的なものを感じるのだった。

さて、この度のお出ましは、カセットデッキ用の電池を買うためであった。電池をリュックサックに入れ、女店員に代金を支払って店を出ようとしたとき、電気店の出口のドアのところで、二人づれの若い男が近づいてきて出口を塞いだ。「気をつけろ……」と一人が始めると、もう一人がポンチョを引き上げて、男のリュックの中身を見ようとした。二人が何か別の動きをするか、何かを言いかける前に、男は二人の髪をひっつかみ、まるで人形のように床に叩き落とした。二人はそのまま動けなくなった。男は二人に覆いかぶさるように体を前に屈めて言った。「俺にかまうな。わかったか」それから女店員に微笑みかけてから、村のはずれを目指して出て行った。二人の若者には後を追うすべもなかった。

電話ボックスの前を通りかかり、一旦は通り過ぎたが、ふと立ち止まって後ろを振り返った。かつては黄色く塗られ目に鮮やかだったその小さな小屋は、今は灰色で、人目につかないただの箱になってしまっていた。以来、電話ボックスを見ても、たいていはその存在すら無視してしまうのだった。一歩近づき扉に向かって手を伸ばしてはみるが、すぐに気が変わって、そのまま歩き続けるのだった。小雨が降り続けている。森の中の小屋へたどり着くにはまだ小一時間はかかるだろう。

彼の耳にはすでにその歌が聞こえていた。小屋にたどり着いたら早速カセットデッキの電池を入れ替えて、最初にかけようと思っているその歌が。そして彼は歌い始めた。バフィー（バフィー・セントメリー、カナダ系先住カメリカ人のシンガー・ソングライター）のように明るくてよく響く声ではなかったが、それでも雨の音に負けないくらいの声で。

I was an oak, now I'm a willow, now I can bend. And though I'll never in my life see you again, still I stay until it's time for you to go. Don't ask how, don't ask forever, love me now … (Buffy Sainte Marie - "Until It's Time For You To Go")

（むかし私は樫の木だった。でも今は柳。だからしなやか。もうあなたには一生会えなくなるけれど、あなたがいなくなるまで、ここにいるわ。なぜ、なんて訊かないで。永遠に訊かないで。そして今、私を愛して…（バフィー・セントメリー――「あなたがいなくなるまで」））

失踪者捜索課の刑事ロスバウムとコーベルトの二人は、二日間、朝の四時半から真夜中の一時まで、路面電車でハイドハウゼンからグリューンヴァルト間を数え切れないくらい往復した。真夜中の一二時から四時までの間、彼らは、グリューンヴァルト停車場近くに、警察が一時的に借りている小さなペンションの一室で睡眠をとった。しかしラファエル・フォーゲルは、お気に入りのコースであるはずのこの区間には姿を現さなかった。失踪してから丸一日が過ぎても本人からの連絡はなく、その姿を見たものは誰もいない――ただし、赤い車に乗ったラファエルを目撃したというギージングの書店の女店員は別にしてだが。とはいえ彼女にしても、それが本当にラファエルであったかどうか、だんだん怪しくなってきている。しかたなく、特別捜査班は大規模な電話での聞き込みに追われることになったのだ。

　フォーゲル夫妻と何らかの親戚や知り合いの人間には、どんなに遠い関係でも、どこに住んでいようと、あるいは現在どこにいようと、手当たりしだいに警察から電話で問い合わせが行われた。フォーゲル夫妻とかつてリミニ（イタリア東海岸の有名な海水浴場）で短い休暇を一緒に過ごした三組の夫婦のうち、一組はオーストリア、もう一組はクレタ島、そして最後の一組はダルマチア海岸（クロアチアのアドリア海沿岸地帯。風光明媚な観光地）にいることがわかり、それぞれ電話で問い合わせた。キルステン・フォーゲルが以前、ブランデンブルク州（北東部の州。ベルリン州は地理的に含まれる。州都はポツダム）の祖父母と暮らしていた頃の女友達や、ラファエルが小学校の最初の二年間とても仲良くしていて現在デトロイトに住んでいる子供の一家――その父親は現在、ある自動車会社の雇われ社長の身分だ――にも問い合わせが行われた。

　二四時間休みなく、待機の警官が外部からの電話に対応し、通報内容をそれまでに蓄積されたデータと照合し、一見して捜査に役立つかどうかにかかわらず、必要な補足をコンピューターに打ち込んだ。入ってくる情報が多ければ多いほど、そしてその情報の識別が早ければ早いほど、多くの事実関係から一定の座標系が出来上がるのがそれだけ早まるわけで、最終的にその座標系の上で交差する箇所に、ラファエルがたどった経路と現在の位置が割り出されるはずだ。そう、そのはずなのだ――だが、今回はそうならなかった。

　家出少年たちがよく訪れる場所といえば、デパート、電子機器ショップ、ビリヤード場、ゲームセンター、地下鉄の駅、歩行者天国、エングリッシャーガルテン《イギリス庭園》、それにあちこちにあるコンコースやフリーマーケットが開かれるクンストパルク《アートパーク》・オスト（かつてジャガイモ製品を製造したプファンニ社の跡地（オスト墓地の近隣）をアートパークとして再開発した。）の敷地など。身を隠すにはちょうどいい場所ばかりだ。私服警官たちが徹底的に捜索したにもかかわらず、ラファエルを少しでも知っている若者一人探し出すことさえできなかった。警官たちは落胆したものの、それは予想されたことではあった。彼らの調べによれば、結局ラファエルはこれまであちこちをうろついていたわけではなく、学校の後すぐに帰宅したか、あるいは可愛がってくれる祖父のところへ行ったのだ。それにしても、自分たちの子供が学校以外の時間をどこでどう過ごしているのか、両親はほとんど知らないという事実、これについてだけは、失踪事件は毎度のように証明してくれる。

家出少年たちの憧れの町ベルリンの担当官庁での調査も袋小路に入り込むだけだった。その上、間の悪いことに、ちょうど休暇の時期と重なっているために、ラファエルのクラスメイトのうち、会って話を聞けたのはごく一部に過ぎなかった。おそらく、彼らしか知らないラファエルについて、いろいろ細かなことを聞き出すことができたはずだったのだが。フライヤ・エップ、ソーニャ・ファイヤーアーベント、フロリアン・ノルテ、それに他の三人の警官が頑張って、やっとこさ、何組かの両親の休暇滞在先を探し出すことができたが、それも女校長が、その家族がここ何年間か同じ場所で休暇を過ごしていることを覚えていたからに過ぎない。面談してみたものの、成果は何もなかった。むしろ、すでにこれまで何人かの人たちが表した驚きが彼らからも聞かされたのだ。家では酷い扱いを受けていてもう我慢ができない、いつか仕返ししてやる、とラファエル自身から聞かされていたので、今頃になってやっと家出したのか、という驚きである。

実際は、ラファエルはこれまでに何度か家出をしているのだ。確かに母親の方は、息子が自分に黙って家に帰ってこなかったのはたったの一度だけだったと言っており、反対に父親は、息子は少なくとも三度は家出して、あんな気の抜けたような母親には我慢できないと言って、自分とガールフレンドのエヴァの所に泊まったと言っている。どっちが本当のことを言っているのか、カール・フンケルには見極めることができない。嘘をついているのはたぶん、トーマス・フォーゲルの方だろう。自分は子供に優しい父親だと思わせたいのだろう。それに実際は、ラファエルはお祖父さんのところに隠れていたのだ。それは父親にも母親にも腹立たしくもあり、不愉快なことでもある。それゆえに彼らはこの事実を認めようとせず、自分に都合の良い話をなんとかうまくこしらえたのだ。

しかし今、ゲオルク・フォーゲル爺さんは死んでしまった。ラファエルには頼りにできる人がいない。もう誰も一緒に遊んだり大切にしてくれる相手がいないのだ。お祖父さんがいなくなった部屋に帰ってくるはずもない。フンケルは、ともかく部屋の監視だけは続けさせたが、どうせ無駄に違いなかった。

ミュンヘンでは家出する子供の数は毎年およそ二百人にのぼる。そのうちの大部分は二度目以上。家出は三日以上は続かない。しかし年齢が九つというラファエルのケースは予想がつかない。その動機はお祖父さんを亡くした悲しみであり、両親に対するやり場のない怒りであり、友達はバカンスに行ってしまっている。それだけに、フンケル刑事部長にとってこの失踪事件は、超ド級のものだった。そしてそれは捜査班全員にとって、眠れない夜であり、常駐が強いられ、二、三時間ごとのファーストフードとコーヒーでしのぐ日々を意味していた。総勢五八名の特捜員が問い合わせた周辺国は五カ国、かけた電話の本数は約四五〇本にのぼる。その間、ラファエルについて入手したあらゆる情報――年齢、身長、靴のサイズ、容姿の特徴(傷痕)、服装、趣味、話し方、あだ名(ラフ、ラフィ)、好きな食べ物、好きな音楽――これらすべてがバイエルン州警察および連邦警察のコンピューターシステムに保存され、類似の事件と照合された。そのうえで、ラファエルの失踪との関連で、それらの事件の当事者たちの人物像の洗い直しが行われた。

捜索開始から三日目の夜のことだった。第一一署の署員たちが疲れ切った様子で、一階にあるトルコ料理の軽食店のボーイが届けてきたプラスチック製の皿から軽食を食べ終わったころにちょうど、ヘルマン・リッターと名乗る男性から電話が入り、パウル・ヴェーバーがその電話を取った。しかし電話の主は特捜班の責任者と話がしたいという。新聞に顔写真が載っている責任者のことだ。

「こちらフンケルですが、どなたでしょうか?」

「リッターだ。ヘルマン・リッター。知ってるんだ、赤のオペル・カデットがどこにあるか」

「どこですか?」

「俺が電話したことは知られたくない。知れたら、やつらに殺される。危ない連中だからな」

「どちらにお住まいで、リッターさん?」

「俺がいるところ? ヴェストエンドのトォルベック通りだ。どうでもいいことだ。おたくら、赤のカデットを探しているんじゃないのか? もう見つかったのか?」

「リッターさん……」とフンケルは言って、相手の名前と通りの名前を紙に書いてから、二つのコーヒーカップの間に挟んで、マルテイン・ホイヤーの方に滑らせた。マルティンはすぐさま受話器を取り、住所を確認するように本署に連絡した。

「お電話とご協力、ありがとうございます。ヴェストエンドにお住まいなんですね。で、赤のカデット、それがそこに、つまりあなたが住んでいるところの近くにあるんですすね？」

電話の向こうでは沈黙が続いた。と、フンケルの耳に、誰かがガラスを叩くような鈍い音が二度ほど聞こえた。

「リッターさん？」

「赤のカデットが置いてあるのは、ヴェストエンド通り一〇番だよ。男が一人車から降りてきて家の中に入ったんだ。その子供、ラファエルっていったっけな。その子も一緒だった。奴らは危険なんだ。最初に少年を片付けた後は俺を殺すつもりだ。ヴェストエンド通り一〇番……」

再び鈍く叩く音がした。さっきよりも強い音だ。

「リッターさん？」フンケルはホイヤーに目を向けたが、彼は首を横に振った。電話の主は嘘をついている。少なくとも自分の名前は嘘だ。「もしもし！」

通話は切れていた。ヘルマン・リッターが受話器を置いたか、ぶら下がったままにしたかだ。フンケルは、男は公衆電話からかけてきて、途中で誰かの邪魔が入ったのだと踏んだ。無線機付きパトカーに住所を知らせると、折り返し返事がきた。確かにヴェストエンド通り一〇番の家の前には赤いオペル・カデットが停められており、グンター・ブルムの名義で登録されているという。早速フンケルは、マルティン・ホイヤー、ソーニャ・ファイヤーアーベント、それにフォルカー・トーンと一緒に、二台の車に分乗してヴェストエンド通り一〇番に向かい、五分後には現場に到着した。

赤い色のオペルを目撃したという通報はこれで一二人目だが、これまでのところ、車の所有者で事件と関係がありそうな者はいなかった。ちょうど、似たような車を見たという理由で通報をしてきた人間が事件と関わりがないのと同じように。ひょっとしたら、例のテガーンゼー通りの書店員の女性にしても、見たのはオペル・カデットではなく、他の赤い車だったのかもしれないのだ。それに、自動車メーカーが使っている色合いの赤を見分けてもらおうと、わざわざ彼女に署に来てもらったときにも、彼女は朱色と臙脂《えんじ》色と真紅の見分けさえつかなかったし、車がそのうちのどの赤色であったのかも特定することはできなかった。

表札にグンター・ブルムの名はなかった。隣を当たって見たが、そこはトルコ人の名前であった。ヴェストエンドにはミュンヘン中のどこよりも、外国人が多く住んでいて、特に多いのはトルコ人、ギリシャ人、それに旧ユーゴスラヴィアからの家族だ。ここは労働者街で、古くなった安アパートが並んでいるが、中にはリフォームして高く又貸しするか売りさばかれたアパートメントも多くある。食料品店や、殺風景な居酒屋や、ギリシャ料理とトルコ料理の簡易レストラン、それにピカピカに磨き上げられたバイエルン風の居酒屋が軒を並べており、裏庭にはたいてい小さなガレージがあった。

「何の用だね?」白髪の男が、集合住宅の入口から三人の警察官を中に入れ、一階のアパートのドアを開けながら訊いた。

「グンター・ブルムという人を探しているのですが、ご存知ですか?」とフンケルが訊いた。

「警察かね?」と、袖のないシャツとジャージ姿の男は訊き返した。フンケルは警察手帳を見せた。マルティン・ホイヤーは照明の暗い階段を見上げた。蒸れた匂いがした。それからギシギシと音を立てる階段を上っていった。ソーニャが後に続いた。

「あなたの身分証明書を見せてもらえますか?」とトーンが訊いた。今日のいでたちは、Vネックの白のセーターに濃紺の麻のジャケット。ボタンはかけている。

「ちょっとまって」と男は言ってから、ドアのすぐ隣の部屋に消えた。

二階ではホイヤーがある部屋のドアをノックした。誰も出てこないようなので、ホイヤーは二度ほど強く叩いた。

「中に誰かいるわ」とソーニャが小声で言った。部屋の中では床の上を歩く靴の音がした。がちゃんという音が聞こえ、誰かがドアのすぐ後ろで待ち構えており、その興奮した息遣いも聞こえた。「ここを開けてくれませんか。警察です」

何も起きない。ホイヤーはソーニャに合図して、二人はドアの左右に分かれた。ホイヤーは茶色の革のホルスターに着装している拳銃の安全装置を外した。ソーニャはカール・フンケル同様武装はしていない。彼は、定例の義務射撃訓練に出るために一大克己をしなければならぬほど、拳銃嫌いなのだ。

「頼むから、ここを開けてくれ!」とホイヤーが言った。

下からはトルコ人の間借り人と話しているフンケルとトーンの声が聞こえた。どうもグンター・ブルムのことは見たこともないらしい。何度も大声で繰り返す声がした。

ドアの鍵穴で鍵が回るのが見え、ゆっくりとドアが開いた。その瞬間、階段の灯りが消えた。部屋の中も暗かったので、ソーニャが一歩前へ進んで警察手帳を掲げたとき、背の低い男のシルエットが見えた。両手でドアノブをつかんでいる。

「ソーニャ・ファイヤーアーベント刑事です。実は……」

と言いかけて、顔にピシャッと一発食らったのを感じた。平べったく冷たい手が彼女の頭を後ろに引っ張ったので、彼女は思わずよろめいて手すりに寄りかかった。誰かが彼女の前をさっと横切って階段を駆け上がって行った。再び灯りが点いた。ドア口に立った小男は体を震わせながら、黒い大きな目で、もう一人が消え去った階段の方を見やった。

「通りを固めろ！」とホイヤーが下にいる同僚に大声で言い、ホルスターから拳銃を取り出して階段を駆け上がった。

「あれ、誰？」とソーニャが訊きながらドアを叩いた。男は驚いてドアノブから手を離して、その手を引っ込めた。

「頼む、やめてくれ……」と彼はどもりながら言った。

「今逃げたのは誰？」彼女の声が大きくなった。一階のドアが閉まった。

「頼むから、やめてくれ……兄貴だよ、俺の兄貴……」

「なぜ逃げるの？」

男は今にも泣き出しそうだった。紫色のシャツがズボンからはみ出し、素足のままで、髪の毛からはシャンプーの匂いがする。何か変だ。理由はわからないが、ソーニャにはそう思えた。部屋中に香辛料と紅茶の匂いがした。

「俺の兄貴……頼むから……」

「中に入ってもいい？」彼女はするっと男のそばを通り抜けた。男はドアを閉めようとした。「開けておいて！」とソーニャが命令するように言った。男は言われた通りにし、彼女の後からちょこちょこと歩いて、食器や衣類やポリ袋がいっぱい散らかっている小さなキッチンに入っていった。テーブルには派手な装飾を施したサモワールが置いてあり、やかんがしゅんしゅんと湯気を吐き出していた。

「そこを動くな！　動いたら撃つぞ！」とホイヤーが大声で言い、できる限り素早く、避難ハシゴを伝って下りた。逃げた男はバックスキンのジャケットの白い毛皮の襟を立て、黄緑色のミリタリー・パンツを吐き、頭にはウールのキャップを被っていた。三階で彼は階段室の小窓によじ登り、猫のように体をくるりと曲げて鉄階段を降りていった。裏庭を走り抜け、ごみ収集のコンテナーの上に飛び乗り、つるんと滑ったが、片方の手で体を支えながら、アパートの敷地と道路を隔てている壁の上に飛び乗り、たった今、道路の方へ飛び降りたところだ。

　マルティン・ホイヤーは、男を追って敷地を横切るときに、入口の方をちらっと見やった。他の二人がすでに出てきていると思ったからだ。しかし門は閉まったままだった。

　何台かのコンテナの間に彼は一台の自転車を発見した。二メートル半ほどのジメジメした塀に自転車を立てかけ、サドルに上がり、少しジャンプして塀をよじ登った。塀の上で膝をついて、向こう側を見た。アスファルトの庭だ。ガレージドアの前に車が何台か停まっている。街灯はない。逃げた男の姿は見えず、物音ひとつ聞こえなかった。

　ホイヤーは塀の上から飛び降りた。靴が地面に触れたとき、メルセデスの後ろから人影が飛び出してきて彼を引き倒した。勢いがよすぎて地面に頭を打った。その拍子に腰ベルトに突っ込んでいた拳銃が飛び出してアスファルトの上を滑った。男は拳銃に飛びかかって取りあげた。両手で握りしめて、ホイヤーの前で脅すように振り回した。

　ホイヤーはよろけながら立ちあがり、痛くてガンガンする頭の横側を手で押さえた。

「おまえ、ダメ！」と男は叫んで、拳銃をつかんだ手をあちこち振り回した。

「バカはよせ！　拳銃を捨てろ！」とホイヤーが、他の二人に聞こえるように、大きな声で叫んだ。「何があったんだ？」

「おまえ、ダメ！　おれ、フォイヤ！」

「ええ？　なんだと、おまえ、フォイヤー（火、飛び道具の意）？　いいかげんにしろ！　拳銃を下ろせ！　わからないのか？　おい、拳銃を下ろせったら、いいかげんに！」

男は一歩下がったり、前に出たり、横に行ったりたりし、パニクッたようにまわりを見回して、拳銃をホイヤーに向けた。ホイヤーはおとなしく両方の手を広げて地面について、飛びかかる用意を整えた。

「おい！　おまえ！」と男は叫んで、片方の手で帽子を横にずらし、もう一方の手で拳銃を握りしめていた。拳銃を使った経験はなさそうだ。引き金に当てられた人差し指が震えている。

「お前が不法滞在者であろうとなかろうと、こっちには関係ないんだ。わかったか？　俺の管轄じゃないからな。どっから来たんだ？　アルバニアか？　クロアチア？　どこなんだ？」

「おまえ、ダメ！」と男は叫んだ。ホイヤーは横に飛び退いた。暗闇だったが、相手の指が動いたのがわかったからだ。耳をつんざくような銃声がして壁に反響した。銃口の閃光が猛火の舌のように銃身から飛び出した。驚いて男は拳銃を手から落とし、逃げ出そうとした。しかしホイヤーが素早く男に飛びかかり、体を地面に叩きつけて後ろ手に縛り上げた。男は痛みのあまり叫び声をあげた。ホイヤーは男の服のポケットを探りながら、後頭部に一発食らわした。

「この馬鹿野郎！　俺を殺すつもりか？　いかれたやつだ、こいつ！」彼はもう一発、見知らぬ男の後頭部を殴った。男はしゃくりあげるように泣き出して手で顔を覆った。

中庭の反対の入り口からフンケル、トーン、ソーニャが走り寄ってきた。パトカーが一台表通りに停まり、制服警官が二人、拳銃を構えて降りてきた。

「もう大丈夫だ！」とホイヤーが大きな声で言いながら自分の拳銃を上にあげた。安全装置をかけて、頭を振りながら、拳銃をホルスターに戻した。それから、身動きせずに顔を伏せてうつむいている男の肩を抱えて持ち上げた。ソーニャは、こんな小柄で痩せっぽちの男のどこにそんな力が隠されているのかと、これまでに何度も驚かされたものだ。

トーンが男の顔を見て言った。「警察官に対する殺人未遂だぞ、わかってるか？」

男が隠れていたメルセデスを相手にしたとしても、トーンは同じせりふを、調子を変えずに吐くことができただろう。

「俺を撃とうとしたわけじゃないんだ」とホイヤーが言って、殴られた頭をさすったが、効果はなかった。

「こいつはバカなもんだから、拳銃さえまともに構えられないんだ。こら、フォイヤー！　クソったれフォイヤー！」

「フォイヤーって、何のフォイヤーだ？」とフンケルが訊いた。

「何のことだか」とホイヤーが言い、目を閉じた。頭がますますガンガンしてきた。

「ルーマニアから来た不法移民で、兄弟のところに身を寄せています」とソーニャが説明した。そう言いながら、彼女の頭の中は、せっかく二階の住人が「お茶でもいかが？」と言ってくれたのに、その親切を断ってしまったあの熱くて甘い香りの紅茶のことでいっぱいだった。

「君はこれから報告書を書いてくれ。それから一日休みを取るんだな、マルティン！」とフンケルが言った。「君もだ！」とソーニャにも言った。そしてトーンに向かって、「我々二人はまだ、あいつのことについて話さにゃならん。誰のことかわかってるよな」

　誰のことかって？　知らない者はいないわ。そう思うと、ソーニャは突然、公式の決定が下されるのが怖くなった。一旦決まってしまえば、元には戻せない。

「私も加えて、その話し合いに。私にも関係することだから」と彼女は言った。

　しかしフンケルは即座に言葉をさしはさんだ。「それはダメだ。個人的なことではないからな。今日の午後、財務大臣の広報担当官と電話で話したんだ。向こうからの電話で大臣が、結論を出したい旨を伝えてきた。しかも向こう三日以内にということだ。だから私は結論を出さなきゃならない。君の意に沿おうが沿うまいが」

「あなたがここのボスだってことは十分承知しているつもりよ」と彼女は言いながら、頭を斜めに傾《かし》げているホイヤーに目を向けた。「私の車に乗るのよ、行きましょ！」

　二人がルーマニア人の前を通り過ぎたとき、ホイヤーが後頭部にもう一発食らわした。フンケルは険しい目つきでそれを見た。「このクソッタレめ！」とホイヤーが唸った。

　大きな銃声のおかげで、近隣住民は一人残らず、自分の部屋の窓辺に釘付けになった。そのうちの一人が、洗濯機代理店のグンター・ブルムだった。すぐに署に呼ばれた彼は、昨日は休暇半分仕事半分でリューゲンにいたと供述した。ラファエル・フォーゲルという名前は聞いたことがないと言っている。ヘルマン・リッターについても知らないと言っている。仕事で出張ばかりで友人も少ない、というか一人もいない、たまに一緒に飲みながらオダを上げる仕事仲間がいるだけだと言った。フンケルは供述にサインをさせて、彼を家に帰した。

そうか、やっぱりガセだったか。こういうときにいつも捜査を撹乱させる奴がいるもんだ。今度のは、まかり間違えば刑事一人の命が危なかったんだ。カール・フンケルはそう考えただけでも身の毛がよだつ思いがした。ラファエルの行方はわからず、事件とは何の関係もないルーマニアの不法移民をとっ捕まえただけということか。すぐに飛行機で本国送還とあいなるはずだ。ただし、ホイヤーが警察官殺害未遂で訴えない限り。確かにホイヤーのいう通りだろう。奴は撃つ気などなかったのだ。恐怖心に勝てなかっただけだ。

白いA4の用紙を机の上に置いて、フンケルは赤のボールペンで『恐怖心《アングスト》』の文字を書いて、それを丸で囲んだ。「恐怖心って、君にとっちゃどういうものかね？」と、湯気を立てているコーヒーカップを二つ手にして入ってきたフォルカー・トーンに、フンケルが訊いた。トーンは足でドアを閉めてから、コーヒーカップの一つをフンケルの前に置いた。

「恐怖心ですか？」とトーンが言いながら、仕事机の前の硬い椅子に座り、コーヒーを一口飲んだ。それからカップに両手をこすりつけて温もりながらフンケルを見た。

「私にとって恐怖心というのは、人間の根っこにある感情の一つです。孤独とか、愛への憧れとかと同じように。それが？」

「あのルーマニア人は、恐怖心からマルティンを撃ったと？　純粋な恐怖心から？」

「言いたいことはわかってますよ、チャーリー」

「タボール・ズューデンが隠れているのは、恐怖心にカタをつけていないからだと、君は思っているのか？」

「それについては考えたくないですね、今は」とトーンが言った。「奴がこのまま仕事を辞めてしまうのか、とりあえず停職扱いになって、代わりの者を付けるのか、ですよ、今大事なのは。緊急を要するから」

「捜査官としては、奴の右に出る者はいない……」

「奴は《ジコチュー》です。それにオカルトっぽいし。そんなもの、警察官としちゃいらないと思うんですが」

「いや、奴はスピリチュアルな人間なんだ。ときどき、物事を見る目が俺たちとは違う……」

「奴をクビにするんですか、それとも？」

「それがわからないんだ。なあフォルカー、どうすればいい……」

二人は同時にコーヒーをすすり、同時にカップの中を覗き込んだ。黒い沈黙が充満していた。


暗闇を覗き込んでいると、その暗闇からあの慣れ親しんだ姿が、あの顔とあの微笑が形となってくる。その顔が現実になり、その顔が不滅に思えてくるのだ。このごろは夜ごと自問するのだった。なぜあのとき、俺も一緒に逝ってしまわなかったのか、と。陽の光が差し込む、あの明るい部屋でその顔が姿を消したときに。なぜ日の光がさしたのだろう？　突然彼は椅子から立ち上がり、そのまま動かなかった。体を前に曲げてビールの瓶に手を伸ばした。一気に飲み干してから、先ほど食事を取ろうとしてやめた木のテーブルに瓶を置いた。もうすぐ夜中の一二時だ。上司のフンケルが家まで送ってくれたとき、ぐっすり眠るように、明日の一二時までは署に顔を出すなと言われた。ぐっすり眠る、か！　五六歳の誕生日以来ぐっすり眠ることなど、彼はした覚えがなかった。実に五年もの間。その五年前から、墓石にはエルフリーデ・ヴェーバーの名前が刻まれている。もしその名前が我慢強く、雨にも負けず、雹にも負けず、雪にも、そして退屈な日常にも耐えたなら、きっと何年か後には、パウル・ヴェーバーという名前がお供することになるだろう。たぶん五年も待たずにすむさ。

エルフリーデが贈り物用の包装紙を敷き詰めた引出しの中に、七連発銃がしまってある。スイスの同僚がこっそり探してきてくれた珍品だ。弾も七発揃っている。しかし彼には一発で十分だ。そうすれば、こんな夜はいきなり終わる。

その気になればそのまま現場で頑張れたし、電話の聞き込みだって続けることもできたかもしれないのに、今日みたいに、署長に帰って休むように言われると、自分のアパートがまるで墓場のように感じられる。彼は靴を脱ぎ居間に入って座り込んだ。ローデン製のコートのボタンをかけて、手をポケットに突っ込んだまま、食卓に目をやった。額縁に入った写真が一つ置いてある。顔が二つ。その一つは微笑んでいて、もう一つの顔はこちらを見ているだけだ。

テーブルの上にはパンが二切れ、ブルーの皿に置きっ放しだった。もう一つの淡い赤色の皿には、ハムにラップがかけられている。バター入れ、辛子入れ、空のビール瓶。コートは先ほどニッカボッカと一緒に脱いだ。洗い立てのジーンズに履き替えたが、上は、仕事場と同じ赤と白のストライプのシャツだった。他のものに着替えようと思ったが、それも面倒だった。

いい歳をして、とりあえず誰でもいい、行きずりの家出少年の後を追いかけて、「僕も一緒に連れてって！」と叫びたくなるのだ。エルフリーデの埋葬を終えてから数日間、このまま誰にも知らせずに跡形もなく消えてしまおうか……、と考えていた。タバコでも買いに出かけるようにいとも簡単に……。いい歳をして、思い出こそが人生の華で、仕事なんかじゃないんだと、いつになったらわかるのだろうか。いつの間にか、もう六一の齢《よわい》だ。確かに仕事では、この歳までの経験は常に生かせてはいる。だが、この三部屋のアパートにいると、これだけの年月は墓石のように重い。彼はその下で、空気もなく光もなく、身動き一つせずに伏せっているような気分なのだ。答えてくれない一つの声にじっと耳を澄ませながら。ときどき、疲れ切って神が憎くて仕方がないこともある。確かに今でも、俺はカトリック教徒だが。教会税も払っているし、年に一度は、シュリーール湖畔に住んでいる年老いた母と礼拝に出かけてお祈りもする。村の住民にとって俺は、人間の善を信じて悪と戦う立派な警察官なのだ。まさかこの俺が。毎日椅子に座って、ドアの隙間から漏れる廊下のおぼろげな灯りを頼りに、自分と死んだ妻の写真をぼんやり眺めていると、毎日署に出かけて行って、本当は自分が何をしているのか、それがわかってくるのだった。関わった人間たち——同僚や、目撃者や、犯罪者や、容疑者や、被害者の遺族たち——が醸し出す、それぞれの孤独の徴《しるし》を見つけようとしているのだった。それが、彼らの行動と言葉の隠された意味を解き明かす鍵なのだ。

パウル・ヴェーバーは、自分を孤独のスペシャリストと思っている。だが、よく考えてみると、それは今に始まった事ではないように思える。エルフリーデがまだ生きていた頃、あのときからすでにそうだった。彼女と一緒に過ごすひとときひとときが、俺には幸福な時間であり、花で飾られた時間だった。三日とおかずに彼女は俺のためにダイエット・ケーキとハーブティーを署に差し入れてくれたものだ。おかげで、残業が何百時間になろうが、仕事の途中でも彼女がそばにいてくれた。すでにそのころ、ときどき子供のころのことを思い出したものだ。一人湖の岸辺に座り、白鳥たちや石ころを相手に話をしていた頃のことだ。それは、まるで深い谷底に座り、海のように広大な湖を前にして、ただ一つの小さな声を、自分自身の声を聴いているようだった。どこを見渡しても、自分より他には誰もいない。それ以来、一人ぼっちなのを恥ずかしく思うようになった。だから日曜日には教会へ行って許しを乞うたものだ。しかしやがて、人は誰でも自分なりの孤独を抱えていて、ちょうど人の声や住む家が違うように、人の孤独も十人十色なのであり、みんな自分の孤独の中で生きている、それも一生の間、ということがわかるようになったのだが。もうそのころにはそれなりに大人になっていたわけだが、いつのまにか忘れてしまった。ありがたいことに。

椅子からさっと立ち上がって、手をつけていない夕食を手にキッチンに入り、冷蔵庫から冷えたビールを取り出した。同僚のタボール・ズューデンが早く署に帰ってきてくれたらいいのにと思った。彼とならそんな話ができる。まるでこの世の常識中の常識を話題にするかのように。

それに、タボールなら確実にラファエル少年を見つけ出せる。前祝いというには気は早いが、彼とラファエル少年のために、一人で酒杯をあげた。服を脱いで裸でベッドに横になった。エヴェリン・ゾルゲのアパートと同じオーデコロンの匂いがした。突然彼女のことが思い出され、体が温かくなってきた。両股を大きく開く。彼の手がそれに襲いかかった。一年ぶりのことだった。

時計の針が真夜中を過ぎる頃、それはマルティン・ホイヤーにとっての夕暮れの始まりだ。赤い縮緬《ちりめん》紙を貼り付けた窓を閉めるように、とリーロが彼に頼んだ。ついでに木製テーブルの上のティファニーランプも消すように言った。その間、彼女はベッドサイドに置いてあるロウソク立てのロウソクの、たった今火をつけたばかりの火を吹き消した。ベッドは、目の荒い白い麻布を鏡の前に掛け、幅広のマットレスだ。壁のいたるところにタオルが掛かっている。壁の後ろに設えた、遮音のための張板が見えないようにするためだ。遮音しているのは、ときどき男たちがやってきて、彼女にマッサージをしてもらっているときや、あるいは鞭で打ってもらっているときに叫び声をあげるからだ。中にはしくしく泣きだしたり、赦しをこうだけで満足する男たちもいる。リーロに危害を加えるつもりなどもちろんない。彼女はジーメンスアレー近くの小さな部屋で潜《もぐ》りの商売をしている。もちろんそんなことは彼女の客——エンジニアや、会社役員や、勤め人——にとっては、どうでもよいことだ。昼休みに手っ取り早く済ませてくれれば文句はない。

　リーロが三人の女たちと共有しているこのアパート——男客をもてなすのはそれぞれ自分の部屋なのだが——には、警察の手入れはこれまでのところ、のがれている。もっとも、東欧からの未成年の売春婦の摘発のために町中のマッサージサロンを見回っているのは事実で、リーロの常連客であるこの刑事には、サロンの実情はしっかりわかっているのだが。

マルティン・ホイヤーとリーロの仲はかれこれ七年になる。徐々に病みつきになっていった。同僚に見つかりでもしたら、二人とも職を失うことになるだろうが、彼のほうが痛手が大きいのは確かだ。五六歳になるリーロは、夫と別れたあと、ある画廊に雇われたが、その画廊が潰れたので、中央駅近くの歓楽街にあるバーで働いていた。彼女の得意技は指技で、男たちとのセックスは断っていた。彼女の技《わざ》があまりに見事なので、男たちはあえてセックスを迫ろうとはしなかった。ある夕方、マルティン・ホイヤーは中央駅近くにあるそのバーに入ったのだが、それからは毎日のように行くようになった。

　マルティンがすぐ近くの警察署の刑事だということを女は知ってはいたが、彼が小部屋を足繁く訪ねてくるようになるにつれ、その度に体を指で撫でてあげ、彼の沈黙の言葉に耳を傾けるうちに、二人は打ち解け合い信頼し合うようになっていった。ときどき彼は仕事のことや、超過勤務のことや、ストレスや危険な場面での体験について話したりもした。一年後にはセックスを許したのだが、彼はこの分野では決してエキスパートではないことがわかった。そのかわりに、彼は不在のスペシャリストであったのだ。女の中に入り込み女の体を強くつかんで離さない。そして女は彼の痩せて骨ばった体に爪を立てて応じる。しかし女には、彼はもうとっくに影だけを残して消えてしまったかのように思われるのだった。女をじっと見つめているときでさえ、女のことを見てはいない。女の体に触れてはいても、その手は女の胸の上をまるで得体の知れないもののように滑っていく。鏡に映る己の姿を見つめて、吐き気を催すように顔をしかめるのだった。

女は男の気を紛らわそうと、驚くほど柔らかい男の肌の染みの一つ一つにキスをしたり、なだめすかして、もうワン・ラウンドお相手を務めさせたりもした。しかしそれも、あの長い冬の夜以来効き目がなくなってしまった。睡眠薬や、本当は好きでもない酒を飲まずに眠ることができない、夜通し街中の酒場と売春宿をはしごしてみても、心を落ち着ける場所がない、とその夜、彼は女に打ち明けた。それからは、女がその指と舌で工夫の限りを凝らしてみても、どうしても女を抱こうとはしなくなった。そばに横たわったまま、麝《じゃ》香《こう》の臭う暗い虚空を見上げるばかりであった。

ちょうど今、窓を閉めて再びベッドに横たわったのと同じように。

「あんたの白い肌、また見られるのね」とリーロが言った。「また痩せた？」

答えはない。

「ねえ、マルティン。あんたね、お金なんか今返さなくてもいいのよ。心配しないで、あたしならなんとか大丈夫だから」

廊下から隣人の話し声が小さく漏れてくる。ここに住む四人の女たちには完全に遮音するほどのお金はなかった。それにどうせ使うなら、香水や衣装に回したほうがましなのだ。

「金は返すよ。なんでそんなに借りたんだろう？」と虚ろな声が返ってきた。

彼女はマットレスの上で彼の横に座り、赤みがかった光の差し込むドアの鍵穴の方に目をやった。

「あんたがトニーから六〇〇〇マルク借りて、そのうち二〇〇〇マルクで新しいズボンとちゃんとしたシャツを買ったじゃない。酔っ払って私の自転車から落っこちた後よ。もう忘れたの、ダーリン？」

「忘れたなあ」

「もう半年も前のことだから」

「君から金を借りてたなんて、忘れてたよ。バカだよな。仕事ばっかりだし、他のことはなにも考えない。毎日昼も夜も。そりゃ悪かったな、リーロ、ゴメン」

「もう一〇回目よ、そのセリフ。あんたがすまないと思っているのはわかってるわ」

「申し訳ない」

「なんだってまた、今日そんなことを思い出したのよ？」彼女は彼の方に体を寄せて、手のひらを彼の胸に置いた。だが彼の胸が弾むことはなかった。

「職場の同僚が、貸した五〇マルクをいつ返してくれるかって訊いてきたからさ。どうしてもロトを買いたくて、そいつから借りたんだ」

「そう」

「申し訳ない……明日返すよ。遅くとも明後日には。約束する、リーロ……」

「わかったわ。例のいなくなっちゃった子供のことで忙しいのよね、あんたたち。かわいそうな話よね」

「署の半分が、かかりっきりなんだ。誰も休みを取れないし、休暇も無理だ。もちろんあいつ一人を除いては……」

「あの人がいなくなってよかったじゃないの。あの人のせいで、あんた散々な目にあったんだから。あんたは利用されたのよ、わかってるくせに」

「違うんだ。わかっちゃいないんだ、君は……」

「わかってますよ、ちゃんと。私の元旦那だっておんなじよ。他人に働かせて、うまくいったら自分の手柄だし、しくじったら、こっちのせいにするのよ。よくわかってるのよ、あたしは。なのにあんたは、あの人のことばっかりあれこれと話してたわよね」

「話すんじゃなかった」

「それで？　電話してきた、あの人？　あれから連絡でもあったの？　あんた、親友じゃないの？　あの人にとっちゃ」

「もういい、リーロ。静かにしてくれ、頼むから！ここで寝ていってもいいかな」

「ダメよ。わかってるでしょ」

「申し訳ない」

二人は黙った。

リーロが立ち上がり、シャワー室の隣の部屋の反対側の戸棚の方に行った。お客への特別サービスのために作らせたシャワー室だ。タバコに火をつけ、聞き分けの悪いドクター・ロックスからプレゼントにもらった銀製の腕時計を手に取って、目の近くまで持ち上げた。一時一〇分だ。普段なら最後の客は二一時までで、遅くとも二時間後には店じまいなのに。

「あの男のために、自分を責めるのはやめてほしいのよ。あの男のせいよ、あんたが眠れなくなったのは。自分でそう言ってたじゃない……」

「違う」

彼女はマットレスの前に立ったまま、タバコを吸い込んで、鏡に向かって煙を吐き出した。「あの男のことはもう聞きたくないわ。わかったでしょ？ 会ったこともないし、あんたの話からしか知らないんだもの。十分だわ、それで。それ以上は知りたくないの。あんた、もしかして寂しいの？ 戻ってきてほしいの？ まだ懲りないの？ 一体どうしたのよ、あの男のどこがそんなにいいっていうのよ。自分だけのために部署ごと何週間も駆り出して、挙げ句の果てに、ひとりの若い女がむごい死に方をさせられたのよ。あの男が自分のエゴイズムのために現実を無視したからでしょ！」彼女は怒りといっしょに煙を吐き出し、後ろを向いてタバコを口にくわえたまま肩からバスローブを着た。


ホイヤーは上半身を起こして、喘ぎながら指の関節で側頭をさすった。頭の中のガンガンする音は消えていたが、その代わり、禿げた部分の瘤《こぶ》が大きくなっていた。

「タボールが必要なんだよ。あいつじゃないとダメなんだ」と彼は言った。「この捜索に必要でない奴なんかいるもんか」

「向こうからあんたに連絡があったの？ あったの、なかったの？」

彼は頭をもちあげて暗闇の中に女の姿を見た。ベルトが解かれたままの白いバスローブを見た。彼は女の体に向かって大きく腕を開いた。「俺にはあいつの気持ちがわかるんだよ。この世の誰よりも」と彼は言い、女は口から煙を吐き出した。それからホイヤーが開いた腕を素通りしてドアに向かった。それから振り返って、くわえていたタバコを口から離した。

「それにしても、あたしはあんたって人がわからないわ。あの男から、なぜ自分を守らないのよ？」と彼女が言った。

「あいつに責任はない」と彼は言い、手を合わせて両膝の間に突っ込んだ。

「あんた大人でしょ、マルティン。もう四〇になるのよ。自分の人生に責任があるでしょ！」そう言ったとき、彼女は一瞬後悔した。だが同時に、それでマルティンが傷つくはずもないとわかっていた。彼にはその言葉が届いていないのだ。マットレスにうずくまり、うなだれて、両脚を折り曲げて、両手は膝の間に――暗闇の中の灰色の影のようだ。

「ここにいてもいいわよ、今日だけ特別に」とリーロが小声で言いながらドアを開けた。

「行かなきゃ」その声はまたもや、壁の向こう側から聞こえるようだった。

「いなさいよ、マルティン、いていいのよ！」

「出かけなきゃならない」

「もう夜中よ」

「夜中だろうと何だろうと同じだよ」

「心配なのよ、あんたのことが。わかるでしょ？」

けたたましい呼び鈴の音が二人の会話を切り裂いた。玄関ドアに誰かがいるのだ。

「服を着て！」とリーロが言って、廊下を爪先立ちで他の女たちの部屋に歩いていった。最初に出てきたのは、裸で眠そうな二六歳のネリーだ。ついで三一歳のロージーと三六歳のパトリシア。二人は同じ部屋で寝ていた。彼女たちは従姉妹どうしだと言い張った。それが二人同じベッドに寝ていたことの説明になるとでも言うように。主な間借り人であるアルネリーにとって、そんなことは知ったことじゃない。

「ドアを開けなさい、警察だ！」呼び鈴がまた鳴った。誰かがドアをノックしている。

「クソッ！」とネリーが言った。

「こんな時間に何だろう？」とパトリシアが言う。無意味な疑問のスペシャリストだ。

「あんたどこにいるの？」とリーロが囁いて、玄関ドアのすぐそばの自分の部屋に戻った。ホイヤーはボンバージャケットを着て、顔を手でさっと撫でながら、リーロのすぐ前のドア枠に突っ立っていた。

「どうしたらいい？」とホヤーが小声で訊くと、離れたところにいたネリーが挨拶するように肯いた。

「ロージーの部屋から屋根によじ登るの。そこからハシゴで下に降りられる。そのはずよ」とリーロが言った。

「今日はこれで二回目だな、よじ登るのは」とホイヤーが言い、その場を立ち去った。ドアのノックはますます激しくなっていた。

「ここを開けなさい。さもないとドアをぶち壊すことになる！」と一人の警官が叫んだ。

「二回目って、一回目はどこでよ？」とリーロが、パトリシアの寝室の隣にあるロージーの仕事部屋へのドアを開けながら、そう訊いた。革とオイルの匂いがする。左側の壁には木の斜め十字（聖アンデレの磔にちなんだ十字）が鎖と革紐で吊るされていた。

「この板、きっちりハマりすぎてなかなか動かないのよ！」

　リーロはロージーが外から光が入らないように、窓塞ぎのために打ち付けておいた黒い板を、力づくではずし、床におき、窓を開けて、両腕をホイヤーの首に回した。「急いで！　家に帰るのよ！　家に帰って！　ダーリン！　これどうしたの？」彼の後頭部の膨れたところを手で触った。

「瘤だよ」と彼は言って、女の手を振り払ってから、脚を暖房装置に鎖で固定した椅子の上に登った。「さっき言っただろ、今日は二回もよじ登ったって。一回目のときに滑って落ちたんだ」

　痩せぎすのホイヤーは、難なく窓から潜り抜けることができた。屋根の斜面は濡れていた。下の階の屋根に続く梯子が見えた。ここは四階だ。

「本当のことを言いなさいよ、マルティン」と、黒い板を上にもちあげながら、リーロが言った。「また撃たれたの？　私になら言えるでしょ！　誰かに撃たれたの？　だから今日、あんなに黙りこくって、上の空だったの？　なんであたしに言ってくれなかったのよ、マルティンたら！」

　彼は上体を下に曲げて雨樋をしっかりとつかんだ。

「違うんだって」と彼は言った。「誰も撃ちゃしないさ。だから、さあ急いで。でないと、ドアをぶち破られるぞ！　この時間帯は、あいつら、容赦ないかならな」

「あたしだって、そうよ。もうどうしようもないじゃない！」彼女は窓をバタンと閉めて、板を窓の前に押し当てた。そろそろ、こんな男にゴム製のオモチャのように弄ばれるのが我慢ならなくなってきた。仕事中にでもくたばっちまえばいいんだ、このクソ刑事！　いざとなったら、あたしのそばにいてくれるかしら？　例えば今なんかみたいに。そんなときに限って窓からずらかろうっていうんだから！　いっそのこと、引き出しのピストルで、ドアから最初に入ってきたデカの口に一発ぶっ放してやったほうがよっぽどましだわ。行っちまいなさいよ、マルティン・ホイヤー。もう二度とここへは来ないことね！　でも、その前にあたしのお金を返して！　病気だと言って休むか、精神科に行くのがいいわ。でもあたしのところはダメよ。あんたなんか助けてあげられないもの！　助けようったって、あんたがそうさせてくれないじゃないの！」

　廊下に足を踏み出したとき、警官が――男が三人、女の私服警官が一人――ちょうど玄関ドアを開けて入ってきた。「何かご用？」とリーロは大声で出迎えた。

「まあ落ち着いて、レイディ」と大きな声が答えた。そんな返事に応じる気もないので、キッチンに入ってアラック酒を注いだ。常連のムスタファのおかげで、いつも冷蔵庫にボトルを冷やしてあるのだ。

　その間にホイヤーは、今夜二回目の避難梯子降りをして、見知らぬ家の暗い中庭を走り抜け、金網フェンスをよじ登って、人目につかぬように側道に停めてある古びた愛車のＢＭＷにたどり着いた。幹線道路まで歩く速度で移動し、右に曲がって三〇〇メートルほど行き左に曲がった。そこからヴォルフラーツハウゼン通りを中央環状線方向に向かった。環状線を東に向かって走り、五分後にはクンストパルク《アートパーク》・オストの広大な敷地に到着した。ここで彼は空っぽの駐車場ではなく、グラーフィング通りに車を停めて、あとは歩いていった。ナイトバー――レストランというより、どちらかというと駅の食堂といった趣だが――では、まばらな客が、それもおおかたは一人で、ビールを飲みながら、いつもと変わり映えのしない空間を見つめていた。スピーカーからは流行歌が流れている。

　マルティン・ホイヤーはカウンターに座ってビールを注文した。

「オルガスムス（カクテルの一種）も一緒に？」とマスターのザカリアスが訊いた。彼はシカゴ・ブルズ（米シカゴを本拠とするアバスケットボールチーム）のロゴ入りのブルーの野球帽をかぶっている。ホイヤーは首を横に振ったが、ザカリアスは無視してカクテルもサービスした。ホイヤーは乳白色の飲み物を入れた小さなグラスを眺めた。そして、クレーム・ド・カカオ、ゼクト（発泡ワイン）、ウオッカ、アマレット、それに生クリームを混ぜた、この身も心もボロボロにしてしまう飲み物を親指と人差し指でつまみあげて、高く掲げた。

「これが今日の一杯目かい？」とザカリアスがニヤリと笑って物憂げに訊いた。

「ご利益がありますように《メーゲ・エス・ニュッツェン》！」とホイヤーが言ってから、再びタボールのことを思い出した。九カ月もの間、電話一本くれるわけでもなく、あいつの勝手な夢がホイヤーをハンセン病患者のように扱ったことを到底許すわけにはいかないのだが、それでも今でもあいつが自分の親友であることに変わりはない。

カクテルを飲み干し、ビールで口と胃を洗った。フレディが「若者よ、帰っておいで」と歌うように言うのに応えて、マルティン・ホイヤーが二杯目のオルガスムスを飲む。そのあと、窓際のテーブルに腰かけて、ジャケットから紙切れを取り出し、上体を屈めてなにやら書き始めた。

それから、数時間の間に自分が建物の窓から二度も——一度目は追跡者として、二度目は逃亡者として——飛び出したことに想いを馳せた。あっという間に役割が入れ替わり、人の運不運も交替するものだ。

一杯目の赤ワインを飲んだあと、彼女は、どうしてマルティンを一人で帰らせてしまったのか、どうして家まで付き添わなかったのかと、自責した。だがすぐに彼女はもう彼のこともヴェストエンドの家での出来事も忘れてしまった。それどころか、あのルーマニア人がマルティンの拳銃を手にして突然引き金を引いた、そのこともすっかり忘れてしまっていたのだ。

三杯目のキアンティを飲み終えたとき、ふと彼女は列車のコンパートメントに座って南《ズューデン》へ向かっている自分の姿を目に浮かべていた。ズューデン《南》へ！　彼女は二つのズューデンに向かっているのだった。一つは方位の南へ、もう一つはズューデンという名の男に向かって。彼女は男の名前が羨ましかった。警察署のパーティーで初めて会ったとき、「私はズューデンだ」と彼は名乗った。そのとき彼女は返す言葉がなかった。ズューデン《南》に弱いのだろうか？　ズューデン《南》は私の夢？　中肉中背で、暗いブロンドの髪を肩まで伸ばし、目は光のあるグリーン。両側に編み上げのある茶色い皮のズボンを履き、ゆったりした白いシャツは、茶色く焼けた夏の肌の上に輝いて見えた。人が大勢集まったところに幽霊のようにぬっと出てきて、ハスキーな声で、私はズューデンだ、と手を差し出されたとき、彼女の返事はどうだっただろうか？　確か、すぐに思いついたこと、つまり自分の名前だった。私はファイヤーアーベント《仕事仕舞い》です、と答えたのだった。名前に縁起があると思う？　彼はそう訊いてきた。もちろん、休みの日は気分がいいわ、と彼女は答えた。そうだね、わかるよ、と彼は言った。彼女は言葉を忘れて彼の手を取り、そして彼はその手を強く握り返してきた。

　そして今、五杯目のキアンティを飲みながら、彼の手が未だに彼女の手から放れないでいるような気がする。彼はまだ私の手をしっかりと握りしめたままなのだ。全力を振り絞って、苦痛に喘ぎながら彼の手から逃れようとしても。だがそれでも、電話器に目を落とすとき、ひょっとしてそこから彼の声が聞こえてきはしまいかと胸弾ませる。ここ二、三日のように、誰かが彼の名前を口にしたときは、思わず仕事部屋から逃げ出してしまうのだった。これまで、仕事場で涙なんか見せたことは一度もないのだ。

　九カ月もの間、自分には連絡がない。だから彼を憎んだ。離れて見る余裕もなく、平静を失ったまま、彼への愛と同じ強さで彼を憎んだ。彼の胸に抱かれるごとに彼を呪った。そしてもう二度と会いたくない、できるだけ早く自分の前から消えて欲しいと思った。もしや彼が帰ってきて再び仕事を始める日が来るかもしれないと思うと、彼女はパニックに襲われつつも、その瞬間を待ち望むのだった。

　でも、絶対にしないと決めたことが一つある。これだけは譲れない。自分に誓ったのだ。そしてこの誓いは神聖なものなのだ。どんなことがあっても、彼に向かって、帰ってきて欲しいと懇願したり、森の妖怪であることをやめて再び普通の人間になって欲しいとせがんだりしない、自分からは決してしないと。彼の方からやって来るかもしれないし、来ないかもしれない。手紙もハガキも絶対に書かない。たとえ一年経っても、二年でも、あるいは三年が過ぎても、この誓いは変わらない！　動くのは彼のほうだ。自分ではない。責任を自分自身に転嫁したのは彼なのだ。私ではない。私は、彼がルチア・シモンの死の責任を自分自身に被せたことで、彼を非難したことなんか絶対にない。彼はいつもそうなのだ、まるで責任を被るのが自分の意思であるかのように。

　突然なぜこんなことが思い浮かんだのだろう。列車に乗って、ズューデン《南》へ行くなんて。残りのワインをグラスに注ぎ、黙って飲み続ける自分にいささか愕然とした。飲み干したボトルを、キッチンの籐カゴに並べた他の空瓶に加えた。

もうクタクタで眠いのに、寝入るまでに一時間はかかることはわかっている。明日も、ああもう今日だ、また七時に起きて皆と一緒にあくせく任務に就かなければならないのに、一人だけは違う、と考えると、怒りがこみ上げてくる。森の中で鞭打ちの苦行だなんて。職務を放り出しておいて、自分の気持ちを大切にしたいからって、自己憐憫に閉じこもって、仲間を置き去りにしたじゃないの。もうかまっちゃいられないわ。職を解かれようと、そのあと彼がどうなろうと、彼女にはどうでもよくなっていた。私にはもうどうでもいいの、彼の将来の保護者なんかじゃないんだもの、私は。もうとっくの昔に。

彼女は窓辺に近づいて、電話器を胴の膨らんだ白い棕櫚の鉢カバーの後ろに押し込んだ。そうすれば部屋からは見えなくなるからだ。振り返ってバスルームに入ろうとしたとき、電話が鳴り出した。

呼び鈴は大きくはなく、ゴロゴロと唸るようでもあり、軋むようでもあった。驚いて棕櫚の木を凝視した。まるで呼び鈴を鳴らしているのがその棕櫚であるかのように。それから受話器を取った。

「もしもし？」と言ってから、彼女は受話器を耳から数センチ離した。電話が本当に鳴ったのかどうかわからなくなったのだ。

「ソーニャか？　遅くにごめん！　すぐに署に来てくれ！　結論が出たんだ。フォルカーと私とで決めた。君とも関係がある。特に君にだ」

「眠りたいんです」と彼女は言った。

「頼むから来てくれないか。あとで三時間でも四時間でも眠ればいいじゃないか」とフンケルが言った。

「朝の四時なのよ」

「ああ。それに、新たな手がかりが見つかったんだ。すぐに当たらなきゃならない。だが、先に君と話し合わなきゃならないんだ。だから今すぐに」彼は受話器を置き、そして彼女は受話器を手から離さなかった。磁石で固定されたように。

それから、何か物音がした。目をやると、窓辺の外に一羽のクロツグミが佇んで、黄色いくちばしで優しく窓ガラスを叩いていた。

7　タボール・ズューデン

「ノーよ！」

　最初にそう叫んだとき、彼女は椅子から立ち上がって二人の男を睨みつけた。二人は彼女の凝視から目をそらさずに、机に手をついて体を乗り出した。二〇秒間、誰も一言も言わなかった。やがてフォルカー・トーンは体を元に戻し、肩をすくめた。だが、カール・フンケルは彼女にさらに詰め寄った。

　五度目にそれを口にしたとき、彼女はすでにドアのところでコートのボタンをかけていた。止んでいたはずの雨がまた降り出し、窓の前のトタン屋根を激しく打ちつける音に、苛立ちをさらにつのらせて、彼女はそのセリフをもう一度吐き出した。

「ノー！」

「じゃ、話は決まったな」とトーンが言って、目の前に広げてあった人事記録をボールペンで叩いた。

　フンケルの部屋は髭剃り用のお湯と冷たいパイプの匂いがする。机のランプも、天井の照明とともに煌々と灯っている。二枚目のフリップを、ソーニャ・ファイヤーアーベントは三〇分たった今初めて目にした。そこには、これまでにラファエル・フォーゲル失踪事件に関わった全員の名前と割り当てられた役割が記されている。

　彼女は口からキアンティの匂いがするのを感じた。署に向かう車中で噛んだユーカリ入りの飴玉が効果を発揮すればいいがと願った。眠気のせいで瞼に錘《おもり》がぶら下がっているみたいだ。瞼《まぶた》をなんとかして一秒以上閉じないように努力した。その場で床に倒れて眠り込まないように、目をパチパチと開け閉めした。

「つまり、奴は未だ帰ってこないでほっつき歩いてるってことだ。わかってるのか、ソーニャ？」とフンケルが言った。

「私のせいじゃないわ」

「すぐに手紙を書くとしよう。そうすれば今日午後には本庁に届くだろう」とトーンが言った。「捜査全体の状況からすれば、あまりやりたくはないのだが、仕方がない」

「聴いてるのか、ソーニャ？」フンケルがソーニャを睨んだ。そのとき彼女は猛烈な喉の渇きを覚えた。窓の下に並べられたミネラルウォーターの空きボトルの中から、半分ほど中身が残っているボトルを見つけて、一気に飲み干した。

「ちゃんと聴いてるわ」と彼女は言い、ボトルのキャップの内側を指で叩いた。クロッグミが窓を叩いていたのと同じように。「よくわかったわ、あなたたちが責任を誰かに押し付けたいってことを。つまりこの私にね……」

「何を言ってる！」とトーンが言った。

「この失踪者捜索課の主任はあなたよ」と彼女は言った。「タボールは直属の部下でしょ。だったら、どうして自分で話をしないの？　彼に。それがあなたの仕事でしょ。違う？　フォルカー」

「私の仕事じゃない」と彼は少し声を荒げた。するとフンケルが「それは違うだろ」と言いたげな表情で頭を持ち上げた。

「私も、話し合ってみようと思って、やってはみたんだが、もうこりごりだ。例の村へ行ってみたよ。奴が森の中のどの掘っ立て小屋に隠れているのか、乞食のように何時間もかけて訊いて廻ったがね。二度とごめんだね！　帰りたくないのさ、奴は。無理強いは嫌だね、私としちゃ！」

「彼と話し合うつもりなんか、どうせ最初からなかったのよ。みんながそうするようにあなたに頼んだから、行ってみただけなのよ。どうすることもできなくて、私たちもバカみたいにあなたにせっついたのよ。それだけ。タボール自身に何があったのか、そんなこと、あなたにはこれっぽっちも関心がなかった……」

トーンが遮るように、「もういい、ソーニャ！　そんなことを蒸し返してどうなる、この期に及んで……」とぴしゃりと言った。

「今だからこそ言ってるの……」

「そうじゃないよ！　君だって言ってたじゃないか、狂人のふりをして、殉教者になろうとしてるって。現実とはおよそかけ離れたことを思い込んでるって。ソーニャ、君自身が、もうそんなやり方にはうんざりだって言ってたじゃないか、君自身が……」

「あなた、記憶喪失にでもなったの？　彼にも、それから彼のやっていることにも、うんざりだなんて、私は言ったことはありません。私が言ったのはね、彼が何かにはまり込んでしまっていて、私たちにはどうにもしてやれないってことよ。まして、彼とは個人的な関係もあった私にできることなんかない、それにチャーリーのこともあるし、って言ったの。でもそんなこと今はどうでもいいでしょ。あなたの仕事でしょ、部下と話し合って事情を説明するのは。私の仕事じゃないわよ！　絶対に！」

赤いボトルキャップが机の上にポトンと音を立てて落ちた。

「ソーニャが適任かどうか、私も未だに確信はないんだ。彼女のところに連絡はないままだし、今頃どうして急に彼女と話す気になるだろうか」とフンケルが言った。

「あなたたちの考えがよくわからない」とトーンが言った。「誰も奴のところにやる必要はない。はっきりしてるだろう。奴が申請した特別休暇期間は終わったんだ。期間延長を申請したわけでもない。たとえしても許可はおりないだろうけどね。だから規則上ははっきりしている」

「規則が許せば、なんでもできるってわけね」とソーニャが言った。寒気がしてきた。一刻も早くここを退散して眠りたかった。ほんのひとときでも一人になりたかった。

「必要なら、警察官職務規定を持って来ようか？」とトーンがそう言ったとき、ソーニャは、彼が今日はネッカチーフなしで、濃紺のシャツと白いTシャツ姿だということに気づいた。「職務とは無関係にどれくらいの期間、休暇を取れるか、覚えているか？　言ってみろ、ソーニャ」

「そんなことは誰でも知ってるよ」とフンケルが言い、時計を見た。五時を八分過ぎている。

「大臣閣下に異論がなければ六カ月、あるいはもっと長く取れるわ」とソーニャが言った。これ以上トーンの知ったかぶりにまともに付き合うには疲れ過ぎていた。

「間違いだね！　申請を却下するに足る重大な理由がない限り、だ。その重大な理由というのは、例えば妊娠したとか……」

「やめないか、フォルカー！」とフンケルが言った。

フォルカー・トーンは怯むことなく続けた。「しかし、姿を消した九歳の少年の身に何か良からぬことが起こるかもしれないという事態は、失踪者捜索課の刑事が、どこかの森の中でのんびりとリスに剥いてもらったクルミを食べていてもいい、なんてことのための重大な理由にはならんぞ、絶対に！　これは職務規定に対する重大な違反だ。そんな人間をこの課に抱えておくなんて、私には我慢できない。ここ数カ月の間、ズューデンを必要とした場面が何度もあったんだ。だけど我々は彼なしでもこなしてきた。私は奴の特別休暇を許可した。だが、もうそれもおしまいだ。今回の件は我々の手に余るものだ。だから一人でも休ませておく余裕はない。たとえそれが、彼が精神の均衡を回復できないでいるという理由でもね。それは確かに苦しいとは思う。だが、ここには優れた心理療法士もいるのに、奴はそれを断った。もう刑事を辞めたい、あるいは続けられないということなら、それも仕方ないだろう。ソーニャ、私はね、そもそも君をここに呼ぶのには反対だったんだよ。チャーリーに言ったんだ。奴を免職すべきだと。このままでは奴の精神状態がよくなる見込みはないからね。タボールは、自分から私たちにおさらばしたんだ。それで一人の有能な同僚を失うことになっても、奴の心の危機に付き合う義務は、私たちにはない。我々の任務は続くからね。そうなれば、私としては替わりの新人をあてがってもらうように掛け合ってみるさ。君にもう一度、タボールと話し合ってくれって頼もうと言ったのはチャーリーなんだよ。私は無駄だと言ったんだがね。そして、その気はないと、きっぱりと君自身の口から聞かされたわけだ。だから話は終わりってことだ。こちらから手を差し伸べても、それを断るし、普通の生活を送ることができないような同僚一人にこれ以上拘《かかずら》っている暇は、我々にはない」

そう言うと彼は立ち上がり、フンケルと、コートのボタンをかけようとしていたソーニャを一瞥《べつ》してから、ドアに向かった。そのとき、アフターシェーブの匂いまで嗅がされるとは思わなかった。ソーニャは鼻を手でつまんだ。

「どうした?」とトーンが訊いた。

彼女はフンケルの方に向かって、「私にタボールと話してほしいって、なぜ?」

フンケルは上瞼の縁を手で掻きながら、「自分でももうわからなくなったよ、本当にそうしてほしいのかどうか」と言った。

「彼にここにいて欲しいの、欲しくないの? イエスなの、ノーなの?」

「ノーだ」とトーンが刑事部長に代わって答えた。

「イエスなの、ノーなの?」彼女は目からフンケルを逃さなかった。彼も立ち上がった。背中をいっぱいまで曲げて、ため息を大きくついてから、右側の見える方の目をこすりながら、デスクから離れた。

「奴をここに置くことについて、私には責任が取れない。彼には六カ月間の特別休暇を与えた。奴はそれをさらに三カ月間延長した。大臣はそれには反対したんだ。だから私がなんとか説得した。それは君も知ってるだろ。タボールはこれで九カ月間も休んだことになる。その間、我々はその穴埋めをした。特にマルティンと君は、奴の代わりとして途中から加わって頑張ってくれた。助かってるよ。タブ（タボールのこと）は失踪者捜索課に来て八年になるが、奴の仕事ぶりについて、知らないものはいない。子供を見つけ出してもらった両親からの感謝の手紙や、一旦は蒸発してみたものの、奴に見つけ出されてから、思いの丈を吐き出すことができてホッとしたっていう失踪者たちからの感謝の手紙が、このファイルにどっさり入っているくらいだ。その同僚をだよ、今、放っておくわけにはいかないんだ。だから、奴を森の中から引っ張り出せる人間は、君しかいないと思ったんだ。だが今は、それもどうかなと思ってる。申し訳ないが、君の言うことが正しいと思うよ。なぜ君がやらなければならないのだ？　君の仕事ではない。本当に奴に帰ってきてほしいなら、フォルカーと私が奴と話すべきだ。フォルカーにはそれを拒む理由があって、私としてはそれは正当な理由だと思う。で、私だが――私は奴の腕を評価しているし、同僚としてもいい奴だと思っている。奴の逸脱した行動や、豊富な経験と人間を見る目があるゆえの、いわゆる予言能力にもかかわらずだ。だが私は奴のお守役でもなければセラピストでもない。友人ですらない。君は、ソーニャ、君は奴の一番の親友だろ。マルティンよりもっと親しい。だから、相手が君ならば、奴もしても果たすべき義務があることをわかってくれるのではないかと、まあそう思ったのさ。だが多分、私の思い違いだろう……。ソーニャ、もううちへ帰って四時間たっぷり寝てくれ。それからまた仕事を続けることにしよう！　新たな手がかりが出たんだ。我々としては有力視している……」

「どんな手がかり？」とソーニャが訊いた。トーンが部屋から出てドアを閉めようとしたとき、後ろから呼び止める声がした。「ちょっと待って、フォルカー！」

彼は立ち止まって、顔をこちらへのぞかせた。「休暇期間を延ばすことはもうできないの？」

トーンは首を振り、そしてフンケルが言った。「期限は過ぎてしまっている。これ以上奴のためにやれることはもうないよ」

「あるわ」と彼女が言った。

「ダメだ、行くんじゃない！」トーンが言った。「もう決めたことなんだよ。今の我々には君が必要だ！」

「彼の言う通りだ」フンケルがそう言って彼女の前に立ったとき、無精髭と首筋の赤くなった細い血管が彼女の目に入った。

「その決定を先延ばししましょうよ、少年が発見されるまで」と彼女は言った。

「ダメだ」とトーンが言った。

「なぜ今ごろになって出かけようってんだ？」とフンケルが訊いたとき、彼女の口からアルコールの匂いがしたが、コメントは差し控えた。

「あなたたちが弱腰すぎるからよ！」

「私は構わないよ、行けよ。だが何も変わらないよ。タボール・ズューデンは免職だ」とトーンが言って、その顔はドアの後ろに消えた。

「あれは別に個人的な感情で言っているわけじゃないんだ」とフンケルが言った。「彼にしても自分の課のことが心配なんだ。他の連中が、タボールの名前がよく新聞に載ることに加えて、奴にチャンスが与えられるのも、いつも君の推《お》しがあるからだって、勝手なことを陰で噂し合ってるってことは、君も知ってるだろ」

「そんなこと、私はしたことないわ」

「いいや、あるんだよ。だがな、それで君を非難はしない。フォルカーと私は、君がここへ来るまでほとんど喧嘩状態だったんだ。あまりに頑固なものだから、私も腹が立った。だから君をここへ呼んだんだよ。正直なところ、彼の言うことは間違ってはいない。タボールはやりすぎたんだ。奴の不在は署全体の負担になっている」ソーニャの手にかすかに触れて、ファイル棚のところへ行った。「奴の免職通知だが、どこに送ればいいのかもわからない。奴のすみかのことだが、誰か世話している人がいるのかな？」

「お隣の女性」とソーニャが言った。確信があるわけではなかったが。

「その女性とは話したのか？」彼はしゃがみこんで、

クルミ材製の低めの棚を開いて、中に手を突っ込み、一冊の分厚いフォルダーを取り出した。

「いいえ」とソーニャは言い、しゃがみこんだ彼の上に身を屈めて、残り少なくなった髪の毛に覆われた彼の頭を見て、「もうすぐ丸ハゲね」

「そりゃそうさ」と彼は言って、身を起こしながらため息をついた。「それも神様が私を上から始終睨んでいるせいさ。烈日《れつじつ》のごとき熱い眼差しってわけだ」

「聞いたことないわ、そんなの」

「じゃあ、君の髪の毛を鏡で見てみろよ。完璧に乾いてしまってる。まるで枯草だ。それもみんな神様からの熱のせいだよ」と言いながら指で天井を差した。そしてフォルダーを机の上に置いた。それから体の向きを変え、しばらく黙っていた。「奴は来ないよ。我々は考え違いをしているんだ。奴は出て行った。全てを捨てて……、フォルカーの言う通りだ。我々には君が必要だ」

「彼のところへ行きたくはないわ」と彼女は言った。一語一語が彼女には重苦しかった。「でも彼のところへ行かなければならない。時間切れ。もう耐えられない。することもなく、彼からの連絡を待つなんて、もうできない。もう全ておしまいなんだって、そう思ったけど、でもおしまいなんて絶対にないのよ」

「わかってるよ」

「五カ月前に、エリザベート通りのアパートを引き払ってから、私、まるでウブな小娘みたいだわ。じっと家にいて彼のことばかり考えているの。今にもドアのチャイムが鳴って、彼がドアの前に立っているのを見て、やっと安心する自分を想像したりするの。バカみたいよね？」

「そんなことはない、それは……」

「バカみたいよ、あたり前だわ……、わかってます。彼が森の中にいて、ぶらぶらしている限り、彼から離れられないってことぐらい。彼から離れられるのは、私の方からそうするときだけ。彼が目の前にいて、彼と話して、彼を見て、この私の方が彼から去って行くときだけよ。私、一体何を言っているのかしら？　どうかしてるわ」

彼女はうなだれた。フンケルが近寄って両手でソーニャの肩を抱えた。彼女はじっとして、それを拒まなかった。彼は彼女の背中を撫でた。

「君こそ、奴が耳を傾ける唯一の人間なんだ……」と彼は言った。

「彼とのことで、あなたに嘘をついたことはないわ」

やにわに彼女は言い出した。彼は肯いた。「彼と一緒に暮らしていたとき、彼と寝たことはないの、信じてくれる？」

「ああ、信じるとも」彼は彼女のブロンドの短髪にキスし、彼女は彼の鼻をくすぐった。

「私たちどうしたんでしょう？　どうして私たちって、大人らしく行動して、さっさとこのごちゃごちゃした事件を片付けないのかしら？」彼女は頭を上げた。その目を見たとき、フンケルの中の一つの思い出が濃い緑に彩られた。

「やってるさ」と彼は言って、彼女を抱き寄せた。彼女はされるままにした。

「そう思う？」と彼女が小声で訊くと、また彼の無精髭が彼女の鼻をくすぐった。両腕をだらりと垂らしたままの彼女の背中を、フンケルは掌で優しく撫でた。二人とも何も言わずに、以前恋人同士であったときのようにお互いに愛着を感じていた。あの頃は何時間でも愛の言葉を囁き合ったものだ。

「いつ行く？」と彼が訊いた。

「とりあえず三時間寝かせて」

「そうすればいい」

「ありがとう」と彼女は言い、彼は緑に彩られた思い出を追い払って、ソーニャから腕を放した。

「現場にいる同僚に訊いて、奴がいる小屋の場所を確かめてから行くんだよ」と彼は言い、腕時計を見て、仕事机に向かって腰をかけた。さて何をするんだったか、すっかり忘れてしまった。

ソーニャは彼をじっと眺めていた。

「まだ何かあるのか？」と彼は目を上げずに訊いた。

「ええ」とソーニャは言った。彼女は机の上に身を屈めて、彼の左目の黒いアイパッチにキスをした。そして右頬を優しく撫でてから部屋を出て行った。

彼は座ったままドアを見つめていた。雨の音が彼の沈黙に連れ添った。


運転中、カセットテープを入れたプラスティック製のケースがガチャガチャと音を立てていた。車中は寒かった。しかしソーニャは、ヒーターをつけるのを躊躇《ためら》った。ラジオからは、ヴァリアス・アーティスツと言う名前のグループが、ルー・リードの「パーフェクト・デイ」を歌謡曲風に歌っていたが、これじゃあ気分が台無しだ。ラジオを切ろうとしたとき、タイミング良く、彼女の車を追い越して行ったタンクローリーがラジオの受信を遮ったのだ。風が雨をフロントガラスに激しく叩きつけた。ギアをサードに落として、タンク・ローリーに追い抜かせた。

やがて国道と並行して鉄道線路が見え始め、ちょうど灰色の鈍行列車がソーニャのブルーのランチアと同じ速度で走っていた。沼沢地の東端に位置するこの辺りの村々は、どんよりとした午後の光の中で気だるそうな佇まいを見せている。たいていの車は点灯して走っていた。ぼってりと肉付きのいい銅像のように、茶色の牛たちが牧草地につっ立ったまま身動き一つせず、今日の天候のように味気なく草を反芻している。ミュンヘンの南六〇キロに位置するこの風景は、光り輝く花畑も濃い緑の放牧地もなく痩せこけて見え、真夏の色あせたパノラマを晒している。遠くの山の頂には濃い雲がかかり、まるでこの時節の悲惨さが終わることはないかのように思えてくるほどだ。

"it's such a perfect day ... you just keep me hanging on ..."

(こんなにいい日なのに、あなたはあたしを待たせたまま……)

ああ、もううんざり。素早い手つきでラジオのつまみを左にひねった。静寂。ワイパーの静かな音。カセットケースのガチャガチャする音。すれ違う対向車のブーンという音。そして一つの歌声が——雨の音にも車のエンジン音にもかき消されず——周りの森から、林や藪から聞こえてくる。そして空中からは色とりどりの小鳥の囀《さえず》りが聞こえる。ソーニャは前かがみになって、フロントガラス越しに上空を眺めた。無数の小さな黒い鳥が旋回しているのが見える。ソーニャの車がターギングの高台に達したとき、鳥の群れはバラバラになり、彼女の視線は谷底にある白い教会の玉葱型の塔に落ちた。彼女にはそれが人を脅すように中指を立てた拳のように見えた。アクセルを踏み、時速一〇〇キロで直線道路を降りていった。以前タボール・ズューデンがここに暮らしていたころ、この道は凸凹道で坂道の最後のところにはヘアピンカーブが待ち構えていた。毎年少なくとも一五人は事故死するカーブだ。やがて樹木は切り倒され、この危険なカーブは直線になった。事故は減り、住民は安堵した。

ブルーのランチアは雨に濡れた道路を水しぶきを立てながら進んだ。ようやく左側にガソリンスタンドが見え、右側に駅が現れたときに、ブレーキを踏んでから、助手席に手を伸ばし、フルーツケーキの残りを鼻でかいだ。新鮮なベリーの香りに、しばし自らの憤怒をなだめる。そしてケーキに齧りつき、そのクリーミーな生地と甘いフルーツを味わった。意味もなく点灯している赤信号で停車したとき、紙皿を舐め、そして握りつぶした。二人の若い男がヘルメットも被らずに乗ったバイクが、赤信号を突っ切って行った。横切る歩行者は一人もいなかった。その間、後から来た四台の車は信号が変わるまで待っていた。

トーンは不承不承、目的地までの道順を描いてくれた。そのメモはポケットに入れておいた。そして彼女が入口のドアの上に青い警察の看板がかかった平屋建ての建物の前通りかかったとき、メモはまだポケットの中にあった。初めて来る町なのに、彼女はメモに頼らずにここを探し出したのだ。車から降り、そのまましばし佇んで、小鳥たちの囀《さえず》りに耳を澄ませた。
二、三〇〇メートルほど先で、例の赤信号でソーニャを追い抜いて行った二人の若者がバイクから降りて、大きな声で挨拶しながらオパチャ・グリルというレストランに入っていくのが見えた。今日は金曜日。たまったツケの支払い日だ。

主任巡査クサヴァー・ホーフェラーと副主任ハンネス・プルクにとって、ミュンヘンの主任刑事の訪問は何も特別なことではなかった。格別にお追従《ついしょう》を言うわけでも、自分たちより格上の女性の同僚に恐縮した様子もなかった。椅子を差し出し、コーヒーを出そうとしたが、彼女はそれを断った。水害の後片付けで執務室が雑然としていることに申し訳の一言もなく、彼女の黄色い髪の毛にも無関心な様子で、額に小皺を寄せただけであった。二人は彼女の正面に腰を降し、コートを脱いではどうかと訊くでもなく彼女の顔をじっと見た。

一分が経過しても、誰も口を開かない。ソーニャは座ったまま、目を一人の警官からもう一人の警官に移した。被っていた革製の鍔《つば》付きのキャップとショルダーバッグを机の上に置いた。塗りたてのペンキの匂いがした。

若い方のハンネス・プルク——年恰好はソーニャと同じくらい——は、彼女の顔をじっと見て、左目の眉毛を爪で掻いた。ホーフェラーは机の上で両手を組み、口をもぐもぐ動かしていたので、口ひげが震えた。ソーニャには腕時計の音が聞こえた。

「お互いの顔はじっくりと見つめ合ったことですし、このへんでひとつお訊きしたいことがあるんですが」と彼女は言ってガバと立ち上がった。プルクが怯んだ様子を見せた。

「どうぞ」とホーフェラーが気のない声で言った。

「私が、同僚のタボール・ズューデン刑事に会いに来たことはご存知ですね。最近彼との接触はありますか？　彼と話をしたとか？」

「いや」とホーフェラーが言った。「月曜日に久しぶりに村に現れたと思うと、すぐに野郎を二人ばかりボコったんだ」

「えっ？　ボコった？」

「クリンガーの店で、テレースっていう娘が一人で店番してまして」とプルクが言った。「彼が電池を買って——それには証拠があります——男が二人店に入って来たんですが、そしたら彼が二人を捕まえて床にぶん投げたんです。完璧に叩きのめしたんです」

「そんなことなぜしたんでしょう？」

「理由はわからない」とホーフェラーが言い、指で口髭の先端を掻いた。「テレースが言うには、二人が彼を通せんぼしたらしい。しかし証拠はない。あの娘はちょっと頭がねえ——」

「というと？」

「あの娘は補助学校に通ってたんです……」とプルクが言った。

「特殊学校のことだ」とホーフェラーが真顔で肯きながら言った。「言うことがよくこんがらがるんだ。とにかく、ズューデン刑事は例の二人をぶん殴ってそれから何か小声で言ったらしい。だが、娘には何を言ったのか聞き取れなかった。それから彼は二人を足で蹴ったので、二人は抵抗もできずに床にぶっ倒れたってわけだ」

「なぜ足で蹴ったりしたのかしら？」とソーニャは聞いて、いつもの癖で、机の上に両手をついて体を乗り出した。

「なぜだかわからないけど、とにかく蹴ったんですよ！」とプルクが言った。「それから出て行った。それに、あの男は森で幼い子供たちに悪さをしたんです」

「そんなことはしてないわ」とソーニャは言った。「それはあなた方もよくご存知でしょ。だから、そんな憶測はやめてください。ところでその若い男たち、訴えを起こしたのかしら？」

「いや」とホーフェラー。「インディアンに育てられたって、本当かね？」

「いいえ」ソーニャはコートのポケットに両手を突っ込んで、窓の外を眺めた。小糠雨の中を子供たちがサイクリングをしており、通りの向かいの一軒家の前庭では、三人の幼い男の子たちがサッカーボール蹴りをしている。

「彼はそんな風に見えますね」とプルクが言った。

「どんな風に？」とソーニャは訊いて二人の巡査の方を振り向いた。

「インディアンみたいに。長い髪にマント、それに首輪。ここじゃ、みんな嫌がるんですよ、そういう格好は」

「まだ小屋にいるんですか、彼？」とソーニャが訊いた。

「と思うよ」とホーフェラーが言った。「ファイヤーアーベントさん、わたしゃ、タボールの古くからの知り合いで、もう子供の頃から知っている。だから、持ち主のホラーバウエルンに掛け合って、彼があの小屋で寝起きしてもいいようにしてもらったんだ。彼に対してどうのこうのってことはない。だがね、あまり長くあそこに居続けるわけにはいかない。違法なんだ。だから、ここの住民は、彼に何か危険なことをされるんじゃないかって、ビクビクして森の中に入ろうとしないんだ。彼のことで、毎日誰かが苦情を言ってくる。特に母親たちがね。知っての通り、子供たちは森で遊ぶのが好きだからね。ちょうど夏なんか、雨が降らなきゃ……」ニヤリとしたとき、口髭が震えた。「タボールという奴は子供たちには怖いんだよ。それももっともだ。まして、奴が裸で踊っているのを見た子供の話があった後なんか、親たちはそれこそ最悪のことを考えるからね。だからここの住民としちゃあ……」

「名前からして変じゃないですか」とプルクが表情を変えずに口を挟んだ。「タボール・ズューデン、前から気になっていたんですよ、そんな名前ってあるかな、ズューデン《南》なんて！　私の名前がノルデン《北》とか、ヴェステン《西》とかオステン《東》だなんて、考えられない。あの男、一体どこから来たんです？」

「彼に電話して聞いて見たらどうですか？」とソーニャは言い、腕時計を見た。三時少し前だ。

「ちょっと待った、ファイヤーアーベントさん」とホーフェラーが言った。そしてゆっくりと、隣に座っている若い同僚に向かって、「ズューデンの両親は避難民だ。ズデーテン地方（ドイツと国境を接するチェコの旧ドイツ人居住地域）だと思う。両親はもともとズューデンという名前だったんだ。マイヤーとかシュミットと同じさ。わかるだろ？」

「つまり本物のズューデン王朝の家系ってわけですね」とプルクがクスッと笑って言いながら、眉毛を掻いた。

「というより、奴はもともとが奇人だよ。だが今や……」ホーフェラーはソーニャの方を見て続けた。「今や、奴は隠者だ。それがここの住民には気に入らない。森に住んでいる人間なんか、ろくなもんじゃないということさ。お分かりかな、ご同僚？」

「わかりません」と彼女は言った。「あなた自身、彼とは最近話はしていないのですよね、ホーフェラーさん？　最後に話をしたのはいつのことですか？」

「最後はいつだったか？」と主任巡査は質問を繰り返した。それから立ち上がり、椅子の前に立ったまま動かなかった。「四カ月ほど前かな。例の、子供たちが裸の奴を見たってことがあったとき、奴と話した。今後は気をつけるって言ってたがね」

「もう一人のことも忘れちゃいけません！」とプルクが言った。

「もう一人って？」とソーニャが訊いた。

「奴はたぶん私をからかったんでしょう。アスフールとかっていう奴を行かせて、誰か自分のことを森で見張っている人間がいるかどうか調べさせるって。誰のことを言ってるのか、私にゃわかりませんがね。あそこにいるのは奴しかいない。それは確かです」

「間違いないですか？」

「もちろんさ」

「じゃあ、そのアスフールって、誰かしら？」

「彼に訊いてみることですね！」とプルクが言った。

「それ以降は彼との接触はないんですね？」とソーニャが言って、黒い鍔《つば》付きキャップを被った。

「ああ、一度、奴が村に買い物に来たときに、ちょっと話しかけようと思ったんだが、あっちは話したがらなかった。ただちょっと挨拶しただけだった。奴は誰とも話さない」

「そういうのって、この村じゃ受け入れられないんです」とプルクが言った。

「ターギングの住民に脅されてたとかいうことはないですか?」

「それはないと思う」とホーフェラーが言った。

「あなたはどう思います?」と彼女はプルクに向かって訊いた。彼は口元を下にのばして机を凝視した。

「私は……」と言ってから、プルクは掌で机の表面をきれいに拭くような仕草をした。「厄介なことが起きる前に、そろそろ立ち退いてもらわないとね。彼がいると住民が落ち着かなくて。私にしてもそうです」

「どうして?」と彼女が訊いた。

返事はなかった。

「我々としちゃあ、あんたには、前に来たあんたの同僚の、なんて言ったかなあ、あの主任さん?」

「トーンです」

「そうだ。あんたには、その主任さんよりもうまくやってもらいたいと思っているんだがね。なんとかあの森のバグベア（ウェールズ地方に伝わる妖精の一種。全身毛むくじゃらの人の姿をしているという）を連れてってほしんだよ。あいつだって、いい大人なんだから。違うかね? インディアンごっこの時間はもうおしまいだ」とホーフェラーは言い、ドアの方に歩いて行って彼女のためにドアを開けた。「森の端っこまでの道を教えよう。車はここに止めたままでいい。道は舗装されていないのでね。ずぶ濡れになるよ。それにしても、一人であそこまでたどり着ける自信があるかな?」

「ええ」と彼女は言った。「どうもありがとうございました。私の同僚に助力いただいて」とソーニャは言い、机の上のバッグをつかんだ。

「それではまた、ご同僚」とプルクに挨拶し、立ち上がって一つ咳払いをした。

「どうも」と彼が返した。

彼女はドアに向かい、ホーフェラーに手を差し出した。「小屋まではどれくらいでしょうか?」

「おい、どう思う? ハンネス」とホーフェラーが訊いた。プルクは脇を掻いた。

「一時間くらいかな」ともぐもぐ言った。

「一時間半はかかるんじゃないか?」とホーフェラーが言った。

彼は駐車場に停めてあるパトカーに乗り込んだ。ソーニャは彼女のランチアに乗って村を通り抜けた。プルクはその頃、電話に向かって吠えていた。

「くそったれ！　いつだ、奴らがいなくなったのは？　なに？　どうしたんだ？　どんな車で？　聞こえないよ、ミロスラフ、もっと大きな声で言えよ！　あいつらに言っておいたんだ、ほっとけって！　私にだって、もうどうすることもできないんだよ。なんにもわかっちゃいないんだから、お前は。わかったか？　こっちだってそうだよ！　クソ喰らえだ」

受話器を叩くようにがちゃんと置いて、隣の部屋の冷蔵庫のところへ行って瓶ビールを一本取り出した。

リアスポイラーが炯炯《けいけい》と光っている黒のゴルフが、森の近くのラーベンコーグルへのアクセス道路に停まっていたが、ソーニャ・ファイヤーアーベントはそれに気づくことはなかった。

裸の男は、まるで憑かれたように、ベルトで腹に縛りつけた太鼓を打ち叩いた。その格好たるや、鏡に映してみても、自分の姿とは思えなかっただろう。狭い空間を飛び跳ねながら通り抜け、ハミングした。低いガラガラ声の鼻歌だ。頭には羽で作ったリースを王冠のようにかぶっていた。明滅する一本のロウソクの前には、ワシの羽を紐で吊るした飾り模様付きの陶製のパイプ、革製のタバコ入れ、そしてマッチ箱一個が置かれていた。男の脚がどれほど猛々しく動こうと、その長い腕がいかにあたりの空気をかき乱そうと、男は自分の頭の中に描いた地上のサークルの外側に出ようとはしなかった。そのサークルの中心には小動物の骨で作った六角形が置かれていた。

影を影たらしめている力を、途方もない瞬時の離れ業で乗り越えた影そのものとなって、タボール・ズューデンは秋の落ち葉が覆う土の中に潜り込んだ。息する空気を求めて喘いでいる若い娘が息をひそめる土の中へ。

上空からも、数百キロメートル離れた遠くからも、怒り狂ったレポーターたちが、なすすべもない警察を非難して大声を上げている。若い娘の両親は声も出せずに、助けを求めて天に祈っている。二カ月前、二二歳になる、有名芸能パーソナリティの娘、ルチア・シモンが誘拐された。一カ月間に渡って両親は誘拐犯と身代金の交渉をした挙句、要求どおり警察には連絡しないと約束した。しかし誘拐犯はそれを嘘だと見抜き、三日だけ待つから、娘を返して欲しいなら、二〇〇万マルクを支払えと言ってきた。記者たちはロニー・シモンと妻のヘラ・シモンの一挙手一投足を追いかけた。無策な警察に対するマスコミの非難と攻撃、吊し上げはやがて頂点に達した。ミュンヘンのある大衆紙によると、エルヴィン・ハウザー内務長官はシモン誘拐事件特捜班の総責任者フンケル刑事部長とタボール・ズューデン主任警部の解任を要求した。ズューデン警部はすでに複数の容疑者の尋問を行なったらしいが、事件解決にむけた成果は何ももたらしていなかった。ちょうどいま、あるテレビシリーズで初めての主役を演じていて、そのブロンドの髪と愛らしい丸顔のために、アイドルのように「かわいい天使」のニックネームで呼ばれているルチアの失踪事件は、ドイツのあらゆるメディアが取り上げ、どんなに些細な情報でも警察に通報するよう一般市民に呼びかけていた。そのために、毎日何百という情報が警察に届けられたが、事件解決に役立つものは何一つなかった。タボール以外の刑事たちは、犯人は残虐なプロで、身代金欲しさの犯行と踏んでいた。だが、タボール・ズューデンは、被害者の両親が警察に通報した二日後にはすでに、別の線に行き当たり、そっちの方を追っていたのだ。ヘンドリク・タールホフは、ロニー・シモンのかつてのギャグ・ライターだ。ときどきロニーの娘のベビーシッターを引き受けたこともあり、シモン家の親しい友人であった彼は、娘の誘拐が発覚した当初からシモンのそばについて、友人のロニーを支えていた。自分のドーベルマンを使って、特種記者たちを、シュタルンベルガーゼーの湖畔にあるロニーの敷地に一切近寄らせないようにしたのも、ヘンドリク・タールホフだった。そして、タボール・ズューデンの厳しい尋問によって、ルチアを誘拐したのは自分だと、ついに自白した。そのとき彼はズューデンに、これで、娘の死刑宣告に署名したも同然だと言ったのだった。ズューデンが、執拗な尋問をしたり、自分のプライベートな生活を嗅ぎ回ったりして、自白に追い込んでさえいなければ、ルチアは今日にでも解放されていたはずだった、自分は身代金を手にして、どこか外国で新しい人生を始めているところだった、誰にも害が及ぶことはなかったし、あの甘やかされたお人形ちゃん――そう彼は娘のことを呼んだ――だって、二、三日ぐらいディオールやシャネルの飾り物なしでもなんとか我慢できただろうに、娘に何が起ころうと自分にはどうでもいいことだった、もし警察が絡んできたら娘は殺す、と両親にははっきり言っていたのだ。フンケルには、娘の両親に、彼らの古くからの友人タールホフの自白を知らせるしかなかった。しかしそのおかげで、マスコミは犯人逮捕の匂いを嗅ぎつけて、第一分署の刑事ともあろうものが、犯人が捕まったというのに、なぜ被害者を解放できないのか、と世論を煽ったのだ。トーンはズューデンを、タールホフを甘く見すぎたといって避難したが、ズューデンは、この男が突然自分から自白したのだと改めて釈明した。明らかに犯人は警察を嗤《わら》い者にするつもりだったし、友人であるシモンを心底憎み、妬み、軽蔑していて、彼を世間の前で賤《いや》しめたかったのだ。タールホフはゲームをしたのだ。ルールは自分で決めた。そして、面白くなくなったら、あっさりやめることにしたのだ。それが人一人の命を危険にさらすことになど、彼は気にしなかった。娘の居所について彼は口を割らなかった。ズューデンやソーニャやホイヤーや、さらに一〇人くらいの警官が、タールホフのアパートを家宅捜索し、一日のうちに、彼と何らかのつながりのある一五〇人ほどの人間に問い合わせてみたが、手がかりは何も得られなかった。署内には、事件の破局的な展開の責任はタボール・ズューデンにあるとして、彼を解任するべきだと主張するものが幾人かいた。しかしカール・フンケルはいつものように拙速な処罰を拒んだ。何よりも、ズューデン自身が責任を感じ始めていて、自分がやったことを反省しているのだから、なおさらだった。二日が経過した。テロ攻撃の電話と、ルチア・シモンの死亡を伝える電話が、いつかかってくるかもわからないという恐怖の二日間であった。タールホフに対する尋問は、三、四時間の中断を挟んで、数度にわたって行われた。タールホフは、聞かれもしないのに、自分の人生について、どんなにバカバカしい人生を生きてきたか、長々と喋った挙句、もし自分を南米にでも逃してくれるなら、ルチアを解放してもいいと申し出た。その後三日ほどしてタボール・ズューデンは、彼のことを見者《けんじゃ》と呼ぶ記者たちがいることを知った。見者《けんじゃ》とは、友人のマルティン・ホイヤーが言うところによれば、ズューデンには人の持っているオーラを見ることができるからだ(もちろん、ズューデン本人は、そんなことはないと言い張るが)。例えば、タールホフの家の前をぶらぶらしている少女のオーラを見たのだ。彼は以前ここに来たとき、すでに少女には気がついていたのだが、そのときはとくに注意を払わなかった。しかし今度、話しかけて見たところ、少女は泣き出して、逃げてしまったのだ。少女の後を追うと、彼女は突然立ち止まり、小さな両手を上げて、それを大きく開いた口に突っ込んだ。青いウールのコートに身を包み、ブロンドの短髪をピンクの紐で結んだ姿でそこに立ち尽くしている少女を見たとき、ズューデンは、どこかで見たことのある少女だと気がついた。それはタールホフの住まいで見つかった写真に写っていた少女だった。写真にはルチアと、今目の前にいる少女より一五歳くらい若い少女が写っていた。二人はどこかの空き地に立って手を振っている。翌日の夜、ある捜査班がアンデックス修道院近くの森でルチア・シモンを発見した。狭苦しい箱に納められて、窒息死していた。一〇本の指の爪を全て齧《かじ》って、木片に次のように書き込んでいた。もう手は振れないわ、レーナ。

ここだよ、ここだ、と彼はしゃがれ声で呼んだ。命を持った煙のように地上につながる小さな管を通って、土牢の中に潜り込み、彼女に空気を送り込んだ。レーナと一緒によく遊んだあの空き地のひんやりとして清浄な秋の空気だ。憶えてる？　ヘンドリクが私たちの写真を撮ってくれたのよ。カメラを持ったまま遠くに離れたので、私たちは体を大きくして見せた。私たちは彼に手を振った。そして私はあなたに栗をあげたでしょ、もう忘れた？　私よ、レーナよ、私、あなたのことテレビで観たの、ほら、ここよ、私よ、息を深く吸って！　そしたら私が見えるから。

そして彼は壁から壁に飛び移った。すると箱は部屋に、広間に、宮殿になった。彼は窓を開け、ガラス製の扉を開けた。すると風が贈り物のように吹き込んで来た。ほら、なんていう日だろう、今日は。太陽が、輝く木の葉で秋を彩っている。私と一緒においで、怖くないから、もう誰も君のことをこんな地下に閉じ込めたりしないから。約束するよ。

そして太鼓の音が鳴り響く。広げた灰色の革の上で両手を組み、女装したのち、彼は骨で作ったサークルの上を飛び跳ねるのだ。壁にぶつかってよろけたり躓《つまず》いたりしても、なんとか持ちこたえて、空気を吸い込み、体をぐるぐる回しながら、雄叫びをあげる。あたりの動物たちがみんな黙ってしまうような叫び声が森中に響き渡る……。そして、遠くから聞くと、それは死に瀕した獣の最後の呻《うめ》き声のようだった。ちょうどそのとき、小屋の周りを、野球のバットとナイフで武装した三人の若者が身を屈めながら忍び寄って来た。一人が驚いて、手にしているガソリンの缶を落としてしまった。三人は窓の下にしゃがんだままお互いの顔を見た。一人がナイフの刃を取り出した。

　タボール・ズューデンは音を立てずに、膝を曲げたまま横に飛び退いた。胎児のように体を丸めて、死の世界へ解き放たれることを願った。だが心臓は、彼の両手の中でリズムを刻み続けた。両手は膝の上で痺れて、燃える体といっしょに汗に濡れていた。やがて再び自分の命をもう一つの命と取り替えたいと思うのだが、すぐにまた現実に引き戻されるのだった。アメリカ製のタバコや乾燥したキノコや湿った土、植物やハーブの匂いのするこの場所が彼の漂泊の宿だった。ここに自分の意思で引きこもったのだ。悪の華からその笑いを奪い取ってやると、おこがましくも思い込んでいるような刑事には二度と戻らないために、ここから決して離れるものか。

　突然、何か柔らかいものが裸足の上に、羽のように触れるのを感じたので、重たい頭をゆっくりと上げてみた。ふくらはぎの周りをリスが一匹、飛び回り、踵の上にぴょこんと乗って、フサフサした尻尾を上げてじっとしている。腹が薄暗がりの中で白く光っていた。それから彼の脚を膝まで駆け上がり、そこから床に飛び降り、ドアの前まで走って行ったが、そこで驚いたように動きを止めた。戸外では何やら物音が聞こえる。枝が折れる音や、よく聞き取れないが、人が話す声も聞こえてくる。

　彼は喘ぎながら顔を拭い、上体を持ち上げて目を閉じ、雨水がたまった傷だらけのホーロー鍋に手を伸ばした。鍋の中身を頭からかぶった。その冷たいひと浴びで目が覚めた。太鼓をベルトから外してテーブルに置いた。急いで体をタオルで拭いてから、ドアの方を見やった。赤茶色のリスがちょこんと座って彼をじっと見つめている。垢じみた革のズボンと、白いシャツと、スニーカーを履いた。それから汗に濡れた髪を後ろに掻き上げ、大きく深呼吸をした。小屋の中のキノコの匂いが強すぎて、再び気を失うところだった。

「今だ!」と、三人の中で一番の年上で、ガソリンの缶を手にしたヨッシが小声で言った。

リンゴーとアルフォンスが力一杯にドアめがけてドカンと頭からぶつかって行った。ドアは外側に開いた。ヨッシがそのドアを破って開け、三人は中へ突入して行った。中の様子を確かめる間もなく、ヨッシが手にしたガソリンを振りまこうとする前に、ズューデンが脚でヨッシの腹に強烈な蹴りを入れた。ヨッシは叫び声をあげてガソリンの缶を手から落とし、もんどりうった。他の二人はズューデンの顔を狙って殴りかかったが、ズューデンは難なくかわした。二人は野球のバットを振って彼を部屋の隅っこに追い詰めた。缶からこぼれ出たガソリンが床板の隙間に浸み込んでいった。

「諦めるんだな、大将!」とリンゴーが叫んだ。彼とアルフォンスは、ズューデンとは電気店で顔を合わせていた。

「ビクついてるぜ、このタコ野郎」とリンゴーが叫んでバットをブンブン振り回した。

ヨッシが立ち上がり、缶をとって部屋の四隅にガソリンを撒いた。「これからけっこう暖ったかくなるぜ!」と言い、ガソリンが缶に一滴も残っていないのを確かめた。

ズューデンはテーブルまで後ずさりしてから、火かき棒が壁にもたせかけてある暖炉の方へ一歩近づいた。

「言ったはずだ。一人にしてくれって!」と彼は言った。

「わめくんじゃねえ、タコ!」とリンゴーが言い、身構えてバットをテーブルにドカンと置いた。テーブルに置いてあったマグカップとオレンジの入った皿が床に落ちた。

「おめえみてえな野郎はここには要らねえんだ!」とヨッシがドア口から怒鳴った。

「豚小屋みてえに臭えぜ!」と、ズューデンのすぐ横に立って、バットを両手に構えたアルフォンスが吠えた。三人のうちで彼が一番ヤワに見え、ズューデンには希望の星だ。ヨッシがズボンのポケットからマッチ箱を取り出したその瞬間、ズューデンは前に飛びかかり、アルフォンスの腕をつかんでその体を半回転させて、手からバットをもぎ取った。部屋中を横向きにバットを振り回して、リンゴーの顔をガツンと直撃した。額を打たれたリンゴーはその場で一瞬よろけた。するとズューデンは素早く近寄ってリンゴーの顔にパンチを二つばかり食らわせてから、バットを取り上げた。それから今度はヨッシに襲いかかった。ヨッシは驚きのあまりマッチ箱を手から落としてしまった。取り上げる間も無く、ズューデンが髪の毛をつかんで外に引っ張り出し、斜面の上の柵に向かって投げつけた。

「そのままそうしてろ、いいな？」と怒鳴った後、ズューデンは二本のバットを手に小屋の中へとって返した。ドアの敷居を跨ごうとしたとき、頭上に黒いものが見えた。体をすくめて小屋の中へ入ろうとしたが、火かき棒が彼の肩をガツンと打ち、そのまま彼は床にドッと倒れた。あまりの痛さに息もできないほどだったが、一本のバットを持ち上げるだけの力は残っていて、かろうじて次の一撃を逃れることはできた。

「死ね！　このやろう！」リンゴーはそう叫んで、上から襲いかかった。

ズューデンは壁に向かって這いずったが、左手だけで体を支えるしかなかった。右手が痺れて使えなかったのだ。意識が朦朧としてきて、防御するすべがなかった。パイプの匂いとキノコの匂いにガソリンの蒸気が追い打ちをかけ、そのうえ空腹のために胃が痛くなってきた。シャツは破れて、肩のところが血だらけになっていた。

「この野郎、俺たちを出し抜こうってのか！」とリンゴーが喚いた。声がガラガラになっていた。まるでサッカー場にいるみたいに、大声で叫んだからだ。「マジかよ、このブタ野郎？　おめえをこの俺たちが怖がるとでも思ってんのか、おめえがデカだからって。バカ言っちゃいけねえや。デカに何ができる！　これからおめえを殺す。めんどくせえからな、わかったか？」

「思い知らせてやれよ、リンゴー！」とアルフォンスが叫び、先ほどズューデンが落としたバットを手に取った。

「これからこの掘っ建て小屋に火をつける。それで一巻の終わりってわけだ！　おめえなんかこの世に用はねえよ！　おめえみたいなブタ野郎はとっとと消えちまえ！」リンゴーが二度ほど火かき棒を木の床に打ち下ろし、ズューデンの前に股を大きく開いて立った。

「ヨッシ！　どこにいるんだ？　おい！　やるんだ！　今だ、ヨッシ！」

「ちょっと見てこようか？」とアルフォンスが訊いた。

「ヨッシ、どうしたんだよ、まったく、このばか！」

「おれが見てくるよ」とアルフォンスが言った。

「私だったら放っておくけど！」と女の声が聞こえた。

中にいる三人の男が同時にドアの方に目を向けた。ソーニャ・ファイヤーアーベントが拳銃をリンゴーに向けて立っていた。

「警察よ。その火かき棒を置きなさい！」

「ヨッシ、この野郎、どうしたってんだい！」リンゴーが唸《うな》りながら、ソーニャとズューデンを交互に見た。

「火かき棒を下に置きなさい。でないと撃つわよ！」

「クソッ。こんなアマにやられてたまるか！」彼は腕を振り上げて殴りかかろうとした。

「やめろ、リンゴー！」とアルフォンスが言った。

「ちょっとした冗談さ。誤解すんなよ。オーケー、オーケー」

「お前どうかしたのか？」とリンゴーがわめいた。

リンゴーから目を離さずに、ズューデンは体を起こした。

「やあ、ソーニャ」と彼は言った。

「やあ」と彼女。「ガソリン臭いわね」

「マッチでもつけりゃ、すげえ火事になるぜ」とリンゴーがソーニャに向かって言い、ニヤッと笑った。

「あなた、三流映画の見過ぎよ」とソーニャは言って拳銃の引き金を引いた。弾は火かき棒に当たってリンゴーの手からふり落とした後、小屋の壁を撃ち抜いた。

射撃の正確さにズューデンも驚いたほどだ。眉を高く上げてソーニャを一瞥したが、彼女はそれを無視した。

「さあ、ここから出るのよ！　あなたたちの顔なんか見たくもないわ！」

彼女は二人の男に拳銃を向けた。二人とも真っ青な顔をして、口も利けなかった。

小屋を出たとき、二人は仲間のヨッシが近くの岩に座っているのを見た。顔面蒼白で寒さと恐怖に震えながら両手を摩《さす》っていた。

雨は止んでいた。森には、木の葉から同じリズムを刻んで落ちる滴の音が充満していた。

「村に行って、今のうちにたっぷりお酒でも煽るのね」とソーニャが言った。「あなたたち、わかってるでしょうね。これから、こっぴどい目にあうのよ」

「ちょっとふざけただけなんだよ。今日は金曜日だし」とアルフォンスが言った。

「あなた、歳はいくつ？」と彼女が訊いた。

「一六」

「じゃあ、他の二人よりは軽くて済むかもね」

「あのさあ……」とリンゴーが言った。彼は小屋を出てから手首をじっと睨《にら》んでいた。まるでまだ腕につながっていることが信じられないかのように。

「あなたたちと話すのはもうたくさん」とソーニャが言った。「急いで片付けなければならないことがあってここに来たの。あなたたちはその邪魔をした。あなたたちがここでやらかしたことは、殺人未遂なのよ。自分たちが村の人間で、金曜の夜に別に面白いことがなかっただけだから、許してもらえるだろうって思っているのだったら、それはとんでもない間違いだわ。ガソリンとかバットを持ってここに来るなんて、一体この人があなたたちに何をしたって言うのよ」

「こいつ、俺たちの癪に触るんだよ。子供たちにもちょっかい出すし、このブタ野郎！」ほとんど声が出ないリンゴーがわめいた。

「殺人未遂と、警察を侮辱し悪態をついたことで、訴えられるわよ。さあ、もう行きなさい。私の我慢が続いている間に！」拳銃は今も手に持っていて、ホルスターに収める気配もなかった。

ヨッシは怯んで立ち上がり、自分のナイフを探す様子だったが、ソーニャを素早く一瞥したあと、谷を降りる道の方へ降りていった。残りの二人はお互いを見やっていたが、アルフォンスがヨッシの方に頭を傾げたので、二人とも彼の後をついていった。

ソーニャは、三人が最初の曲がり角を曲がり切るまで待っていた。

「ちょうど間に合ってよかったわ、本当に」と彼女は言った。「どう、元気？」

「ここに何の用だ？」ズューデンはそう言いながら頭を傾げた。肩が少し痛かったのだ。

「頼みがあって来たのよ」彼女はそう言って、拳銃をホルスターに戻し、携帯電話を上着のポケットから取り出した。

「私は帰らないよ」と彼は言った。

「何か飲むものちょうだい！」と彼女が言った。

「お茶でも？」

「病気じゃないんだから。もっと気が利いたものないの？」

「テキーラ」

「だったら早く持ってきて」

彼女はターギング警察署の番号を押した。その間彼は、彼女を穴が開くほど観察した。いつもの黒のジーンズに黒のジャケット、それに革製の鍔《つば》付きのキャップだ。だが何かが以前とは違っていた。彼女の何かが変わっていたのだ。

それが何なのか、しばらくしてやっとわかった。

「どうして髪を短くしたんだ？」と彼は訊いた。

ソーニャは答えなかった。彼女は幅の狭い出窓に寄りかかり、彼はボロボロの籐椅子に座った。両脚を広げ、両肘は肘掛に乗せて、空のパイプを吸い込んだ。ドアと窓は開いたままで、湿っぽく重苦しい外気が小屋に入ってきた。息苦しい夏の蒸し暑い息遣いだ。この方が街よりもマシな空気だったが、ソーニャにはガソリンの匂いが耐え難く、五分ごとに顔を窓から出して鼻から息を大きく吸った。

彼女はテキーラのボトルを持ち上げて、言った。

「ご利益がありますように！」一口飲んだ後、ボトルに栓をして、タボールにトスした。彼はそれを手でつかんだ。彼も同じくボトルを持ち上げて、言った。

「ご利益がありますように《メーゲ・エス・ニュッツェン》！」そしてぐいと一口やり、ボトルを弄ん《もてあそん》だが、ソーニャが合図したので、ボトルは再び彼女の手に渡った。

「マルティンはどうしてる？」と彼が訊いた。

彼女が答える前に数秒が過ぎた。その間彼女は窓から谷間の向こう側のハゲた急斜面を眺めた。

「イカれた奴に撃たれたんだけど、かすり傷程度だったわ」

「イカれた奴って？」

「ただのイカれた奴よ」彼女はもう一口飲んでから、口元を拭い、ボトルを床に置いた。「ここにきたのは、チャーリーの命令なの。でなきゃ来ない。わかってるでしょ。あなたがもう一度任務に就きたいかどうか訊いてこいっていうの。あなたの特別休暇は終わりでしょ。延長はありえない。だから免職されても文句は言えないの。今度の事件は難しいのよ。だから動けるものは誰でもいいから必要なの。逃げたいのなら仕方ないわ。もう九カ月も逃げてるのよ、あなた。もううんざりだわ、私。私たちみんな、あなたの懺悔の修行に付き合う気なんてもうないのよ、マルティンは特にね。完全に参っちゃってるわ、彼。あなたのせいよ、あなたの」テキーラのボトルに手を伸ばそうと体を屈めたが、一瞬動きを止めてズューデンに目をやり、再び元の窓辺に体をもたせかけた。

「事件のことは聞いた」と彼は言った。「ラファエル・フォーゲル、九歳の少年」

「なぜ知ってるの?」と彼女が訊いた。

彼は腰掛けを指差した。ラジカセが置いてある。

二人とも黙った。

すでに外は暗くなっていた。鳥の鳴き声がし、森の語らいは、カサコソ、ザザザ、ポトンといった音とともに続いた。ソーニャは無意識に耳を傾けた。

「私は行かない」と彼は言った。パイプをテーブルに置き、目を閉じた。

「その方がいいわ。じゃ私は帰る」と彼女が言った。わざわざこんなところへやって来たことに、腹を立てていた。森を抜けて車に戻って、家に帰るこれからの道のり、せいぜい四時間の睡眠、どうせ会っても無駄だよ、というフォルカー・トーンの嫌味な言葉、考えただけでも気が滅入る。ジーンズをパタパタと叩いてびっくりした。靴の上をアリの行列がくるぶしめがけて行進しているではないか。

「気持ち悪い!」靴を壁に当てて拭いてから、ズボンの中にアリが入っていないことを確かめるまで、両手でソックスを叩いた。

「アリンコには孤独な奴がわかるんだ」とズューデンが言って微かに笑った。

「もう、いやっ!」片方の足で部屋中を飛び回ってズボンをパタパタと叩いた。

「アリンコは、孤独な奴の友達なんだ。知らなかったのか?」

「知らないわ。でもどうでもいいことよ」

「アリンコに好かれて、うれしくないのか?」

彼女は彼を睨んだ。そして彼の微笑みが彼女の心の防護服に焼穴を開けた。「なんなのよ?」彼女は立ち止まって、彼を睨みつけた。彼の顔から目が離せなかった。こんなに長い間見たくて仕方がなかった顔、今は呪ってやりたいその顔から。だが、もう彼を呪う言葉は出てこなかった。

「地球ができたてのころ、まだ人類はいなかったし、何もかもがうまくいっていた」と彼は言って、身を乗り出して続けた。「そこには神々だけがいた。神々は自分たちのことで手一杯だった。ところが、あるとき、あの小さなギリシャの島に子供が一人生まれた。男の子だ。この子が最初の人間てわけだ。名前をアイアコスといって、これがゼウスの息子だったのさ。子供はこの島で大きくなったが、とても退屈な人生だったのも無理はない。何しろこの世で一人っきりだったから。彼は不幸だった。両親を恨み、不安に怯えた。一人でいることの不安だ。もちろん島には動物も少しはいた。山羊や羊たちだ。しかし、動物だって自分のことで忙しかった。ちょうど神々と同じように。だから、アイアコス君の相手をしてくれる者は誰もいなかった。いるわけもない。彼のほかに人間なんていないのだから。ゼウスは子供を可哀想に思い、土の上に蠢《うごめ》いているアリンコたちを人間に変えた。男と女に。それが人類の始まりってわけだ。おかげでアイアコスは寂しくなくなった。しかし、アリンコたちと一人ぼっちの人間との友情は今に至るまで変わらない。だから、君もアリンコを怖がることはないんだよ」

「また、あなたの作り話ね」と彼女は言った。

「これは本当の話だよ」

「私は寂しくなんかない」彼女は咳をして、既に慣れかけていたガソリンの匂いがするのを感じた。鼻をぬぐいながらドアの方へ歩いた。

「なぜ髪を短くしたんだ?」と彼が二度目に訊いた。

「私の気分に合うからよ」と彼女は言って、ドア口で深く息を吸った。

「じゃあ、部屋の壁も塗り替えたの?」と彼が訊いて立ち上がった。汗をかいていた。空腹のせいで頭が冴えてきた。

「引っ越したの」

「いつ?」

「薬、やってるの?」と彼女が訊いた。キャップはまだ窓際の椅子にかかっていて、それを取りに行った。

「マリファナの匂いがするわ」

「特殊なキノコだよ。乾かしてタバコに混ぜるんだ」

「特殊なキノコね、ええそうでしょうよ。それのせいで、裸で子供たちの前で踊ったりするの?」

「そうだよ。やって見せようか?」彼はズボンの一番上のボタンを外した、そのとき、体を引きつらせた。火かき棒で殴られた肩の痛みが閃光のように身体中を貫いたからだ。

彼女は帽子を目深にかぶってズューデンを見つめた。

「顔色が良くないわ、蒼白よ」

「いつ頃からそんなに射撃が上手くなったんだ?」と彼が訊いた。

傷に塗った軟膏が肌の上でつっ張ってきたので、掻きむしりたくなった。子供のような怒りに襲われた。自分一人ではなくて、人に見られながら、いいかっこぶって三人の男と戦ったのだ。そして我慢できないほど喉が渇いていた。

「川へ行くよ」と彼は言って、床に広げたマットレスの横にあった鞄から黒いセーターを取り出した。手でひと払いしてからドアの方へ一歩動いた。とそのとき、ソーニャが彼の前に立ちふさがった。

「私から逃げないで、タボール！」と彼女は言い、彼の体に触れないように注意した。

「一人でいたいんだ。ただそれだけさ」と彼は言った。九カ月じゃ足りない。はっきりするにはな。まだ学ぶことがいっぱいあるんだよ、ソーニャ。自分がこんなに何も知らないとは思わなかった。自分のこと、世の中の全てのこと、君のこと……」

「私のこと？」じゃあ、これから話してあげる。もう口を閉ざすのは嫌だ。この男に懇願するのはやめよう。「私の何を知りたいの、タブ？　それなら言ってあげられるわよ、ここで今すぐに。よーくお聞きなさい、とにかく聞くのよ。私のことを話してあげるから。私がここにやってきたのはね、あなたを説得できると思ったから。その孤立状態から抜け出すお手伝いができるかもしれないと思ったからなの。そういう人間なの、私って。電話の前に座って、あなたからの連絡を待ち続けても、あなたはちっともかけてこない。あなたとは昼も夜もよく話をした。だけど、あなたは突然出て行った。急に消えたのよ。何も言わずに。朝目が覚めると、あなたはいなくなってた。この村にやって来て、閉じこもってしまった。残された私は、まるで初めて一人にされた一四歳の女の子のように、ただ泣きじゃくった。あたなは私を傷つけたのよ、タボール。私に嘘をついた、私の言うことを聞こうとしなかった、私の助けを断った。この前の冬、あの女の子が死んでから、ずっとそうだった。あなたは自己憐憫に浸っていたのよ。でも私はそうとは気づかなかった。本当に苦しんでいるのだと思っていたの。でもあなたは、自分の痛みの中で唸っていただけなのよ。よく聞いて！　私よ、ソーニャよ。生きた私なのよ。私に触らないで！ここへやって来たのは、あなたがどうしているかって、何をしているかって知りたかったからよ。どうしても知りたかったからなのよ。あなたの不在が耐えられなくなったの。あなたの忌々しい沈黙、あなたの意固地さ、あなたのエゴイズム、あなたの酷さが……」

彼女は彼の横っ面をひっぱたいた。それから、また話し出した。彼は身動き一つしなかった。「ようやくわかった、あなたが自分の中に閉じこもったわけじゃないってこと。未だに自己憐憫に逃げ込んで、薬に浸っているってことがわかったわ。特殊なキノコですって！　私が知らないとでも思ってるの、あなたが何をやってるのか？　あなた、ラリってるの？　私の言うこと、聞いてるの？　それとも、その特殊なキノコとやらを取りすぎて耳が聞こえなくなってしまったの？　話すことも忘れてしまったのね。自分の狂気と付き合っていると、そんなふうにもなるわよね。あなたの狂気よ！　現実逃避よ、あなたがやっていることは。幻惑よ、ねえ。逃避、自己中心の現実逃避！　あなたは、自分がしたいことをただするだけ。で、聞きたい？　私がそれをどう思うか？　クソよ、クソなの。自分がやりたいことをそのまましてしまうなんて、クソよ。一体どこで生きていると思っているの？　悟りでも開きたい？　じゃあ目を開けなさい！　世界を見るのよ、あなたが生きているこの世界を。あなた、刑事でしょ、違う？　大人でしょ、違う？　仕事があって、こなすべき任務もあるの。ここでやっていること、こんなのがスピリチュアルだ、とか思っているわけ？　特殊なキノコなんか吸って、素っ頓狂な子供みたいに太鼓を叩いたりすることが？　私があなたの言うことを聞かなかったとでも思ってるの？　この森全部があなたの言うことを聞いたわよ。あなたの父親がシャーマンの教えを受けたとか、あなたがそれを受けただとか、そんなことはどうでもいいの。いつもそんなことばかり、私に話して聞かせてたでしょ。忘れたの？　鷲のペンダント付きのネックレスが何を意味するか、太鼓が、特殊なキノコが何を意味するか、私が知らないとでも思う？　でもね、あなたは全く普通の男なの。他の男たちよりちょっとは男前だわ。それに、あなたは刑事としては、これまでミュンヘンではあなたの右に出る者はいない。何百回も言わせないで、タボールったら。あの女の子が死んでしまったのは、誘拐犯が窒息させたからよ。それを防ぐことはあなたにだってできなかった。できることは全部やったじゃないの。あなた一人で、私たち全部を合わせたよりもたくさん働いた。そのことをわかって欲しいのよ。お願いだから、もういい加減にわかって！　そして元のまともなあなたに戻って欲しいの。かくれんぼなんかやめて、森から出てきて。なんだったら、一週間に一度あなたの動物の骨を床に置いてぐるぐる回ればいいじゃない、やりなさいよ。パイプも吸いなさいよ。でも特殊なキノコはダメよ。やりたいこと、なんでもいいからやればいい。アメリカへ行ってお友達のシャーマンに会ってくればいいじゃないの。でも、とにかくこの森から出るのよ。よく考えてよ、この世界にはあなたの居場所がある。でもこのターギングの森じゃないわ、絶対に！」

彼の汗を嗅いだ。彼が彼女を自分の胸に抱き寄せたからだ。他の誰の汗とも違う汗だ、そう思うと彼女は思わず吹き出しそうになった。

「私自身がアリンコなのよ」と彼女は言った。「アリンコみたいに小さい。だからあなたが憎らしい」

一瞬、アスフールがドアに立っているのが見えたような気がしたが、気のせいだとわかったので、彼は気を取り直した。

「どうしたの？」と彼女が訊いた。

「アスフールが来たのかと思ったんだ」

素早い動きで彼女はドアの方を振り向いた。

「アスフールって、誰？」

「友達さ、土の精」と彼が真顔で答えた。

「わかるわ」と彼女は言い、体を彼から離した。「いつだって友達は小さいのよね」

「また行ってしまうのか？　ソーニャ」と彼が訊いた。どういう意味なのか、彼女にはわからなかった。

「私のそばにいてくれるなら、一緒に行ってもいい」

彼女は彼の顔をじっと見たが、彼が何を言っているのか理解できなかった。

「何ですって？」自分のか細い声で、キルステン・フォーゲルのささやくような声を思い出した。

「別れはもうなしだ」と彼が言った。両の目を大きく開いて。彼女がよく見たことのある、尋問中のあの目だ。迫るような形相で矢継ぎ早の尋問。相手は彼の目を凝視するのが精一杯で、やがて真実を白状し始めるのだ。

「どういう意味、別れはもうなし、って？　私が死んでしまったら？」

「君が死んだら、全てはおしまいだ。しかし、君が死なないのなら、私のそばにいるんだ」

「子供みたいよ、あなた。例のキノコで子供に変えられちゃったんじゃない？　まさか、私と結婚したいって？」

「結婚したいかどうか、それはわからない」

「私と一緒に暮らしたいの？　どうしたいのよ？　タボール」

「わからない、君と一緒に暮らしたいかどうか。ただ、私から離れないで欲しいんだ。単純にそういうことだ」

「で、私が嫌だと言ったら？」

「じゃ、ここにいる。そして君は帰って行く」

「テキーラ、もう一杯くれる？」

彼は窓の方を振り向いて、ボトルをとって栓を開けた。

「私、それが心配なのよ」と彼女が言った。

「私もさ。でも君に嘘を言ってもしょうがない」

彼の手からボトルをとって、一口飲んだ。

「本当なの？」と彼女は言って、口元を歪めた。「二人の男をお店でボコボコに殴ったんだって？」

彼は肯いた。

「どうして？」

「一人にして欲しいって言ってるのに、絡んできたんだ」

「一人にして欲しいけど、離れてもいけないのよね」と彼女は言って、テキーラのボトルを持ち上げ、乾杯の身振りをした。だんだん頭が痛くなってきた。厚着で、松林とキノコの匂いや、ガソリンの蒸気で汗まみれになって、そのうえ四〇%のアルコールを飲むことには慣れていない。

「あなたは病気よ」と彼女は言ってボトルを差し出した。彼はボトルに栓をせずにそのまま床に置いた。

「違うよ」と彼は言った。

彼女は彼の手を取って小屋の出口まで引っ張っていった。辺りは真っ暗だった。木の葉から落ちる雫の音がして、コオロギが鳴いていた。

「約束はできない」と彼女は言った。「だから、あなたも求めないで欲しいの」

二人は数分間、相手を見ることもなく、その場に立ち尽くした。ガソリンと湿った土の匂いがした。二人は注意深く頭を上げた。テカテカと光るカブトムシのように、互いに視線を相手の体の上で上に向かって這わせた。視線が同じ高さになったとき、動きを止めた。

不動のまま、一分間ほどお互いを見つめ合ってから、二人は我に返った。

「荷物を持ってきて!」とソーニャが言った。「それと懐中電灯も忘れないで!」

「マッチしか持ち合わせていない」とズューデンが言った。「キノコを吸うやつには、これしか要らない」

そのとき、ソーニャの携帯が鳴った。

God is alive, magic is afoot, God is afoot, magic is alive, Magic never died…
(神様は生きている、魔法は効いている、神様は効いている、魔法は生きている、魔法は死んじゃいない……)

「いつですか? 彼がそちらに訪ねてきたのは。あなた、まだ覚えてるでしょ?」ガルミッシュのアウトバーンをミュンヘンに向かって車を走らせながら、ソーニャが電話の相手に訊いた。カール・フンケルは、先ほど森の中にいる彼女に電話をかけてきたとき、奇妙な知らせを伝えたのだった。

「一時ごろよ。フンケルさんにもそう言ったけど」とリーロが答えた。ちょうどネティーの最後の客が帰ったところで、リーロは彼女のアパートのキッチンに腰をかけて電話していた。


今は土曜日の夜中の一時半だ。

「それで彼は何も言わなかったのですか、一言も?」とソーニャが訊いた。

「ええ何も。ドアから倒れるように中へ入ってきて、酔っ払ってたのかどうかわからないけど、私の部屋に入ってきて、それからシャワー室に入ったの。最初は頭がおかしいのかと思ったのよ、服を着たままだったから。でも、シャワーを浴びる気なんかなくて、ただそこに突っ立ったまま、引き戸を閉めてしまったわ。私はベッドに座って待ってたの。彼はシャワー室に入ったままで音一つ立てないし。マルティンったら」

「浴室にベッドがあるんですか?」

「寝室にシャワーがあるのよ。お客様用に」

「で、どれくらい……」ソーニャは、カセットテープのボックスの中のユーカリの飴が入った袋をガソゴソと探しながら言った。「マルティンがそこにいたのはどのくらいでした? 上司が言うには、三〇分くらいらしいんですが、間違いないですか?」

「だいたいそうね。あたし、もう眠いわ、ファイヤーアーベントさん。あんなたの上司以上のことはわからないわ。心配したのよ、あたし。気分悪そうだったし、臭かった。彼が、警察からのお達しよりも長い時間遊んでいくの、みんな知ってるわ。でも今度は違ってた。まだあるんだけど……」

「なんです？」やっと飴の入った袋が見つかった、でも空っぽだ。「ちっ！」

「えっ？　とにかく……、手入れがあったのよ、ここに。あなたの仲間たちがあたしたちの部屋を荒らしていったのよ。なんだか知らないけど、外国人がここで働いているんじゃないかって思ったんでしょ。そんなの、いないんだけどね。だから、マルティンたら、すごく驚いて、屋根に逃げていったのよ。見つかったら大変だものね。めちゃくちゃ怖がってた。別に彼がなんかやらかしたってわけでもないんでしょ？　おたくの署じゃみんな、彼が夜何してるかって、知ってるはずだわ」

「これが初めて？　彼が屋根に登って逃げたのは？」

「初めてじゃないけど、もうずっと前のことよ、二年も前に一度。あのときは確かにここで、チェコの女の子たちが違法に働いていた。あっ……」

「言わないから大丈夫」とソーニャが言って両目を閉じた。道路の対向車線を車がハイビームで走ってきたからだ。

「その子たち、もうとっくにやめたわ。男友達が頼むもんだから、本当よ、ほんの短い間よ、今ごろはとっくにチェコに帰ってるわよ」

「きっとそうよね。教えてくれない？　なぜマルティンがシャワー室で突っ立っていたのか」

「わかんない」

「そこに来ると、いつもシャワーを浴びてたの？」

「いいえ、彼、結構清潔な方だったから。でも今度はものすごく臭かった！」

「彼から連絡があったら、電話ください」

「本当に心配なのよ、あんなに具合の悪そうな彼って、見たことないもの」

　ソーニャは携帯電話を、助手席のラジカセの横に置いてあったショルダーバッグに入れた。そして後部座席に目をやった。ズューデンが体を伸ばして横になっている。

「あなたわかる？　彼がどこにいるか」と彼女が訊いた。

　車はミュンヘン＝ゼンドリングのアウトバーンの終点に向かう長い直線を走っていた。ヘッドライトの集団が家々を朦朧とした光に包んだ。

「明日朝になれば帰ってくるよ」とズューデンが唸るように言った。「奴に会うのが楽しみだ。会いたかったんだ。そしたら例の少年、ラファエルを見つけ出すんだ。巡礼の守護者ラファエル、偉大な慰安者ラファエル」

「今はマルティンを見守ってほしいけれど、残念だわ、ラファエル」

「あいつに会ったら謝ろうと思う。なぜ私がいなくなったのか、なぜ連絡もしなかったのか、わかってもらえるように話そうと思う」彼は両腕に顔を埋めた。

「そうしてね、何カ月もそれを待ってるのよ。それから私に話して」とソーニャはいい、アクセルを踏み、黄色信号のルイーゼ＝キーゼルバッハ＝プラッツの交差点をかろうじて突っ切った。

彼女はうれしかった。街に戻ってきたのだ。人々の中にいるのだ。もっとも、この時間では人影もまばらではあったのだが。後部座席からは軽い鼾《いびき》の音が聞こえてきた。ソーニャは肯いた。ここ何カ月の間、この音が聴きたくて仕方がなかった夜もあったのだ。

音楽のボリュームをあげた。ズューデンのカセットから一本抜き取って車のデッキに差し込んだ。*“Though laws were carved in marble, they could not shelter men, though altars built in parliaments, they could not order men, police arrested magic, and magic went with them, for magic loves the hungry”*（大理石に彫られた法律だって、男たちを守ってはくれなかった、議事堂には祭壇が造られていたけれど、男たちに命令することはできなかった、警察は魔法を捕まえ、魔法はついていった、魔法は飢えた連中が好きなんだ）」バフィーが歌っている。ソーニャは腕を後ろに伸ばしてタボールの脚に触れた。

8　小さな世界の終わり

その女性から電話があったとき、彼は最初、ずいぶんもったいぶった話しぶりだなと思った。新聞の土・日版は、ラファエル・フォーゲルについての続報と、無能な警察を非難する記事であふれていた。特別捜査班の特設電話は鳴りっぱなしだ。シェーン通りに住むその女性から通報があったとき、たまたま電話を取ったフォルカー・トーンは、話の内容と相手の電話番号を書き取り、決まり文句の礼を述べた。この手の情報はあまり当てにはしていなかったし、記者会見においても、とりあえず公にする気はなかった。会見の責任者はフーゴ・バウム。昨日午後から記者たちの執拗な質問に対して、一貫して同じセリフで答えていた――いいえ、赤のオペルはまだ見つかっていません。いいえ、容疑者らしき者はまだいません。

しかし、それは嘘だった。あるいは、トーンのいつもの表現を用いれば、真実を突き止めるという目的に一〇〇パーセント合致するとは言えない発言だった。

シェーン通りに住む女性からの通報の実地検証に当たったロスバウムとゴーベルトの両刑事は、扉が閉まったガレージを見つけた。持ち主は最初、扉を開けるのをしぶり、ここ何日かは車を車庫から出していないと言い張った。車は赤のオペル・カデット、一九八二年製だ。なぜ車をガレージに入れっぱなしにしているのかと訊いたところ、持ち主は、「誰にも盗まれないようにさ」と言った。ロスバウムとゴーベルトが納得する答えではなかった。早速国道テガーンゼー通りを走って、赤のオペルを見たという、例の若い本屋の女性店員にシェーン通りに同行してもらった。仕事中ではあったが、そこからたったの二キロメートルしか離れていない場所でもあったので。しかし、せっかくの協力も報われなかった。彼女は自信がなさそうで、この車があのとき本屋の向かいの肉屋の前に停まっていた車かどうか、確信がない。その車ではなかったとも言い切れない、とも証言した。

車の持ち主が警官を自宅に入れることを拒んだので、二人は彼を署まで連行したが、さすがにそれには抵抗できなかった。

ロスバウムとローベルトが特捜班に加わるのはこれが初めてだ。この事件を自分たちの力で解決してやろうと、最初から勇んでいた。だが、二人がアウグスト・エマヌエル・アンツとの遭遇によってどれほど真実に近づいていたか、そのとき本人たちは知る由もなかった。そのことに気づいたのは、ずっと後になって、この事件が自分たちの手に余るものだと思うようになってからであった。彼らには防ぎようがなかったある悲劇で、こともあろうに、自分たちがエクストラ役を務める羽目になった段階で。

「お隣のメールハウスさんの話だと、車はいつもは路上駐車で、ガレージに入れることはないっていうことですがねえ。冬場以外は。それも雪がひどく降って凍結するようなとき以外は。それなのに、どうして今週に限ってガレージに入れたんです？　質問の趣旨は極めて明快だと思いますがね、アンツさん」

フォルカー・トーンが正面に座って、パウル・ヴェーバーとフライヤ・エップが両翼を固め、さらにヨーゼフ・ブラーガ、ズヴェン・ゲールケの両巨漢がアウグスト・アンツの真後ろに聳え立っていた。アンツは何かよからぬことをされるのではないかと不安で、ときどき後ろを振り向いた。

アンツは、汗のシミが滲んだベージュのシャツと黒っぽいズボンを履いていた。ジャケットは椅子の背もたれにかけてあった。彼が頭を掻くと、刈り残された髪がガサガサと音を立てた。その度に、血が出ていないかと自分の手を見つめるのだった。

「メールハウスさんか。あの女は目が見えないんだ」と彼が言った。目の前に置かれたコーヒーには手を触れなかった。

尋問室は小さな空間で、ちょうどアンツの真後ろに、低めの窓が一つあるだけだった。ここは、警官たちが、ひっきりなしに鳴る電話と同僚たちの出入りに邪魔されずに済む、唯一の空間なのだ。

「もう一度言っておきますがね」とトーンが言った。「あなたは容疑者としてここにいるわけじゃない。もしかしたら、事件解決のための重要な証人かもしれないんですよ。もし、あなたが月曜日にテガーンゼー通りのムルっていう肉屋の前に車を停めていたのなら、そう認めてくれればいいんです。それだけのことですよ。　あの日あなたは仕事をしていた。それはみんなわかってますよ。同僚のオーバーフェルナーさんと一緒にオスト墓地にいたんですよね」

「そうだよ」とアンツが言った。

「もし我々が探しているその少年を見たんなら、そう言ってくださいよ。彼と話をしたんなら、そう言ってください。誰もそのことであなたを咎《とが》めはしませんよ」

「少年はショックを受けていました。大好きなお祖父さんが死んでしまったんですよ」とフライヤが言い、メガネの位置を直した。「そして、あなたはその墓地で仕事をしていたので、少年を見かけたということは、十分にありえることですよね」

「新聞には、あの子は埋葬には来ていなかったって書いてあった。それなら、どうして俺があの子を見かけるってことがあるんだ？」

「少年はあそこにいたんです」とトーンが言った。「墓場に。おじいちゃんの墓の前に手紙を置いていったんです」

ヴェーバーは彼を一瞥して、余白に自分で菱形模様を施したメモ帳に、何か書き込んだ。『ラファエル＝墓に手紙。この子か、それとも他の誰か』、と書いてから、目を上げた。アンツは、また頭をかいて、自分の指を眺めてから両手を膝の上に置いた。

「我々の同僚が今オーバーフェルナー氏のところに行っています。どんな報告があるか、楽しみです」とトーンが言った。

「俺とおんなじことしか言わないよ」とアンツが言った。「ずっと一緒だったんだ。墓場に小僧なんかいやしなかった」

「しかし、埋葬のことは知ってたんでしょ、違いますか？」とヴェーバーが言った。

「埋葬ならいつもやってるし、全部をいちいち気をつけて観てるわけじゃない。俺は庭師だよ」

「以前は旋盤工でしたよね、アンツさん。なぜ辞めたんです？」とトーンが訊いた。まだ家宅捜索のための令状を申請するまでには至っていなかったが、彼には、どうもそうするべきだったという気がしてきた。ネッカチーフを手でこすり、指の匂いを嗅いだ。

「なんか新しいことをしたかったんだ」とアンツが言った。「会社じゃ大勢がクビになって、俺は早いことなんとかしないと、と思ったんだ。旋盤工なんか用無しってわけで、ちょうどいい頃合いだと思って」

「窃盗と傷害で一年半食らったことと、仕事を替えたことには、なんか関係あるのかなあ？」とトーンが訊きながら、記録用のカセットレコーダを少しばかりアンツに近づけた。

「ムショ？　ああ、あるよ。だけどもう随分前のことだ、刑事さん……」

「そう、そろそろ一五年になる」

トーン以外にその事実を知る者は誰もいなかった。これまでも似たような事件で、彼は大急ぎでコンピューターを使って、当該人物についてできるだけ詳しい情報を手に入れていたのだった。

「それでつまり、庭師になったってわけだ。いい職業だ」

「そりゃとてもいい職業だよ、刑事さん。他にこんないい仕事はないくらいだ。警官もいいかもしれないけど、そっちの方はよくわからないんで」

アンツは冗談のつもりで言ったのだが、言い終わらないうちに、自分でもしらけてしまった。無表情に録音機を見つめてから、迫りくる危険を恐れるかのように、目をキョロキョロさせた。そして、頭が天井に付かんばかりに屹立している二人の警官を睨んだ。

「大丈夫だ」とブラーガが言って、口を横に大きく開いてニヤッと笑った。アンツは、汗が腋から腕に向かって滴り落ちるのを感じた。この警官、なんで笑うんだ？　彼はコーヒーカップに手を伸ばした。

「アンツさん？」とトーンが訊いた。

「ああ」と素早くアンツが言った。

「あなた、嘘を言ってるね。いいことじゃないな」

「嘘なんか、刑事さん。子供は見ていないよ、絶対に。もちろん新聞で写真は見たがね。だけど墓場でなんか。絶対に見てませんよ」

「それで、あなたのお友達が違うことを言ったとしたら？」

「私の友達？　オーバーフェルナーかね？　違うことを言うわけがない。ありえんよ。私が言ったことと同じことを言うさ、私と全く同じものを見たんだから」

「あなたの住まいを見させてもらってもいいですかね？」

「そりゃ困る」

「なぜ？」

「なぜって……掃除もしてないし、それに他人を入れるのは好かんよ。シェーン通りのただのちっぽけなアパートだよ。部屋が二つで、台所に風呂、それに廊下。がらくたが置いてあるだけだ」

「あなたの住まいにご一緒していただけると、大変助かるんですがね」とトーンが鋭い声で言った。

「ここには、義務でもないのにわざわざ来てやったんだ。だけど部屋はごめんだ、断る！」せわしく頭を掻いたが、指をチェックするのは忘れた。これから、黙っているか、口を開いても余計な事は言わないように腹を決めた様子だった。うまく自分をコントロールしている。トーンとしては、そろそろ新たな尋問フェイズに切り替える時が来たようだ。

「ちょっとここで待っててくださいよ、アンツさん。電話を一本しなきゃならないので」

「家に帰してくれ」

「ほんの二、三分ですみますよ、アンツさん」

ブラーガとゲールケはよく訓練されたダンスステップを踏むように、素早く脇に退き、トーンは部屋を出た。ヴェーバーは額の汗をぬぐいながら、アンツの顔を穴があくほど見た。この男、何か隠していることは間違いない。ただ、白状したところで、それが少年の居所のことかどうかがわからなかった。隠しているとしても、たぶん、少年とは関係のないことか、関係があっても大したことじゃないかもしれない。フェルトペンを手にとってメモした。『アンツ＝前を洗うこと、前科ではなく』。

一つ上の階にあるフンケル刑事部長の執務室には、国家公務員としての仕事に復帰した主任警部タボール・ズューデンがいた。ミルベルツホーフェンのソーニャのアパートに泊って、朝のシャワーを浴びた後、六時半にギージングの自宅に戻った。全ての窓を開け放し、新しい服に着替えた。赤黒いジーンズ、黒のプルオーバー、そして靴は茶色のハーフブーツ。アパートの部屋は埃っぽい地下牢だ。そのうち、きれいに片付けようとは思っていた。いずれ、刑事として復帰した暁には。そんなことはおよそあり得ないだろうと、内心では思っていたのだが。しかし実際、俺は今ここに立っている。

「肩を傾げて、どうしたんだ？」とフンケルが訊いた。

「襲われたときに……」

「森の盗賊か、なるほど。君が復帰することを、面白くないと思っている連中もいることは知っている。人をほったらかしにしておいて消えた君を、私がどうして擁護するのか、なぜ君だけが特別扱いなのか、納得できないのさ。普通ならとっくにクビだからな」

「で、なんで私を特別扱いする？」

「そりゃ、君が優秀な刑事だからさ」とフンケルは言った。「書類は揃えさせるから、報告書を書いておいてくれ。その間どうしていたとか、調子はどうかとか、長期休暇の理由や、回復の経過とか。次官や大臣に向けて、まあ適当に書いてくれればいい。もちろん同僚たちに対しても。それから、検診は必ず受けてくれよ。体のチェックは義務だからな。医者嫌いなのは承知している、だがこれだけは頼むよ。できれば月曜にも。肩の具合はどうだ?」

「腫れてるだけで、大したことはない」

「他に聞きたいことは? 気分はどうだ? 顔色が悪いけど。だが、痩せていないようだな。安心したよ。森にゃ、うまいものがあるのかい?」

「欲しいものは何でもある。見つけ出しさえすりゃ」

「フォルカーだが、怒ってたぞ、冬に君を訪ねて来たろ? そのとき、すげなく追い返したじゃないか。彼としちゃ、本心で助けになりたかったのに。信じないだろうが。でもそれは本当だ」

「今でも例の油っぽい香水をつけてるのかな?」

「あれは香水じゃないよ。油っぽいものでもない。あれはな、高級なフランス製オード・トワレ。君の守備範囲じゃなかろうがね」

「私なら風呂に入るね」

「彼とはもう話したのか?」

「いや」

「階下《した》にいるよ。不審な男が一人いるんだ。とにかく挙動が不審でね。墓場の庭師だよ」

「ソーニャから手短に聞いている」

「ソーニャ、どうしてる? 彼女には驚いたよ、実際にやってのけたんだからな。君を心変わりさせた。私はとてもうれしいんだ。だが正直、驚いてもいる。何があったんだ? どういう仕掛けをしたのかなあ?」

「私だってわからないよ、チャーリー、とにかくうまくいったのさ」

　二人はお互いの目を見つめた。これまで二人とも、ソーニャとのことをほんの少しでもほのめかすようなことは、したことがない。

「訴えの方はもう済んだのか?」とフンケルが訊いた。

「何の訴え?」

「襲われたんだろ?」

「訴えはしない」

「ターギングの人間は同郷の士を吊し上げたりしない、

ってことか」

「そういうことだ。それにリスが間一髪で教えてくれたからな」

「リス？」彼はニヤッとして、トーンがした、くるみの話を思い出し、それ以上は言わなかった。

「マルティンから連絡は？」

「いや。どうも解せないんだが」フンケルはデスクの方へ行き、灰皿からパイプを取り上げた。

「ヴェロニカに言っておいたんだ、もう一度連絡してみるようにって。ちょっと驚いたな、あのマッサージ嬢がここへ電話してきたときは」

「なんとか探してみるよ、チャーリー」

「我々は、ラファエルを探し出さなきゃ、タブ。新聞、読んだか？」

「見出しだけだが」

「君の復帰を知ったら、奴ら、号外を出すぜ。仕事の邪魔をされないように気をつけるんだな。ところで机だけど、以前と同じものを使え。今はエップ女史が使っているが、彼女には他の机を使ってもらうから」

タボール・ズューデンが三階の尋問室に入ってきたとき、フライヤ・エップが彼の方を振り向いて、頬を赤らめた。

「タブ！」とヴェーバーが言って、机の向こうからこちらへやってきて同僚を抱き締めた。「やっぱり帰ってきたな！　ああ、良かった！」

「やあ、懐かしのギャングよ」とブラーガが手を差し伸べた。

「ズューデン様のお帰りだ」とゲールケが言い、口髭を高く捻り上げた。「てっきり森のバグベアにでも突然変異してしまったんじゃないかと思ってたよ」

彼らは互いに握手し合った。フライヤは、アウグスト・アンツに負けず劣らず、その光景にポカンと見とれていた。

「タボール・ズューデン」と彼は自己紹介し、前かがみになって、フライヤに手を差し伸べた。

「私、あなたの机を使わせてもらっているのですよね」と彼女はどぎまぎした様子で言った。

「机は国のものだよ」と彼は言った。それから、全員が押し合いへし合いしながらそれぞれの位置に立った。

「アウグスト・アンツさんだね」とズューデンが言い、アンツは肯いた。シャツの汗のシミがひときわ大きくなっていた。

ドアが開いて、トーンが入ってきた。一瞬ハッとした様子で、唇を舐めてからドアを閉めた。

「やあ、同僚よ」と彼は言った。

「やあ、フォルカー」

「あなたのお友達と話したんだが」とトーンが言って、ズューデンをそれ以上気に留めずに、尋問用テーブルの前に座った。「あなたたちは少年を見ただけじゃなく、話までしたって言うじゃないか」

ヴェーバーとズューデンには、それがはったりだということが、すぐにわかった。そして、あまりいいやり方ではないなとヴェーバーは思った。

「あいつ、どうかしてるんだ」とアンツが言った。

「あのボケ野郎」

「彼がなんだって？」

「めちゃボケって言ったんだよ！　トンマさ。俺たちは少年なんか見ちゃいない。あいつは嘘をついて、俺を怒らせようってんだ」

「なぜ？」

「あいつとは揉《も》め事があってね」

「どんな？」

「女のことで。俺の彼女にちょっかい出したくて、うろちょろつきまとうんだよ。スケベで、トンマで。あいつは何もわかってないんだ」

「あんた、結婚は？　アンツさん」とズューデンが訊いたとき、トーンは彼を見るのを避けた。

二人の関係を噂でしか知らないフライヤでさえ、突然そこに現れた同僚の質問に、トーンがどれほどムカついているかは、容易に見て取れた。

「いや」とアンツが言った。「なぜそんなことを訊くんだ？」

「子供は？」

「結婚もしていないって、今言っただろ。他の刑事さんたちからもう訊かれたよ。最初からやり直しかね」

「兄弟はいる？」

「一人っ子だよ」

「子供は好きか？」

「あんた、精神科医か何かかね？」

「私は警察官だ。子供は好きか？」

「もちろんさ」

「男の子、女の子、どっちが好きだ？」

「そんなに知りたきゃ言うけど、どっちかっていうと男の子だな。だけど、俺は子供が好きでたまらないっていう連中とは違う。そんなのは変だと思うよ。俺は、女の子より男の子の方が好きさ。話がずっと通じるからね。そう思うよ、ドクター先生さんよ」

「ありがとう、ご苦労」とトーンがズューデンに言った。「あとは我々でやるから」

　ズューデンに異論はなかった。森の中で自然の香りに浸った後の彼には、どのみちこの脂っこい匂いは鼻の粘膜にとって耐え難いものだった。

　彼は車を一台用意させ、親友の居所を探し求めて署を後にした。


「あんたたち失踪者捜索課は、今じゃ身内の人間も探さなきゃならないってことかい?」とザカリアスが、ミネラルウォーターの空瓶を新しい瓶と取り替えながら、そう言った。クンストパルク《アートパーク》・オスト内の居酒屋、ナハト・カンティーネでは、午後三時ごろの時間帯は、客もなく、食材の補給のための時間がたっぷりある。

「ビールを七、八杯飲んで、オルガスムスを三、四杯やったかなあ、奴」とザカリアスは裏庭から大声で言った。それから牛乳パックを乗せたキャリアを引いて戻ってきて、オレンジや、レモンや、ライムを乗せた皿の隣に置いた。

「オルガスムス?　なんだ、それは?」とズューデンは訊いて、ザカリアスが彼のためにカウンターに置いたミネラルウォーターを飲み干した。

「オルガスムスを知らないのか?」居酒屋の亭主の顔はニヤリともしなかった。しかし、口のまわりにはシワがたくさん寄っていた。しっかり眠っているときには、おそらく口が勝手に笑っているのだろう。

　亭主は刑事に、そのカクテルの成分配合について解説した上で、どんなに酒に強くて健康な人間でも、一晩で二杯以上はとても飲める代物ではない、と付け加えた。

「彼とは話をしたのか?」とズューデンが訊いた。

「何のために?　奴は一人でずっと喋りっぱなしだよ。それにいつだったか、テーブルに座って飲み続けてたんだけど、何か書き付けてたなあ、忙しくて、相手してる暇がなかったんだが」

「何を書いてたんだろう?」

　ザカリアスは肩をすくめた。

「最近ここへはよく来てた?」とズューデンが訊いた。

「あんたよりはね」

「私は旅に出ていた。たくさん飲んでいたか、あいつ？　以前よりも？」

「なあタボール、ここは飲み食いするところだ。一晩中やってる。みんな飲みたいからここへ来るんだ。それも、しっかりと飲みたいから。それでいいのさ。わかるだろ？　どうしたっていうんだ、あいつ？　何かやらかしたのか？」

「今日はここでもう五軒目なんだ。どこへ行ってもみんな、まるでマルティンが、隅っこで一人で酔っ払ってる、そこらのクズ客みたいに言ってるんだ。だけど、奴はどの店でも常連で、店の備品の一つみたいだし、いつも飲みにやって来る。なのにみんな、そんな奴、知らないって顔をするじゃないか。みんな目が見えなくなったのかな？」

　ザカリアスは再び外に出て行って、オレンジジュースのケースを持って入ってきた。ボトルを冷蔵庫に入れてから、タバコに火をつけた。「あいつ、ここに来るようにはなったんだが、またいなくなったよ」と彼はいい、ケースを床にドスンと置いた。「他の連中とおんなじさ。ここにやってきて、ちょっとおしゃべりして、たくさん飲むのもいれば、少しだけってのもいて、いっぱい喋っていく奴もいる。色々さ。で、それがどうしたっていうんだ？　マルティンのこと、知ってることを全部喋って欲しいのかい？」

「ああ、頼む！　ついでに水をもう一杯！」

「奴の名前は知ってるさ」とザカリアスが言って、グラスに水を注いだ。「奴がデカだってこと、失踪者捜索課で働いてることも知ってる。両切りのキャメルを吸って、しかもヘビースモーカーだってことも。ときには饒舌だが、ただ座って女の子たちを眺めているときもある。それに、あんたたちが友達どうしだってことも知ってるよ。あんたのことで、知ってることを喋ってやろうか？　あんたはタボール・ズューデン。もっとも、本名かどうか、まだ疑っているんだが。警察で仕事をしていて、女にはモテる。何しろ女はあんたみたいなインディアンが好きだからな。以上。あとはわからない、あんたのことも、あんたのダチのことも。近頃の人付き合いなんてこんなもんだ。名前は知ってる。それだけだ。人があんたにどんな話をするかなんて、一晩中話したかどうかなんて、どうでもいいのさ。それで、あんたも全部忘れちまう。それでいいんだよ、その方が身のためだ。肝心なのはなあ、名前だよ、名前を覚えてくれたら、みんな喜ぶんだよ。ああ、自分のことを覚えてくれてた、ってね。ザッツ・オール。それ以上のことは残らない。あんたの墓には名前だけだ。タボール・ズューデン」彼は頭を振った。「本当にそういう名前なのか」

「電話をかけなきゃ」

「ドアの前だ」

「釣りはいい」ズューデンはカウンターに五マルク硬貨を置いてから、後ろを振り向いた。

「一マルク足りないよ」

「電話に使うんだ」

「警察じゃ、携帯ってもんがないのかね」とザカリアスが大声で言い、ズューデンが飲み残したグラス半分のミネラルウォーターを捨てた。「なあ、『シラーカフェ』にはもう行ってみたのか？　その店のこと何度か言ってたがなあ」

　ズューデンは、ノー、と手で合図した。

「『フィッシャーシュテューベルル』は？」

　タボールは同じく、ノー、と合図した。

「じゃあ、『イヴァン』は？」

　ズューデンはハッとして、もう一度ザカリアスの方を振り向いてから、廊下の壁に据えてある電話の受話器を取った。店の前には、この雨模様の夏じゃ誰も使いそうもない、ビアデッキやテーブルがさびしく並んでいた。

「ソーニャか、私だ。何かあったか？」

「彼から電話があって、あなたがどこにいるか訊いてきたわ」と彼女が言った。特別捜査班の同僚たちに混じって、アウグスト・アンツに嘘をついて口を割らせるやり方が許されるのかどうか、喧々諤々の議論の最中だった。

「電話はいつきた？　何時だ？　ソーニャ」

「一〇分前」

「なんだって？　クソッ！」

「あなたに知らせようとしたのよ、でも車にはいなかったでしょ。今どこにいるの？」

「クンストパルクだ、電話はどこからだ？　自宅からか？」

「それはわからない。あなたがここにいるかどうか訊いてた。あなたが仕事に戻ったこと、でも今ちょうど出て行ったところだということを、電話を取った同僚が言ったところで、電話が切れたの」

「そいつを出してくれ！」

「今会議中なのよ。もういい加減にマルティンを探すのはやめなさいよ。あなたが必要なのよ、私たちは」

「マルティンの電話を受けた人間を出してくれと言ってるんだ！」

「もしもし？」と男の声が電話口で言った。

「誰だ？」とズューデンは訊いた。体を前後左右に動かした。まるで、体内に広がって彼を脅し、恐れを吹き込むかのようなメロディーのリズムに合わせるように。この日に、この街で誰か他人の心配をしている多くの人間の中でも、彼は最も無力な人間の一人だった。

「トーンだ。すぐに署に帰ってきてくれ、これは職務命令だ。わかったか？」

「一時間後に帰る。今は、その電話に出た……」

「すぐに帰ってくるんだ！　私は、君が復帰することには反対なんだよ。だがチャーリーの決定には従わなきゃならない。その決定に賛成しているわけではないんだ」

　彼は受話器を叩きつけるように置いた。

　ズューデンは受話器を掛けて外に出た。雨が降っていないのがせめてもの慰めだ。空にはいつもの黒っぽい雲がかかっている。まともな飲み屋の亭主なら、ビアガーデンで稼ごうとは思わないだろう。

　『イヴァン』という洒落たカフェで二人が飲んだことはなかった。マルティンがそこに足を運んだということが、ズューデンには意外だった。普段なら彼は、こんなこじんまりとしたテーブルに、これまた小さな椅子に腰掛けるなんてことは好まなかったし、今風の格好や身振りで会話する若い客たちに混じって、小洒落《こじゃれ》た壁や照明の中で飲むなんて、趣味じゃなかったはずだ。彼は普通の飲み屋の常連だ。大きくて分厚いテーブルに、夕暮れどきに仕事帰りの大人たちが集まってくる飲み屋だ。みんなどうせ、うちに帰ることを考えるだけで気が滅入るだろうから、せめてここでだけは、子供じみた会話を楽しみながら飲みたいのだ。それなのに、とズューデンは、彼のチャコールグレーのヴェクトラをミュンヘンの中心部のゾンネンン通り沿いに駐めながら思った。それなのに――マルティンは、カクテルなんか嫌っていたのに――それどころか気持ち悪くなるくらいだった、オルガスムスなんてものを飲み始めるし、一体どうしたというのだろう。

「ホイリゲさんですか（ホイリゲは今年のワインの意。ホイヤーの言い間違い）？　もちろんいらしてましたよ！」広いもみあげと親指に銀の指輪をしたその若いバーキーパーは、あふれんばかりの笑みを、まるでザカリアスに代わって償いをするかのように、ズューデンに投げかけた。「いましたよ、四時まで。最後のお客さんでしたね。どうかしたんですか、その人？　ウイスキーが合わなかったのかな？」

「ウイスキーを飲んだ？」

「他にも色々とね」若者は図体は大きかったが痩せぎすで、枠の太い黒い眼鏡をかけていた。「ずっと何か書いていましたよ。日記かなあ？」

「彼とは話をした？」

「ほんのちょっと。女の人といちゃついてたから。二人とも結構濃厚にやってましたよ」

「その女とは、あんた、知り合いか？」

　バーキーパーはカプチーノを二つカウンターに置いた。肌の黒いボーイが、煙草を吹かしている若い二人の女性客のテーブルにそのカプチーノを運んだ。四三歳のタボール・ズューデンは、このカフェでは、ダントツの年寄りということになる。

「いや、見たことないですね。ホイリゲさんが彼女に話しかけたんです。階段の後ろの方に一人でいたんですが、彼がそっちに行って、それから始まったんですよ。たいそう盛り上がってましたよ」

「その女の名前、聞いた？」

　バーキーパーは首を振った。そしてタバコに火をつけた。

「さっき、彼が最後の客だったって言ったよな。ということは、そのときにはもう女はいなかった？」

「帰った後ですよ」

「いつ帰ったんだろう？」

「それはわかりません。あの女の人、全然いかしてなかった、ああ、つまり結構歳とってたんで」

「どれくらい？」

「五〇くらいかなあ？」とバーキーパーは言って、タバコをくわえたままエスプレッソを二つ作った。

「マルティンはタクシーを呼んだのか？」ズューデンは腕時計を見た。

「彼はタクシーは呼びませんよ。いつも自分で運転していたから。よく言ってましたよ、歩いて帰るのは危険すぎるって。自分で運転するぶんには、少なくとも車の前にぶっ倒れることはないって。変わった人だよ、あのホイリゲさんは」

「ということは、彼はここの常連ということか？」

「よく来ますよ。以前、ここで仕事をしていたんじゃないかなあ、つまり警官としてだけど。なんか人に聞き込みするためにここに呼んできたり、いやあホント、あそこの窓際でいろんな人に聞き込みやっていましたよ」

「そんなバカな！」

「誓ってホントですよ。ウェイトレスが、彼に飲み物を持っていったときに、色々と質問して、ノートをとったりしているのを見てるんですよ。たぶん、仕事場よりもここの方がやりやすかったんじゃないですかね。それって、やっちゃダメなんですか？」

ズューデンは窓の方を見やり、親友がミルクのカップを前に証人を尋問している光景を思い描いた。尋問された連中は、奴のことをなんだと思っただろうか？そのことで、なぜこれまで誰も署に苦情を寄せなかったのだろう？　普段なら、少しでも変だと思ったら、どんなことでも苦情を言ってくるくせに。

「それは信じられんな」とズューデンは言った。「どうしてそんなたわごとを話すんだね？」

「本当ですよ。あなたの上司にそのまま言うことはないけど。それともあんたが彼の上司？」

「いや。その女だけど、それまで彼はその女は知らなかった、彼女のテーブルに行って、二人でいちゃついたってことだね」

「いちゃついたも何も。そしたら、いつの間にか女はいなくなってたんです。ウェイトレスが言うには、ホイリゲさんが女の分も払ったんです」

「彼がその後、どこかへ出かけるとか、聞かなかったか？」

「まだ家には帰らない、そう言っただけです。たぶん、それから車に乗って、また別の店に行ったんじゃないかなあ、『ナハト・カフェ』とか、すぐ近くだから」

「電話しなきゃ」

「あっちにあります」バーキーパーはトイレの方を指差した。

「警察には携帯はないんですか？」後ろからバーキーパーの大きな声が聞こえた。

どこにいるんだ、お前は？　電話に出ろ、このロバ野郎め！　再びズューデンは体をリズミカルに丸くくるりと回して、電話の向こう側の反応を待った。

呼び鈴が五回鳴った後、留守録用のアナウンスが作動した。「マルティン・ホイヤーです。伝言をお願いします。どうも、では」

「マルティン！　タボールだ。帰ってきた。署に電話したんだってな。帰ったら電話をくれ、頼む！　俺は今『イヴァン』にいるが、これから署に帰らないといけない。電話をくれ！」

車に乗り込むと、頭の中で例のメロディーががんがん鳴り響いてきたので、署に戻るバイヤー通りを曲がり損ねてしまい、ノイハウゼンのアルブレヒト通りに入ってしまった。車を駐めてハウスナンバー二七の集合アパートメントに向かった。呼び鈴を一つ鳴らしたが、誰も出てこない。誰かがオープンのボタンを押すまで、あてずっぽうに他の名前の呼び鈴を試してみた。運良く誰かが開けてくれた。彼は「どうも」と一言言って、階段室に入り、一階ドアの前でしばし、じっとした。

ポケットから鍵束を取り出して、錠前破り用の鍵を使って難なくドアを開け、静かに閉めてから、暗い二部屋のアパートの狭い廊下に立った。

アパート中が煙臭かった。ブルーのベッドカバーはめくられていて、ベッドは空っぽだった。居間にある楕円形の大理石のテーブルには、吸殻でいっぱいになった灰皿が置いてあった。そしてきれいに片付けられたキッチンでは、蛇口から水滴が漏れていた。どの窓にもカーテンはかかっていなかったが、外からの光はわずかしか入らない。

折りたたみ椅子の上に、紙をいっぱいに詰め込んだ靴箱を見つけた。スタンドランプを点けた。手紙だった。少なくとも二〇通はある。宛先はどれも同じ男の名前だが、発送はされなかったのだ。どの手紙も最初は、親愛なるタボール、ではじまり、そして最後は、君の親友マルティン、で終わっている。

ようやくあのメロディーは鳴りやんだ。そしてマルティンの声が突然聞こえてきた。この誰もいないアパートの静寂に耐えることを強いるかのように。ちょうど、マルティンが、親友の不在を耐え忍ばなければならなかったのと同じように。来る日も来る日も、終わることのない罰のごとくに。

そのことがタボール・ズューデンにはわかったのだ。その手紙を、その一文一文を繰り返し読み終えてから。

それから彼はマルティンに許しを乞おうと思った。

そしてしばらく、そのことだけを考えていた。

「僕を地下室に隠したなんて、グストルは賢いよね」とラファエルが言った。ジャムで赤くなった唇に、オーバーフェルナーが温めて出してやったミルクの白い点々が浮かんでいた。ミルクは美味しくなかった。

「Hミルクなんだ」とオーバーフェルナーが言いながら、窓の外を覗いて、パトカーが来ていないことを確かめた。これでもう二〇回目だった。

彼に職務質問した警官たちは、確かに物腰は柔らかかった。しかし彼は警官たちを信用したわけじゃない。そして警官にしても、彼を信用したわけではない。彼にはそれはわかっている。そしてそれは正しい判断なのだ。警官が、彼と友人のアウグストが墓場で少年を見なかったかと訊いたとき、彼は嘘をついたのだ。俺はそんなにバカじゃないぞ、グストルのことは俺の方がよく知ってる。俺を裏切ったりハメようとする男じゃない。グストルが口を割るとしても、自分のことについてだろう。奴は裏切ったりしなかったし、今だってそうさ。俺をバカだと思ってやがる！　なんだい、生意気な若造らが！　ちきしょう！　そんなかの一人はイヤリングなんかしてた。警官がだぜ！　ゲッ、気持ち悪い！

彼は警官たちをアパートの中に入れてやったのだ。居間のカウチに座り、根掘り葉掘り訊いたあげく、臆面もなく嘘を言って俺を引っ掛けようとした。こっちが認めなけりゃ、警察は証明する義務があるって、グストルが口すっぱく言ってたもんだ。もう何年も前のことだが。奴はそれをずっと守ってきた。そりゃその通りさ。そうすりゃ、とっつかまる事もないってわけだ。小生意気な若造らが！　そのうちの一人は、ずっとメモを取っていた。もう一人が質問して、こっちの答えを恭しく聞いていた。

そして、グストルが少年を見たと言ってるのに、彼の方は見てないというのはどういうことだ、と訊かれたとき、それは俺にもわからない、とにかく見てないんだからと答えるしかなかった。あいつらが何とか自分を落とそうと焦っている間、ラファエルは隣の部屋から壁越しに聞き耳を立てていたが、物音ひとつ立てなかった。よくやった、いい子だよ。もうプロだな。若造らが帰っていった後、ラファエルにそう言ってやったんだ。警官たち、また来るからって言ってたが、どうぞどうぞ、何度でも！

「ねえ、Hミルクって何？」とラファエルが訊きながら茹で卵をほじくるように食べた。オーバーフェルナーがラファエルのために硬茹でを作ってやったのだ。

「Hミルクか、うん……フレッシュ・ミルクじゃないんだ。ほらここに書いてあるだろ……」彼は青いパッケージを手に取った。「超高温処理ホモ牛乳……」

「HミルクのHって、ヘアが中に入っているから？」

卵の殻が卵にくっついたままだが、ラファエルはそれを剥がすのが面倒だった。

「なんでヘアなんだよ？」

「だって、ここに髪の毛が入ってるんだもん！」グラスを持ち上げて見せた。ミルクの中に黒い髪の毛が一本浮かんでいた。オーバーフェルナーは人差し指を中に突っ込んでそれを釣り上げて、コーデュロイのズボンにこすりつけた。

「ほら、もうないだろ」

「このミルク、美味しくないよ。それに卵を冷やすのを忘れたでしょ、ほら」ラファエルは半分だけ殻をむいた卵を見せた。

「もうくっついたままだよ。ママなら、もっと上手なのに」

「冷やしたさ。お前だって見てたじゃないか」

「かもしれないけど。もうお腹空いてない。本当にグストルって賢いよね。僕を地下室に隠すなんて。警官たち、ぼんやりしてたんだね」

「お前があいつのところにいたなんて、奴らは全然知らなかったんだよ」

「でも、じゃあなぜグストルのところに行ったの？」

「たぶん、隣のおばさんが警察に電話したんだと思うよ。好きなんだよ、そういうの」

「どうして？」

「グストルが嫌いだからさ」

「最高なのになあ……」椅子から滑り降りてオーバーフェルナーのところまで行き、彼の顔を見上げた。「おじちゃんだって素敵だよ。車でガレージの前まで来て、警察に気付かれないように僕を乗せてったとき、かっこよかったよ。それにもう口の匂いもしないしね」

オーバーフェルナーは気まずかった。手を口の前に持ってきて息を吹いてみて、「ありがとよ」と言った。

「どういたしまして」とラファエルがほがらかに言った。「あれ、本当にかっこよかったな」

シェーン通りの集合アパートメントでは、地下駐車場への入口は、住宅の入り口と同じ側にはなかった。そのことを知らなければ、両方の入口が同じ住宅のものだとは、誰も考えはしないだろう。相当離れたところにあったからだ。ロスバウムとゴーベルトの二人がアンツを連れて出ていくと、ラファエルは、アンツがくれた鍵を使って部屋に帰って来た。そこでオーバーフェルナーに電話をかけ、彼に迎えに来てもらったのだ。共同住宅の入口で車の中から監視を続けていた私服警官たちは、それには気付かなかった。一階のお隣さんであるトゥルーデ・メールハウスも全然気付かなかった。そして警察がフランク・オーバーフェルナーの名前に突き当たった頃、当の本人はとっくに自宅に帰っていて、少年にしっかりとした朝食を用意してやっていた。

彼は初めは腹を立てていた。グストルがどうしてそんな危険を冒すのか、この子をどうするつもりなのかがわからなかったのだ。しかもグストルが、何もかも全部自分一人で決めていたからだ。しかし、今やことがここまでスムーズに運んでくれれば、彼にも欲が出てきた。すくなくともグストルへの義務として、ここでは誰が主導権を握っているのか、デカたちにははっきりさせておく必要があると思ったのだ。二人とも警察なんか好きな方じゃない。これこそが二人の大いなる共通点であった。

「なあ、聞いたかい？　あいつら、俺の友達をダシに、この俺をひっかけようとしたんだよ」と彼がラファエルに言い、ぎこちない手で肩を撫でた。「こっちはその手には乗らないさ！」

「グストル、すぐに帰ってくる？」

「お前のリュックを賭けるかい？」彼は冷めたコーヒーを一口飲んで、言葉を探した。「いいか、ラファエル。お前はなあ、ここにじっとしているのがいいと思うよ。ここなら安心だ。だけど、いつかはうちに帰らないとなあ……」

「いやだ！」とラファエルが大声で叫んだ。「いやだよ！　ママのところになんか、絶対に帰らない、絶対に！　帰るぐらいなら、死んだ方がマシだよ！」

音を立てずに――靴下だけだったので――ラファエルはキッチンから駆け出し、寝室のベッドに飛び乗ってベッドカバーの中に潜り込んでしまった。

オーバーフェルナーはベッドに座り、子供の頭に手を置いたが、ラファエルは身を固くして、しくしく泣いた。

「ラファエル、死ぬなんて、二度と言うんじゃないよ。お願いだ、約束してくれ……」

「いやだ！」カバーの奥の方から声が聞こえた。

「約束するんだ、ラファエル。とても大切なことなんだよ。俺に約束してくれよ、なあ、ラファエル、聞いてるのか……」

沈黙。そしていきなり、「どうして？」とラファエルの声がした。

「どうして？　だって、お前が変なことをしたら、この俺だって怖くなって死んじまうからさ。そしたら、二人とも死んじまう。そんなの困るだろ。俺たちウマが合うじゃないか、そうだろ、な？　お前と俺。二人で警察を巻いたんだ、俺たち二人でだよ。息の合ったいいチームだぜ。違うかい？」

「うん」

「そうだよな。じゃ、約束するよな？」

カバーが動いて、茶色いボサボサの頭が現れた。

「わかった、約束するよ」とラファエルが言った。

「いいか」とオーバーフェルナーが言いながら、注意深くラファエルの後頭部をさすった。「俺の妹はなあ、橋の上から川に飛び込んだんだよ。もう生きていたくないってさ。そりゃ、俺にとっちゃ、最悪のことだった。だから、もう二度とそんな目にはあいたくなんだよ。そりゃもう恐ろしいなんてもんじゃなかった。本当だぜ」彼の手は震え始め、急に冷たくなり、しくしく泣いた。

ラファエルはそれを見て驚いた。大人の男が泣くのを初めて見たからだ。


中庭では幼い女の子が目を腫らしながら泣いていた。友達の男の子が彼女を自転車から水たまりに押し倒して、舌を出して逃げてしまったからだ。膝に血が滲み、明るい色の花柄がついた緑色のワンピースがずぶ濡れになった。

その様子をタボール・ズューデンは、窓辺で眺めていた。それにしても少年は消えたままだ。

「すぐに来て！　フォルカーがあなたにカンカンなのよ」とソーニャが電話の向こうで言った。「例のアンツを連れて、彼の住まいに来てるの。チャーリーも一緒。ここに来た方がいいと思う。正式に仕事を再開するのはそれからよ」

「手紙のこと、どう思う？」

「あなたがその手紙を読んでもよかったのかどうか、わからないけど」

「私に宛てたものだよ」

彼は窓を開けた。少女の泣き声が大きく聞こえてきた。

「何かあったの、そっちは？」

「すぐに行くよ、ソーニャ。マルティンに伝言を書いてから」

「あなたがそこの合鍵を持ってたなんて、知らなかった」

「持ってはいない」

ソーニャは黙った。電話が切れた。彼は電話器を出窓においたまま、外をのぞいた。少女が彼に気付いてこちらを振り向いたとき、燃えるようなテカテカした泣き顔が見えた。

「今、外にかわいそうな子供がいる。泣いてる」と囁いた。


少女はしゃくり上げた。

「外にかわいそうな子供がいる。泣いてる」彼はさっきと同じように小声で言った。少女のふっくらした頬に涙がポロポロと溢れて、涙は彼女が立っている水たまりに落ちた。やがて落ち着きを取り戻し、ぼうっとして自分を見つめている、髪が長く、彼女のワンピースの色と同じ緑の目が光っている男の方を眺めた。

「悲しそうな子供だけど、どうやら泣きやんだようだ」と彼は言った。声が小さかったので、少女は一歩彼の方に近寄った。

少女は泣きやみ、先ほどの痛みも忘れ、不思議な思いにとらわれて声も出なかった。


黙ったまま、彼は帽子をつかみ、固く握りしめた。そして椅子にどんと座って、警官が持ってきた一束のブルーの靴下を眺めた。

「子供のものだ」とフォルカー・トーンが言った。

アウグスト・アンツは答えなかった。

他の三人の男と一人の女はアパート中をくまなく探した。冷蔵庫やベッドの下まで調べた。ガサゴソ探し回る音をアンツは聞いていた。

「この靴下はラファエル・フォーゲルのものかね、アンツさん？」

「捜査令状が出るようだから、鑑識を連れてくるとしよう」とカール・フンケルが、部屋に入り際に言った。

彼は、寝室を検分しているアンディ・クルストとフローリアン・ノルテと同じ透明ゴム手袋をしていた。

「どういうことかわかりますか、アンツさん？　つまりね、もしラファエル少年がここにいたのだとしたら、我々はどのみちあの子の痕跡を見つけ出すということですよ。そうすりゃ、あなたは児童誘拐犯ということになる。アンツさん」

アパートを通常のやり方で家宅捜索するために、裁判官の裁定をもらう必要はフンケルにはなかった――どのみち捜索は、違法だが、もう一〇分も前から、引き出しや戸棚などを開けたりして、行われているのだから。令状はむしろ、鑑識官が、磁粉を使ってあらゆる小さな指紋を取るための遵法性を確保するためであった。裁判官と話したときに、ついでに、アウグスト・アンツに対する逮捕状も申請しておいた。

「俺は児童誘拐犯なんかじゃない」とアンツが言った。

「キッチンの戸棚に、開けたばかりのコーンフレークとヌッテラ（チョコレート・ペースト）があります」とアンディ・クルストが言った。フンケルは首を振り、トーンが二人を怒った表情で睨んだ。

「俺のものに触らないでくれ！」とアンツが言った。

「あんたたち、令状なんか持ってないはずだ。俺が進んであんたたちを入れてやったんだから。俺の物に触るなって！」

「あんたは我々に嘘を言ったね、アンツさん」とフンケルが言った。クルストが言ったことはあとを引きそうだった。フンケルとトーンは三人の若い警官に、慎重に行動するようにと厳しく言ってあった。それから、質問するのはフンケルとトーンだけで、あとの者は黙っているようにとも注意してあった。フライヤ・エップはどこにいる？　フンケルは廊下の方をちらと見たが暗かったので、アウグスト・アンツに向き直った。彼は帽子を取って直立していた。「警察で一度嘘をつくと、先々不利だよ。少年はどこだね、アンツさん？」

「知らないよ」

「でも、ここにいた」とトーンが言った。

「ああ」とアンツが言って、膝の上で帽子をくるくる回した。「ああ確かに、ここにいたよ。俺がここに連れてきたんだ。かわいそうだと思ったから。かわいそうな子だ」

「なぜそれをすぐに言わなかったんだ?」

「怖くて気が引けちまったんだ。近ごろは、知らない子供に親切にでもしようものなら、すぐに殺人犯や暴行犯にさせられちまうから……」

「それはバカな考えだよ、アンツさん!」とトーンが言った。「我々がどうしても知りたいのはね、少年が今どこにいるかということだ! あの子をどうしたんだね?」

「何もしちゃいない。誓って言う! あの子を連れてきたのは、とても寂しそうだったし、それに何か飲むものはないかって、俺に訊いてきたからさ。そしたら、口元に傷跡があるのが見えて、どうしたんだって訊いたんだ。そしたら、両親があの子のことをいつも殴って地下室に閉じ込めるんだって言うんだ。そんなこと俺には許せない。死んだって許すことはできないんだ」

「今どこにいる?」

「そりゃわからない」彼は重い息を一つして、コートのボタンを外した。「あの子を動物園で降ろしたよ」彼はフンケルの顔を静かに眺め、コートをいじくり回していた。「横の入口で、キオスクがあるところだ。そこまであの子を連れていって、それから俺は走って離れた。それ以上は知らない」

「いつだ?」

「月曜の午後。そこで約束があるって言ってたよ」

「誰と?」

「友達だって言ってたな。名前は聞かなかったけど」

「仮にあんたの言う通りだとしよう。もちろん今のところは、あまり信じてはいないけど、まあ仮にそれが真実だとしてだ。じゃあ、なぜラファエルは靴下をあんたのアパートで脱いだんだろう?」フンケルは、メモを取るようにクルストに合図した。二六歳の刑事は、できるだけ早くメモ帳を取り出して、書き取ろうとした。先ほど自分がどんなドジを踏んだのか、わかっていたのだ。

「靴下は二組持ってるって言ってたし、足に豆ができてたんで、塗り薬を塗ってやった。きっと、そのあと靴下をまた履くのを忘れたんだろう。俺は気づかなかった。どこで見つけたんだね、その靴下?」

「寝室だ」とトーンが言った。

先ほどからずっとドア口に立っていたフライヤが咳払いをしたので、フンケルは彼女の方を振り向いた。彼女はピンクの歯ブラシを渡した。浴室で見つけたものだ。

「子供用です」と彼女は言った。

フンケルはその歯ブラシをアンツの鼻先に持っていった。「あんたのじゃないよな。誰のだ、これは?」

「誰のでもないさ」とアンツは言い、前かがみになって悲しい表情をした。「ラファエルのために買ってやったんだ……」

「なのに、ラファエルはあんたのところにはほんの少ししかいなかったって言うのか?」とトーンが鋭い口調で訊いた。

「ここへ来る途中で買ったんだ。あの子は朝、歯をきちんと磨く時間がないんだ。子供には大事なことなのに。それに、ひょっとしてまた来るかも、って思ってたから、ここに一つあればいいなと」

「何だって? ここに戻って来るって考えたって?」とトーンが大声で言った。「また来るようにって、あの子に言ったのか? そろそろ本当のことをいってくれないと、アンツさん!」

アンツは立ち上がって、コートと帽子をカウチに放り投げ、シャツのボタンを上から二つ外した。「そうだよ、あの子にそう言ったよ。かわいそうな子だからさ、あのラファエルは。両親があの子をゴミのように扱うから、だから、家から出て行ったんだ。俺にはよくわかるんだ、刑事さん。正直、すごいと思うよ、素晴らしいじゃないか、それって。家を出ちゃいけないって、誰が言ったんだ? あんたは、何もわかっちゃいないんだ。子供、いるのかい?」

フンケルは歯ブラシの匂いを嗅いだ。それからトーンに渡した。トーンはそれを目でチェックして、エップに渡した。もらったフライヤはそれをポリ袋に入れた。

「あんたが少年と会ったとき、お友達のオーバーフェルナーさんもいたのかね?」とトーンが訊いた。トレンチコートに身を包み、髪をオールバックに決めた格好は主任警部というより、モデルといった風情だ。

「いなかった。あいつなら、すぐに怯えちまう! あの子に言っといたんだ、俺を待ってろ、そしたら車で迎えに来るからって。あの日は午後二時で上がりだったから、ちょうど良かったんだ。オーバーフェルナーなんか！　もしあいつが知ってやがったら、すぐに警察に走って行ったろうよ、あの臆病者め！」

「それは、少なくとも真っ当な行いだったろうがね」とフンケルが言った。

「息子を殴りつけるあんな両親に返してやるのが、そんなに真っ当なことかね？　返したら、どのみちまたぶん殴るに決まってる。家に帰るまで、時間を置くのがいいと思うよ、じっくり時間をかけるんだ。本当にそう思うよ。さあ、俺もゆっくりと休みたいんだ」

「休んでる暇なんかないぞ。一緒に来るんだ。供述書を作るから、今までに言ったことをもう一度、全部話してもらおう」フンケルはそう言ったあと、あまり気分が良くなかった。長い間刑事をやっていれば、誰でも経験で知っている。人は一度嘘をつくと、また嘘を繰り返す。しかも、真実のみが自らを救うのだという認識に至ったつもりでも、人はまだ嘘をつくということを。アウグスト・アンツの話には、何かしっくりこないところがある。それが一体何なのか、フンケルにはわからなかった。

　この墓地の庭師が少年に危害を加えたなどとは、フンケル自身は思わなかった。ただ、そう考えるのが自分一人だけだとわかるには、たいした時間はかかるまい。失踪後の少年を見かけただけでなく、匿ったという男を警察が探し出したと、世間に知れた瞬間、誰もが、ラファエルに何が起こったのかをこの男が知っているはずだと思うはずだ。そして、少年の発見が長引けば長引くほど、少年が既に死亡しているのではないかと取りざたされるに違いない。そうなると警察には再び、ダメ警察との非難の声が浴びせられることになる。

　尋問に行き詰まった刑事が、他の者と交代させられるのはよくあることだ。フンケルは今そのことを考えていた。ソーニャ・ファイヤーアーベントとアウグスト・アンツを対決させて、その上で――フォルカー・トーンの反対は無論予期してはいたが――帰還したばかりの部下にチャンスを与えてみようと決心していた。たぶん、タボール・ズューデンは、あの森の中でその神通力を完全に失ってしまったわけではないだろう。

　シュリールゼー通りの歩道と集合住宅の中庭との間にある、一段低くなった通路に、彼は立ち尽くし、咳をしていた。顔面からは汗が流れ、生え残った髪の毛が頭にベットリくっついている。青緑色の分厚いボンバージャケットを脱ぐか、少なくともファスナーくらい開ければよいのに、彼にはそれができなかった。その力がなかったのだ。その団子ッ鼻には赤い血管が浮き上がっていて、眼は血走っていた。

二日前からマルティン・ホイヤーは、乾燥したゴマパンとハンバーガー以外、何も口に入れていなかった。それも居酒屋のトイレですぐに吐いてしまったのだ。酒は飲んだ。ぶっ続けで飲んだ。それから街中を車で走り回った。どこを走っているのかもわからずに、名づけがたい何かに追われるように。たぶん、捕まるかもしれないという恐怖心かもしれないし、もしかしたら、自分を撃ったルーマニア人についての報告書を書き終えた後も収まることのない、心の中のわだかまりに過ぎないのかもしれない。

八年前にも今と同じ通路に立っていた。そして中庭にあるこの緑色の長細い建物の壁をじっと眺めていた。一階の住居の鎧戸は、通りに面した家々に囲まれた隣のブロックの黄土色の住居と同じものだった。ホイヤーはこの集合住宅を眺めながら、かつて観た映画の中のインディアンの砦を思い出した。あのときは、友達のタボール・ズューデンと弓矢の当てっこをして遊んだものだった。

八年前、ここに、今と同じように立っていた。この通路にかがみこんで。汗にまみれて、真っ青な顔をして。定例のパトロール中に、一人の男がピストルを抜いて彼に向かって撃ってきたのだ。焦って引き金を引いたせいで弾はそれたが、ホイヤーはショックのあまり、数日間体を動かすことができなかった。うとうとし始めると、いつも決まったようにこのシーンが現れて、弾に撃たれて死ぬのだと、覚悟を決めて立ち尽くす自分の姿を思い浮かべるのだった。タボールは警察のセラピストに診てもらうように勧めたが、マルティンにはそんな気はさらさらなかった。そもそも医者なんか大嫌いだ。だから、自分の恐怖心を抱えたままでいるしかない。タボールにできることは、もう大丈夫だと彼が言うまで数日間、自分のところに泊めてやることくらいだった。

しかし、マルティンは回復しなかった。

そして今、彼は再び何者かに撃たれた。至近距離で。そして今回も生き延びた、理解しがたい幸運によって。

体が震えて、戸外に出る気も起きなかった。あの緑の家の四階にはタボールの住まいがある。ダイゼンホーフェナー通り一一一番。タボールはいつも言っていた。これはラッキーナンバーなんだ、一一一番、三つの数字を足すと三だ。だが本当に幸運をもたらしたのだろうか、この数字は？　例の、土に埋められた女の子の事件のあと、タボールは敗残者だった。ちょうど、一人の敗残者としてこの呪われた日々を過ごすマルティンと同じように。そして彼を思いやろうとする者は一人もいなかった。

警察署では皆がマルティンに言って聞かせた。タボールが本当に帰ってきた、ソーニャが連れ戻したのだ、すごい女だよ「ソーニャってのは！」と。彼はその名前を声に出してみた。その響きが好きだったから。そしてもう一度、「ソーニャ！」と呼んでみた。

「どうかしまして？」と誰かが言った。驚いて彼は横にのけぞって肩を壁にぶつけてしまった。

買い物でいっぱいになったショッピングバッグを抱えた老婦人が彼に近づいてきた。髪にスカーフをかけ、グレーのコートを着て、背中が瘤で曲がっていた。

「どなたかお探しで？」と彼女が訊いた。頭をかしげて彼の身なりを品定めした。

「ズューデンさんいますか？」と彼はとっさに言った。

「もう長い間見ていませんよ。刑事さんですよね、その方？」

「ええ」

「お部屋の呼び鈴を押しました？」

「はい」と彼は嘘を言った。

「それで、ドアは開かなかったんですか？」

「ええ」

「じゃ、いないんでしょう」彼女はそのまま歩いていった。

彼は曲がったその後ろ姿を目で追った。一日分の食料品を抱えて、おそらく何十年間もずっとここに暮らし、何を急ぐこともなく、変化を求めるでもなく、いずれお迎えがあるのを待ちながら生きている老女の姿を。

もう飲み過ぎはやめよう。彼は自分に言った。飲んで自分を哀れむのはもうおしまいにする。神がもしいるのなら、聞き届けてくれるさ。チャーリーがいつもそう言っていた。でも、どうだか。両切りキャメルを口にくわえて、ポケットに手を突っ込んでマッチを探した。窓の後ろでカーテンが横に開かれ、そこに一人の老人のシルエットが現れた。ピクリともしない。タバコに火をつけてから、マッチ箱をじっと眺めている見知らぬ男を観察していた。

　箱のラベルは黒。真ん中に赤いハートがプリントしてある。裏側にはライム川沿いのベルクという地区にある、ちっぽけなバイエルン風の売春宿の住所が印刷されていた。店の名前は『ツール・グマーデン・ヴィーゼン《緑の草原亭》』。「あなたとお友達のためだけのリラックス」、というキャッチコピーが添えられている。マルティンはその箱を持ったまま、緑の家の方へ行き、四階を見上げた。窓はすべて閉じられていた。ベルは押さなかった。マッチ箱を入れたジャケットのポケットの中で、ガサガサと音が聞こえた。そういえば、しばらく文字を書いていないことに気がついた。そろそろ、また書きたくなってきた。あとでお相手を頼もうと思っている女の子が、私と遊ばないで何をしてるの、ときっと訊ねるだろう。そしたら彼は、ピッコロ（シャンペンの種）をもう一杯奢ってやることにして、先を書き続けるだろう。意味のない文章を書き綴るのに適した場所は彼には、ミュンヘン広しといえども、ここツール・グマーデン・ヴィーゼン以外には考えられないのだ。どうして早く気がつかなかったんだろう？　なぜ突然こんなマッチ箱が出てきたんだ？

　実に世界は狭い、と通路を後にして再びシュリールゼー通りに立ったとき、彼はそうひとりごちた。数日前にソーニャと一緒にここに立ち、同じことを口にしたその通りだ。向かい側には、少し引っ込んだところに、少年ラファエルの祖父ゲオルク・フォーゲルが住んでいた家がある。その地下室には鉄道のジオラマがあって、水の上を走る線路が敷いてある。もしかしたら、タボールは、買い物のときなんかに、通りや、すぐ近くの駅で、その男とすれ違っているかもしれない。本人たちは見知らぬどうしだったとしても。

　五分後にマルティンは車に戻った。キーが手からこぼれ落ちたので前かがみになったとき、思わず吐いてしまった。ゲホゲホしながら、運転席に座り、ハンドルを両手で掴んで、開け放した窓から外気を深く吸い込んだ。

　少しは良くなってきた。胃が焼け付くような感じは少なくなった。その途端、女が欲しくなってきた。イヴァンにいたサバなんかじゃダメだ。あの女は少なくとも五〇歳にはなっていた。舌を彼の口の中にくねくねと押し込んできたときは、さすがの彼も気を失いそうになったものだ。

もう一度マッチ箱のラベルの住所を確かめてから、その店を目指して車を走らせた。

ラジオの音を大きくした。彼の中の若者が突然突き上げてくるときは、この騒音にも絶えることができた。

"B-B-Baby, you just ain't seen n-n-nothing yet, here's something that you never gonna forget, B-B-Baby you just ain't seen nothing yet ... "（べ、べ、ベイビー、こんなの見たことないだろう、ここには、二度と忘れられないものがあるんだ。べ、べ、ベイビー、こんなの見たことないだろう……）

カール・フンケルはこれまでの捜索経過について手短に説明した。記者たちにときたま目を向けながら、目の前のマイクに向かって話すように心がけた。殺人課の大会議室で行われた記者会見には、新聞社から一五人の記者と五人のカメラクルーが集まっていて、フンケル、トーン、それにヴェーバーをライトが照らしつけていた。ヴェーバーはいつものように耳を赤くしながら、毛深い眉毛を指で触っていた。トーンは腕をデスクに置いて表情一つ変えずに座っていた。彼は三人のうちでも、記者たちとの折り合いが一番悪かった。たいていの記者は不真面目でズル賢い連中だと思っていて、信用していなかった。警察を非難する記事が出るといつも、今にも読者投稿を書くか、あるいはその記者を署に呼んで、苦言を提したい衝動にかられるのだった。

反対にフンケルは、メディアが彼を挑発するつもりで、ある種の配慮を要望した際に、熟慮の上で鷹揚に対応するタイプだ。しかし、それがまた広報室長のフーゴ・バウムには特に癪に触るのだった。警察の見解について公式の責任者はこの自分なのだから。もっとも、フンケルはその柔軟なやり方のおかげで、情報を思うように手加減して出すことができた。だから、記者たちは彼を信頼していた。彼らにとって、犯行現場で捜査にあたる捜査班の一員が捜査の詳細について話してくれることは、十分にありがたい。広報室の人間とはワケが違うのだ。

ときにはしかし、苦心して練り上げたそのフンケルの戦略が、まるで役に立たないこともある。たまには記者たちも血を見たいのだ。

「タボール・ズューデン主任警部が復帰したというのは本当ですか?」ドア近くの記者たちの端っこに立っていた若い赤毛の女性記者が大声で訊いた。

「そうだが、それがこの事件と何か関連があるとでも?」

「彼が、行方がわからなくなった同僚刑事を探しているという情報があるのですが。ということは、おたくの部署では、失踪した九歳の少年よりも職場の仲間の方が大切だということですか?」

「そういう当てこすりはやめてください、いいですね!」とトーンが言い、その女性記者を指差した。

カメラのシャッターが切られ、フラッシュが焚かれた。会見場がざわついた。

「ズューデン主任警部が今朝から任務に戻ったのは事実です。それについては、我々全員、嬉しく思っています。なにしろ有能なスタッフの一人ですから」とフンケルが言った。

「ルチア・シモンならそうは思わなかったでしょうね」と若い記者が頭を低くしたまま言った。「今のは誰だ?」とトーンが訊いた。「立ち上がって、謝罪してください。もう一度そんなコメントが出るようなら、会見を打ち切る。いいですか?」

「ナーヴァスになっていませんか、トーン刑事?」と誰かが訊いた。

「タボール・ズューデンが朝から晩まで街中を走って、その同僚刑事とやらを探し回っていて、他のことは何もしていないって、本当ですか?」

「その刑事からは病欠届けが出ています」とフンケルが言った。「しかし、彼がどこにいるのか、わからないのです。タボール・ズューデンは彼とは親しい仲で、彼を探すことを私が許可したのです」

「見つかったのですか?」

「いや、たぶん静かに過ごせる田舎の方へ行ったと我々は見ています。ちょっとした事故があって、我々が思っていたよりもショックが大きかったみたいです」事前の打ち合わせでは、その点については公表しないことになっていたが、ここまで来た以上、言わざるを得なくなった。

「事故って、どんな事故ですか?」

「撃たれたんですよ。フォーゲル氏の件で、ある参考人に尋問しているときにね。判明したことは、その男は少年の失踪とは何の関係もないということです。撃たれた刑事には、幸い怪我はなかった」

「その刑事さんは何ていう名前です？」

「ノーコメント」とトーンが、フンケルが答える前に言った。

「なぜですか？」とドアのそばの赤毛の女性記者が訊いた。

「いいですか、ミス……」とトーンが言って、フンケルを一瞥した。「名前は言えないと言ったら、言えない。いいですね！」

「なぜですか？　どうして何でもかんでも隠そうとするんです？　ラファエルを見て、自分の家に連れていったという参考人の名前も言ってくれませんし、その上、銃撃された刑事の名前も……」

「銃撃されたわけではない。無傷なんだ！」トーンが怒り声を上げた。

「現実的に対処したいのです。非常に深刻な事件なんです」とフンケルが言った。

「それはそうでしょう。いなくなった一人の刑事を探し出すために、もう一人の刑事を当てるほど深刻だってことですよね」

トーンとしては誰一人その任務に当てたつもりはない。時間さえあれば、その点についてフンケルと差しで話し合いたいと思っていたのだ。ズューデンはほかでもない、彼の、トーンの部下であるにもかかわらず、この男がどこで何をしているのか知らされていないのだ。こんなことはこれまで、自分の指揮下ではありえないことだった。

「特別捜査班は二四時間体制で仕事をしています」とフンケルが言った。「捜査は進捗しているが、手がかりがまだ十分ではないので、参考人の名前は公表できません。そんなことをすればどうなるか、皆さんも重々承知しているでしょう。参考人が犯人に違いないと、一斉に書き出すに違いない。事実はしかし、彼は容疑者ではなく、単に参考人なのです。極めて重要な新たな参考人ということです」

「タボール・ズューデンはなぜ、よりによって今日という日に復帰したんですか？　彼がいないと難しいという判断ですか？」

フンケルは一秒間、答えをためらった。トーンが何か言うかもしれないと思ったからだ。しかし彼は黙ったままだった。気まずい沈黙の時が流れた。おかげで、その質問には、フンケルが当初目論んでいたのとは全く違った意味合いで答えるはめになってしまったのだ。

「ズューデンが、特に今日という日を選んで復帰したということではありません。単なる偶然です」とヴェーバーが言い、咳払いをした。横から口を挟むのは彼の得意とするところではないのだが、ともかくフンケルとしては彼をその場に同席させたかったのだ、視覚的補強として。ヴェーバーが身を乗り出してそのデカ腹を会見テーブルに押し付けると、マイクがぐらぐらと揺れた。「彼が復帰して、我々はホッとしています。もちろん、彼の力も借りて一刻も早くラファエル少年を探し出す所存です」

「一体何があったんですか？　彼はこれまでどこにいたんですか？」

「それについてはいずれ改めて」とフンケルが言った。ヴェーバーの一言をありがたいと思いながら。

「今度こそもっと幸運に恵まれるといいですがね、見者としては！」と例の若い記者が言った。トーンが先ほど棕櫚の木のところへ移動させた男だ。

「そのニックネームは、あなたたちのような人にぴったりだ」とトーンが言い、険しい目つきで会場を見渡した。

「他に質問がなければ」とフンケルが言った。

「ラファエルと一緒にいたというその参考人は、今どこにいるんですか？」

「署内です。現在事情聴取中です。すでにいくつか重要な証言をしています。皆さんの読者の関心を、ヘラブルン動物園の方に向けてもらえればありがたい。そこでラファエルを月曜日に見かけた人間がいる可能性がある。すでに説明したとは思いますが。重要なのは、動物園、墓地、パージング＝中心街間です。皆さんもすでに知ってのとおりです」

「それで、確かなんですか、その男が少年に危害を加えていないって？」と赤毛が訊いた。

「そのとおり」とフンケルが言った。

「あなたは？」とトーンの方を見た。

「それについては、まだ手がかりはない」とトーンが言い、興奮しないように自分を抑えた。

「つまり、確信はないのですね」と彼女は言った。あちこちで呟く声が広がった。ベテラン記者たちの囁《ささや》く声がする。これから始まるゲームのこと、警察がそれを抑え込もうとしていることについて、あれこれ言い合っているのだ。

何が始まっているのか、もちろんフンケルにもそれはわかっている。

「名前を言っていただけないその男性ですが、証拠がないという理由で釈放しなければならないのでしょうけど、その男性がですよ、もしラファエルに危害を加えていたとしたら、どうするんですか？　仮に少年の死体が見つかるなんてことになったら、責任は誰がとるのですか？　フンケル刑事部長、あなたですか？　そのときは辞任するのですか？」赤毛の記者のこの質問で、他の記者たちは突然、映画のエキストラのように影が薄くなってしまった。「警察が手を打つまでに、どれだけ多くの子供たちが跡形もなく消えてしまうのでしょう？　普段から常に、法律で許される範囲のやり方をしているなんて言ってもダメですよ。今は結果を出さなきゃならない時ですよ！」

「やめろ！」とトーンがマイク越しに怒鳴って、ガタンと音を立てて椅子から立ち上がった。「あんたの質問にはもううんざりだ！　我々を挑発しようったって、その手には乗らないぞ。あんたが撒き散らしているのは、むき出しのヒステリーだ！　誰なんだ、そもそもあんたは？　知らない顔だなあ。記者会見には二度と来るんじゃない。わかったか！」

ヴェーバーは、上司の顔を見るよりも、そのままじっと前を見ている方が無難だと踏んだ。自分を抑えられない上司のこんな姿に、これまでお目にかかったことがあっただろうか。

「みなさん」とフンケルが始めたが、トーンがそれをさえぎった。

「記者会見は終了する。全て伝えた通りだ。これ以上言うことは、今のところはない。それよりも、我々の捜査に協力願いたい。あんな空想や妄想で我々の仕事の邪魔をしないでほしい！　公衆の面前で警察に恥をかかせようたって、無駄だ！　論争している暇があったら、建設的な連携とは何かについて考えてみるんだな！　以上」

彼はファイルを引っつかみ、彼の写真を撮ろうとひしめき合っているカメラマンの群を押しのけた。会見場から出て行くとき、ドアは開けたままにしておいた。そのとき、ちょうど階段を上がってきたタボール・ズューデンと、思わずぶつかりそうになった。

「君と今すぐ話すことがある！」と吐き出すと、トーンはそのままズューデンの腕を引っ張って階段を降りて行った。

会見場ではフンケル一人に質問が浴びせられた。一瞬静かになるまで、彼は待った。それから頭を振りながら立ち上がった。

「これまでのところ、子供の身に何かあったとは見ていません」と彼は言った。そして、意味不明な言葉の嵐の中を通り抜けて、ヴェーバーとともに会見場から出て行った。

二人の警官がドアの前に残り、許可なしに記者が本部に入らないように見張っていた。

その間、トーンは、記者会見場から持ち帰った爆弾を投下した。タボール・ズューデンを前にして。

「あの野郎、ぶっ殺してやる！」と彼は叫んだ。たった今まで座っていた椅子をひと蹴りして、ガールフレンドの肩をつかんだ。「今から行ってくるぜ。あいつをぶちのめしてやる。あの豚野郎！　お前のピストルはどこだ、銃はどこにあるんだよ！」

トーマス・フォーゲルがガールフレンドの体を揺さぶったとき、彼女の痩せた体からスリップがずり落ちて、裸になってしまった。

「知らないわ」と彼女は息遣いを荒くして言った。「たぶん、廊下の洗い物が入っている棚の中でしょうよ。トーマス、お願いだからやめてよ！」

彼は彼女の手を振りほどいて廊下に出た。セーターやジャケットがいっぱい詰まったキャビネットに手を突っ込み、底に手を当てながら、隅っこにある一挺のピストルを見つけ出した。弾は入ったままだ。

「お前はここを出るんじゃないぞ、いいな！　すぐに戻ってくるから。奴を殺してやる。必ずな！」

「あんた知らないでしょ、どこにいるか」と彼女は言って、着直したスリップの表面を手でなでた。

「何言ってんだ！　デカが言ってたじゃないか、警察だ。あいつらのところだよ。お前も聞いただろう？　ニュースを聞いてないのか？」

彼はジャケットを着て、廊下に出てからドアをバタンと閉め、手のひらでもう一度叩いた。階段室はニンニクや魚の匂いがした。忌々しそうに床に唾を吐いた。

みんなどう頑張ってみても、聞こえないふりはできなかった。隣の部屋のドアは半開きになっていて、フォルカー・トーンの怒鳴り声がこちらにも聞こえてきた。怒鳴り声はなかなか止まず、いやがおうにも聞き手になってしまった者としては、いつズューデンが防御に回るのか気になり始めた。

　だが、タボール・ズューデンはその場に立ったままじっと聴いていた。大げさな身振りでトーンは行ったり来たりした。かと思うと、突然立ち止まって大きく息をして、再び歩き出した。

「私は我慢強い男だとよく人に言われる。そして実際に私は我慢強い。しかし、それにしても君は実に神経に障る男だ。気に食わんね。九カ月間も姿をくらましたあげく、やっと帰ってきたかと思ったら、復帰の初日から、なんだか知らないが、心の危機とやらを抱えているお友達を探すために、街中をほっつき歩いているというじゃないか！　なあ、私をからかっているのかね、タボール？　ここじゃあな、この失踪事件がのっぴきならないところまで来ているんだ。二四時間体制を強いられて。それも全員がだ。なのに君はふいっとどこかへ消えちまって。ジコチュー《エゴトリップ》の旅か、これは？　しかも九カ月間のジコチュー欠勤後の初日からやるか？　バカか？　酔っ払ってるのか？　ハイなのか？　スカスカになっちまったのか？　君が一日中街中にいて、飲み屋をはしごして回ってるって、どうして記者連中が知ってるんだ？　何を勘違いしてるんだ？　ここはなあ、セラピーセンターじゃない。公共の心理療法所でもない。警察署なんだよ。ここじゃ有能で健全な人間が、チーム一丸となって仕事をしてるんだ。わかるか、一つのチームだよ。みんなで協力し合うんだ。ある仕事を自分ができないと思ったら、ほっぽらかしにしないで、誰か他の人間に任せなきゃならん。そうじゃなきゃシステム全体が機能しないだろう。だから、誰か一人だけずっと勝手なことをするのを許すわけにはいかないんだ。一体どうしたっていうんだ。それからホイヤーもだ。君たち二人とも、どうしちまったんだ？　ホイヤーは君とはまるで逆だ。昼も夜もぶっ続けに働いて、夜は飲み屋だ。疲れきって家に帰る気にもなれないからだ。翌朝六時に起き上がる。どう見ても普通じゃないよ。あいつには休みを与えたんだが、三日後にはまた姿を見せた。そのときはいい仕事をしたさ。だから私としても余計なことは言わなかった。だが、私は承服したわけじゃない。で、君は？　森に身を隠したよなあ。君がどんな生活をしているか、ちゃんと見させてもらったよ。あの小屋もな。そうして考えたんだ。こりゃ気が狂ったなって。おかしくなっちまったんだ、君は。君は刑事なんだぞ。森の小屋に鎮座して、インディアンごっこなんかやるか？　れっきとした大人だぞ君は。それが腹立たしいことに、なんで私がここで君たちのためにパパ役をやらなきゃならないんだ。自分の子供以外の人間の父親では断じてない。私の言うこと、頭に入るよな？」

彼は話を中断して、一歩前へ進んだ。ズューデンは、鼻で息をするのをやめた。

「警察手帳を返してもらおう、タボール！」とトーンは言った。その声は普段どおりに戻っていた。冷静で、沈着、北ドイツ風だ。「君はもうこの任務をこなす能力を失っている。残念だが。以前はまともな刑事だったはずだが、どうもシモン事件をまだ引きずっているようだ。痛恨の極みだ。しかし、君を抱えておくのは我々にとってはリスクなんだ。君はいつでも一匹狼だった。だがシステムの枠内で動いているかぎり、そして成果を上げているかぎりは、誰も何も言えなかった。それが、今度はシステムからはみ出てしまった。もう、それははっきりしている。私としては、それを許すわけにはいかないんだ。わかるだろ。システムの一部ではなくなったってことだ、タボール」

ズューデンは肯いた。トーンの横を通り過ぎ、椅子に座り、首の筋肉を緩めるために、頭を左右に揺らした。「私がいなければ、あれだけ早くは解決できなかった事件もたくさんある」と彼は言った。自己弁護とか自画自賛という口調ではなく、まるで誰か他の人間について話している風だった。「私には私独自の手法というものがある。人を見る目が他人とは違うんだ。だから、私がすることは全て、ものの道理に沿ってやっている。私の都合ではない」

トーンが打ち消すような手振りをした。

「仕事を今日から始めるか、明日にするかは、私には大した問題じゃない。自分の親友に何が起こったのかを知りたいと思うのは、私にとっては当然のことだ。彼の姿を見た者は誰もいないし、消息も分からない。ソーニャにさえ。だから私が探しているんだ。ミュンヘンという街はそんなに大きな都会ではない。今もまだ見つからないなんて、一体どうなっているのか――」

「どうなっているのか?」トーンが応じた。「私にはわかってる。売春宿だよ、知らなかったのか? 普段からよく通ってたじゃないか、どこかの安宿さ……」

ズューデンにはそれはとても信じ難いことだ。セックスなんて、マルティンの特に好みの趣味というわけでもなかった。まして、女をお金で買ってまで。以前は、そんな場所に足を踏み入れたこともなかったのに。

ふとそのとき、ズューデンは、以前読んだある手紙のことを思い出した。そこには、見も知らぬ男だが、しかし彼の最も近い友人だという男について書かれていた。

「二人で取っ組み合いでもしたのか?」フンケルがドア口に立っていた。その後ろに、ソーニャ・ファイヤーアーベントがいる。

「警察手帳を返すように、彼にお願いしていたところだ」とトーンが言った。「彼にはもう、ここの任務をこなす能力はない。それが私の意見だ」

「それは違う」とフンケルが言った。

「もちろん違わない!」とトーンがまた怒鳴った。

「理屈としちゃそうだろ、あんた自身がテレビで言ったじゃないか! あいつはここにいる。すぐに会わせろ! どこだ?」

「ここにはいない。信じてくださいよ、フォーゲルさん、お願いですから!」

警察本部玄関の守衛から、若い男と取っ組み合いになって、手に負えないと、待機室に電話がかかってきた。主任警部のイェーガーが下に降りて行き、五分ほど前から男の説得に努めていた。

「俺を騙そおったって無駄だぞ。こちとら、あんたたちにゃ人並みにちゃんと税金を払ってるんだ。そうだろ? 俺の息子がいなくなった。で、あんたらここに男を匿ってるんだろ。そいつが知ってるはずだ、息子がどこにいるか」フォーゲルは、念のためにピストルを忍ばせておいた上着のポケットに手を突っ込んだままだった。俺はデカに騙されるようなタマじゃねえ。これまで一度だって。奴らの手口は知ってる。これでもデカになり損ねた身だ。

「息子さんは必ず早く見つけ出します。ひょっとしたら、自分から出てくるかもしれない。しかし、あなたが言うその男は、本当にこの建物の中にはいないんです」

「じゃあ、なんでテレビであぁ言うんだ?」もし二人を押しのけてすぐに駆け出したら、二人が立ち上がる前に、中に入れたかもしれない。

「おっしゃっている記者会見は、第一一分署で開かれたもので、ここではないんですよ」と五二歳でハゲ頭のイェーガーが言った。周りの同僚に言わせると、彼は、神が人間に不動心を分け与えたときに、二人ぶんを授かったような人間だ。「一一分署はバイヤー通りです。中央駅です。そこに失踪者捜索課や、殺人課などがあります。全ての部署がこの本部に集まっていると思われて、いつも間違えられるんですよ」

「そりゃ、どういうことだ?」とフォーゲルが大声で言った。「来るとこを間違ったってことか?」

「そうですね、まあ、情報が間違っていたのです」とイェーガーが優しく言った。

「なんてこった!」

「息子さんを見つけ出すために、我々にできることは何でもしますよ」とイェーガーが言った。

「じゃあ、なんでまだ発見できないんだ?」フォーゲルは上着のポケットの中でピストルのグリップを握った。怒りのあまり、全ての窓ガラスを撃ち破ってしまいたかった。

「刑事さんなのにピストル持ってないの?」と、その若い女が訊いた。赤いシースルーのワンピースを着た彼女はベッドに座って、彼が椅子に置いてあるボンバージャケットの内ポケットに紙切れを詰め込む様子を眺めていた。彼はその紙切れをたった今取り出したところだった。それを掌で平らにして秘密の報告書でも読むようにざっと目を通してから、再び握って丸めたのだった。

「横になってリラックスすれば? どうしてそんなにイライラしてるの?」

「俺はイライラなんかしてないよ」籐椅子に裸で座ったままのマルティン・ホイヤーが言った。どうやってここにやってきたのか、覚えていない。ぼんやりとした赤い照明に包まれた部屋は甘い匂いがして、階下からは静かな音楽が聞こえてくる。

「怖がらないでいいのよ」と女が言った。歳は二一、二。小柄で、足の指は青くネイリングしている。「ちくったりしないわよ。ここにはね、ちょくちょく警察の人も来るのよ。もちろんプライベートで。全然普通よ、他の男たちと何も変わらないわ」

自分のことを刑事だって、この女に話したのかな？　どうしてだろう？

「まあ、ずいぶんやせっぽちねえ、あんた」と女が言った。すると、ベッドからスルスルと降りて、服を脱いだ。マルティンに体を向けたとき、彼はびっくりした。

「どうしたのよ？　ねえ、あんた具合でも悪いの？　もう飲んできたっていうのは気がついてたけど。じゃ、もう一杯飲みなさいよ。シャンペンでも！」彼女はナイト・テーブルに置いたアイス・ペールで冷やしているボトルを取ろうとした。

「いらない」と彼は咳をしながら言った。

彼女は彼の目つきを見た。「そんな目で睨まないでよ！　ここじゃみんな毛を剃ってるの。それがこの店の売りなのよ！　ボスのマックスがね、ツール・グマーデン・ヴィーゼンじゃあ、女は全員剃ってなきゃだめって。面白いでしょ？　毛を剃った女、見たことないの？」

彼は驚愕のあまりキョトンとしていた。さ迷う思考の空漠とした黒い世界の中に突如として、永遠の優雅をたたえた、白い肌の一人の女の姿が現れたのだ。女は新しいシーツをかけたベッドに横たわっている。そして裸だ。そのしっとりとぎこちない体のどこにも、毛というものがない。そして、彼、マルティンは彼女のそばに立ち、その手をその体に伸ばしている。だが、彼女にはそれは見えない。目を閉じているから。彼女は眠っているのだ。目覚めることはない。医師たちがそれを望まないから。優しく彼は彼女のお腹に手を触れる。医師たちが切開するであろうそのお腹を。彼にはそれはわかっている。子供にすぎない彼にも。そこから目をそらすことができない。だから、その毛のない場所を見るのだ。かつて、それは見てはならない場所だった。しかし彼は知っている、そこには毛があったのだと。いやそれ以上に、今そこには何もないということを。そこで彼はその手を肌から二センチメートル離して広げて、囁くのだった、「強く、強く」。手をもっと上にあげながら、再び囁く、「強く、強く」。医師が入ってくると、彼は驚いて手をズボンのポケットに突っ込んだ。

「全然ダメだ、強く、強く、強く」と彼は若い女に言った。そのとき彼はズボンを履いていて、シャツもボンバージャケットも着ていた。

「どうしたのよ、もう行くの？」

「行かなくちゃならない」と彼は言い、目を閉じて彼女の前に立っていた。

「どこか悪いの？」と彼女はもう一度訊いた。

そのとき彼は目をパッと開けて部屋から飛び出した。階段を駆け下り、外へ、ゴミのコンテナの置いてある中庭へ出た。

下へ飛び降りるときに膝を打ち、胸で十字を切った。


パイプの煙がアフター・シェーブ・ローションの匂いを中和してくれた。ズューデンはアフター・シェーブ・ローションには息もできなくなるのだ。それだけでも、ボスのパイプ中毒はありがたかった。

「落ち着け、フォルカー！」とフンケルが言い、パイプを吸ってから瞼を指で掻いた。「ソーニャがタボールと話すということで我々は一致した。彼女はそれを実行した。そして、彼はもう一度やってみようと腹を決めたんだ」

「その通り」とトーンが言った。彼は椅子に座って足を組んでいた。彼のブルーの麻のソックスが見えた。

「あなたたちは親しい友人どうしだ。そのことは私には関係ない。私は一部署のリーダーで、そこには個人的なことを差し挟む余地はない。あなたは、もう一度やってみようなんて、気安く言うけど、こっちは毎日この御仁と付き合うことになるんだ。私だけじゃない。他のみんなもだ」

「あなたこそ、二、三日ゆっくりしたほうがいいかもね」とソーニャが言った。彼女としては、ここに所在なくいるよりも、アウグスト・アンツの尋問を続けたかった。「記者会見でのあなたの態度だけど、警察として効果的な仕事ぶりとは言えない気がするの。明日の朝刊の記事、ベッドの上に貼り付けるといいわ。あなたについて素敵なことが書いてあるはずよ」

「もういい、ソーニャ」とフンケルが言った。「もうそのことについては、少し話し合ったところだ。トーンと私とで。彼のあの場での対応は確かにまずかった。だが、これからどうやって最悪の事態を避けるかだ。我々は皆とてもピリピリしている。だから、タブ、君には明日から我々と一緒にフルに動いてもらいたいのだ。マルティンなら、どうせすぐに出てくるさ、心配することはない！　奴には休暇を取らせて、医者のところに行かせる。たとえ嫌だと言っても。きっとすぐに元気になるよ。君がこうやって帰ってきたんだから」

彼はズューデンを見つめた。ズューデンはかすかに肯いた。それから、目をトーンの方へ移した。トーンは上の空で靴の先を上下に動かしていた。ソーニャは、男同士のコミュニケーションがかくも見事に機能するものかと、唖然とした。言葉を交わすこともなく、自分たちの本当の問題をあっさりと素通りしてしまう、その完璧なやり方には呆れてしまった。

電話が鳴った。トーンが立ち上がって自分の仕事机に向かった。

「もしもし？　なんだって？」驚いた様子で三人を見ながら、電話に耳を傾けたあと、ゆっくりと受話器を置いた。「パトロール中の二人の警官がマルティンを発見した。売春宿で。奴は死んだ」

再び雨が降ってきた。雨は、満杯のゴミ袋、ダンボール、ビン、カン、新聞、その他のゴミの上にパラパラと音を立てて降った。一人の男の割れた頭の上にも降った。

死体はゴミのコンテナの中に入っていた。拳銃は胸の上だ。九ミリのヘックラー&コッホ製。青緑色のボンバージャケットの中に収まっている。両足は折り曲げられ、目は大きく見開いたままだ。

マルティン・ホイヤーは、コンテナによじ登って中に入り、蓋をして、銃を口の中に突っ込んで撃ったのだ。

大きな銃声に驚いた売春宿の人間はみんな、スーツ姿の二人の紳士をバーに残したまま、中庭に駆け出した。

タボール・ズューデンとソーニャ・ファイヤーアーベント、そしてカール・フンケルとフォルカー・トーンは数分間、死体となった同僚の姿をじっと見ていた。大粒の雨が彼らの上に降っていた。汚物や腐敗した食品の匂いがした。

数台の車のヘッドライトが、中庭を冷たい光の中に沈めた。薄着姿の若い女たちは互いに抱きしめ合い、二人の客は料金をカウンターに置いて自分たちの車に急いだが、パトロールの警官に呼び止められ、二、三質問があるので帰らないようにと言われた。

ソーニャはズューデンの手を握った。彼は顔を背けた。コンテナによじ登って中に入り、検視のために死体を長く見ていた検視医のようには、じっと見続けることができなかったのだ。

「私は、親友を埋葬するために帰ってきたのだ」とズューデンが言った。

「私をしっかり掴まえて！」とソーニャが言った。「しっかりと、お願い！」

彼は彼女の体を強く抱き寄せた。コンテナから出てきた医者が彼に向かって手を差し出し、慰めようと肩に手を置いたとき、彼はソーニャをもっと強く自分の体に引き寄せた。彼女は彼の背中に指を立ててしがみついた。誰も二人を引き離そうとはしなかった。自殺者を扱うK一一四の《失踪者および身元不明者死亡事件課》の警官たちは言うに及ばず。彼らは、ズューデンとソーニャの前を回ってコンテナを動かしてから、死体を運び出し、担架に乗せた。続いて死体から着衣を脱がせて、暴力による傷が無いか、規定にしたがって検視をした。

裸にされた親友を眺めながら、ズューデンはソーニャの体を放して、踊り始めた。

腕を高く投げ出し、狂ったように体を回転させた。あまりに大きく叫んだために、声が裏返ってしまった。叫び声はリズミカルな歌に変わっていった。驚き魅了されて彼を取り巻く者たちには、言葉は聞き取れなかった。

苦行僧のように恍惚となって、彼はマルティン・ホイヤーの屍《しかばね》の周りを踊った。喉から力の限り天に向かって歌った。そしてその影は、幽霊のように壁の向こう側へ飛んでいった。

娼婦たちは互いに身を寄せ合って、長くそこに立ち尽くしていた。奇妙な男の踊りが、始まったときと同じく唐突に終わった後も。

数分後、タボール・ズューデンは、疲れ切って膝を折り、マルティンの骨ばった青白い手をつかみ、キスをして、頬に押し付けた。

「王冠がお前を待ってるぞ」と彼は言って、マルティンの両手を組み合わせた。「行け、我が友よ！」

それから彼は沈黙した。周りの者もみんな、当然のごとくに、同じく沈黙した。

「行け、我が友よ！」と繰り返してから、立ち上がった。

困惑した眼差しと娼婦たちの囁き声に付き添われて、

彼は車に向かった。そして暗がりの中でじっと立っていた。ソーニャが彼のためにドアを開け、くしゃくしゃになった紙切れを彼の膝の上に置くまでは。

9　一番簡単な方法

焼け付くような太陽の下で、一〇分間以上芝生の上に横になって耐えることができる者はいない。だからみんな、湿原地帯の中の湖に頭から飛び込んで、遠くまで泳げるだけ泳いだ。

ミュンヘンから南へ五〇キロメートルほどのオースター湖は、ミュンヘン市近郊で泳ぐための適当な場所に困った人たちが集まる場所だ。木陰をつくる並木もキオスクもないけれど、そんなことは誰も気にしない。

子供の頃からソーニャは、暑い夏の日々を、この牧歌的な風景の中で過ごしていた。父親から泳ぎを教えてもらったのもこの湖だ。その父親が亡くなって、一握りのひまわりの種を湖岸近くの土に埋め、毎年、花が咲いているかどうかを見にきていた。思った通り花はどんどん増えていった。ソーニャが初めて二人の親友にひまわりの花畑を見せたとき、三人でシャンペンを開けて、灼熱の太陽に乾杯した。そのとき、マルティンは乾杯するたびにグラスを持ち上げて、「ご利益がありますように《メーゲ・エス・ニュッツェン》!」と言った。プロージット（ラテン語源で乾杯の意）を普通のドイツ語ではそう言うと、どこかで読んだらしい。

それ以来三人は、毎年のように、夏になるとオースター湖へ出かけた。マルティンが乗り気でないときでも。マルティンは泳ぎにはすぐに飽きたし、遠く水平線上に聳えるドイツ・アルプスの山並みを見ても、あれは霊力に満ちた場所なのだともう一人の友人が盛んに説いても、特に感じ入る様子はなかった。それなのに、ここに来るたびに三人はウキウキとした気分で遠出を楽しんだ。仕事のことは頭からすっかり追い出した三人だけの時間。バドミントンをしたり、「ご利益がありますように《メーゲ・エス・ニュッツェン》!」とビールで乾杯したり、水に入って沈めっこをしたり、小銭を賭けてサイコロ遊びをしたりした。負けるのはいつもソーニャと決まっていた。男二人がイカサマをやっているから、というのがソーニャの言い分だった。

たまに、それぞれ自分の考えに耽ったりするときには、言葉少なになり、麻のマットに体を伸ばして、肌を焼いた。

いつもと変わらないある夏の日に、湖で泳いでいたタボールは、岸にたどり着く直前に、湖の方を振り向いた。そのとき、マルティンが両手をバタバタさせながら沈んでいくのが見えた。タボールは一瞬のためらいもなく、豪快なクロールでマルティンが消えた場所まで泳ぎ、自分も潜った。マルティンの腋を支えながら水面まで引っ張り上げた。マルティンは意識を失っていた。片手で親友の体を抱え、もう一方で水を掻きながらタボールは岸にたどり着いた。ゆっくりとマルティンを草原に寝かせ、口から人工呼吸をした。駆け寄ってきたソーニャが心臓マッサージをした。一分後にマルティンは目を開けた。鼓動は正常に戻っていた。周りに人々が集まってきた。彼が青白い顔をして震えながら立ち上がり、はにかんだ笑顔をみせたとき、何人かの人が拍手をした。「水泳なんか、クソ面白くもねえや」というのが、マルティンの最初のセリフだった。ソーニャは彼の口に強くキスをした。そしてマルティンは手をタボールの首に回して呟いた、「ありがとう」。「どういたしまして」とタボールが返した。それから三人は、この夏の水遊びはこのくらいで切り上げることにして、ミュンヘンに帰ってきた。三人でウディ・アレンの映画を観た。『犯罪とその他の些細なこと』（邦題『ウディ・アレンの重罪と経済』）というタイトルだった。メガネをかけた例の小男が画面に現れるたびに、彼らは吹き出してしまうのだった。中身は、笑うどころの話ではないのだが。なにせ、マーティン・ランドーが愛人の殺人を依頼し、そのことで罪の意識に苛まれて、神罰に恐れおののくという筋なのだから。映画の中で誰かのセリフに、神様はどこからでも見ている、というのがあった。ソーニャとタボールとマルティンが一緒に映画を観たのはこれが最後だった。

何事もなく無事に済んだあの事故以来、三人の関係は変わっていった。三人ともそうとは気づかないうちに。ソーニャとタボールは別れたが、友人としての付き合いは続いた。マルティンは悶々とする日々を過ごし、一人で行動するようになった。タボールとは違った形で。破滅的で、自己破壊的で、物憂げになっていった。マルティンがどうしてもそうしたいというときには、彼の小さな世界に——仕事と孤独と夜の歓楽の世界に——逃げ込むのをあえて止めることはしなかった。ソーニャとタボールは、後の証言で、そう正直に認めた。ときには、以前のように彼と一緒に話をしたり、映画館に行ったりもした。そして「ご利益がありますように《メーゲ・エス・ニュッエン》！」と唱えて一杯飲んだことも。そしてまた、彼がどこかで一人で遊びたいときには、そうさせた。三人の大人。大人であることが誇らしかった。だが、本当は三人の子供に過ぎなかった……。

「……本当は子供だった、僕たちは。暗がりが怖い子供だった」とタボール・スューデンは言って、上着のポケットからしわくちゃになった紙切れを何枚か取り出した。葬儀の礼拝が執り行われているバロック風教会の祭壇の横に立った彼は、参列者たちの顔を見つめた。死者とその友人や同僚に、最後の挨拶のために集まった者たちだ。しかし、読みづらい字で書いたお別れの手紙で、参列者に挨拶をしたのは、マルティンの方だった。真の友人であった皆さん、と挨拶を送ったのだ。みすぼらしい売春宿の中庭の、ゴミ用コンテナの中で自ら頭を撃ち抜く前に。

「目眩《めまい》のするような空虚だ。みんなも想像できるだろう。誰でもそれを抱えているから。人は誰でも自分の中に空虚を抱えている。警官は普通の人間と違って聖人なんだ、と世間の人間はみんな思ってる。だって、正義のために出て行って戦っている人たちだからと。出ていくって、どこへ？　僕たちは一体どこへ行くのだろう？　僕には最後までわからなかった。いつも暗闇が怖かった。いつも。この街は隅から隅までよく歩いた。特に夜は。いろんなものがよく見えるんだ。役者たちが舞台からいなくなり、偽の光が消えて、書割や大道具が本当の姿を見せるからだ。変なことを書くからといって、僕の頭がおかしくなったなんて思わないでくれ。僕は今、あるバーにいる。頭がガンガンする。だから、こんなことでも書いていないと、爆発するかもしれないんだ。酔っ払った女がこっちを見ている。もう若くはない。こっちから、僕と寝たいかって訊いてやろうか。全然眠れないんだって言ったら、なんて答えるだろう！　みんなのことをよく考えるよ。チャーリー、あんたのこと、パウル、あんたのこと、フォルカー、あんたのことも。そして他のみんなのことも。ソーニャとズューデンのことも。当たり前だよ。でも、そんな、みんなのことを思っている、なんて言ったって、何の役に立つというのだろう。聖人なんていない。残念だけど。みんな、どこへ行ってしまったんだろう？　ここ何カ月もの間、みんなをがっかりさせて申し訳ないと思ってる。僕のことを、面と向かって笑うんじゃなく、僕のいないところで話題にしてくれたのはありがたい。あれは助かったよ。タボール、君がこの手紙を読んでるのなら、是非とも言っておきたいことがある。君に罪はないってことだ。君はやるべきことをやっただけさ。でも、あれほど自責の念に苛まれたら、僕だって森に逃げ込んだかもしれない。でも、そのことはもう何度も話し合ったよな。それに君に宛てた手紙にも書いた。その手紙はとうとう出さずじまいになったが。出すにしても宛先がわからなかったしね。あの森の中に郵便配達なんかいたっけ？　まさかクロウタドリが運んでくれるわけじゃないだろ？　それとも正直者のカササギかな？　僕のことで君が責任を感じることはないんだ。誰にも責任はない。自分自身から目を逸らそうとしたのは僕自身だ。でも、そうできなかった。一度迷い込んでしまったこの地下室から、どうして這い出せないのか、わからないんだ。僕にはもう力がない。だから、ここに座ったままでいるよ。たとえ、あの年増女がずっとこっちを見て微笑んでいても……。僕の方から彼女のところへ出向いた。サバって名前だって、自分で言った。それから長い舌を僕の口の中へ突っ込んで、そのあとどこかへ行っちまった。僕は追っかけなかった。一人でいたかったから。それから車に乗って街中を走り回った。夜が開けるまで。ミヒャエルス教会に行ったとき、ラファエル少年のためにロウソクを灯した。マリア様の像の前で。どうかラファエルを助けてください。でなければ、あの子を探し出すために、私たちを助けてください、ってね。今は『アウグスティナー』のビアホールにいる。ここなら目立たない。みんな飲んでるからね。僕はいつもここだ。場所変えは災いの元だ。ここより高級な場所は知らないし。お金もない。リーロにはまだ借りがある。ごめんよ、リーロ。ツケは払えないよ。『アウグスティナー』といやあ、以前は金曜日になると、ヨハンナと一緒にレストランで食べたっけなあ。デパートでの仕事のことを色々と話してくれた。仕事も熱心だけど、飲む方もなかなかだった。グラスをさっと持ち上げて美味しそうに飲む彼女の様子を眺めたものだ。食事も美味しそうに食べてた。いつも腹ペコだった。僕とは反対に。彼女、僕のも平らげてたよ。そしたら、いつの間にか誰かと結婚しちまった。みんなも知ってるはずだ。あれには参ったなあ……。警官はあまり飲んではいけないし、僕も全然飲まない。チャイナタワー（英国庭園にあるビアガーデン）じゃ、天気があまりに悪いからという理由で、何も出ないんだ。僕一人じゃないんだ。離れたところに男が五人いて、ビールを飲んでいる。だけど、僕は飲まない。車でそこらへんを乗り回すだけだ。もう仕事の時間だし、ラファエル探しにとりからないといけない。もうそろそろ出てくるだろう。だんだん悲しくなくなってくれれば、両親のところに帰ってくるに違いない。そういうものだ。僕は帰らないけど。ヨハンナのことだけど、あのとき、もし『アウグスティナー』で居座っていたら、ヨハンナが座ってたテーブルに行って、彼女と話をしたかもしれない。そしたら彼女は僕にこう答えただろうな。あなた頭がどうかしたの？　もう家へ帰って酔いを覚ましたら？　現実的な女だよ。だけど僕はそうじゃない。全然現実的じゃない人間だ。彼女のテーブルに座ろうと思ってたわけじゃないんだ。ボーイが二人して僕を店から追い出したからね。飲み代を払えなかったからさ。すまなかったけど、それまで飲み代を踏み倒したことは一度もないんだ。ちょうど財布にお金が入ってなかっただけさ。すぐにでも銀行のＡＴＭでお金を引き出して店に戻って払えば済むんだから。また雨が降り出した。僕がその下に座っている樹の葉っぱに雫が落ちる音が聞こえるよ。いい空気だ。これこそ美味しいミュンヘンの空気だ。チャイナ・タワーに君たちともう一度行きたいな。慰安旅行の名目も悪くないな。僕抜きでも行ってこいよ……。ダイゼンホーフェナー通り一一一番は変化なしだよ。少なくとも外を見る限りは。どうしてあそこへ行ったりしたのか、自分でもわからない。タボール、君がそこにいるわけないのにな。ベルは押さなかった。押せなかったんだ。上着のポケットにマッチ箱が入っていて、僕のものじゃないんだが、いつの間にか入っていて、ついそのまま持ち歩いていたんだ。外から見るとチンケな宿なんだ、しけた一軒家みたいに。僕みたいにしけた野郎にはぴったりだった。以前は女があんなに欲しかったけど、今じゃ全然欲しくない。だから、車の中から、どんなやつらが入っていくのか、見てたんだ。面白いもんだよ。ここにくると、そんなことで暇つぶしさ。まあ悪く思うな！　あの女の子はコロンの匂いがきつくて、我慢できないんだ。僕はやろうと思ってたことを、守ったことがない。言ったことを実行したためしがないんだ。もう自分をコントロールできない。二つの自分がバラバラにいる。酷いもんだ。女の子が僕をじっと見てる。僕は彼女の前で服を脱いだ。すると、薄汚い照明の中の自分が醜く見えるんだ。君たちに言っておきたかったんだが、君たちに対する僕の態度を後悔してるよ。君たちの誰にも話さなかったことも。話そうとは思ったし、タボールには手紙も書いた。でも、さっき言ったように、やっぱり出さなかった。恥ずかしかったんだ、こんな寒々とした気持ちを伝えることがね。ものすごく恥ずかしくて。そんな気持ちも、それから、誰かがピストルを構えて僕の前で引き金を引いたときの恐怖心もね。刑事としての過労や緊張のストレスに耐えられない自分が恥ずかしかった。汗かきなのも恥ずかしかったし、腹が減らなくて、骨と皮だけみたいに痩せちまったことも。だから、ここの女たちは僕の体をジロジロ見るんだ。毎日、その日一日が始まるのが怖いんだ。これじゃあダメだ。これが自分かと思うほど、僕は変わり果ててしまった。下を見れば、空虚が見える。真っ黒い空虚が。もう耐えられない。許してくれ。君たちは、僕のことをこれまでよく我慢してくれた。でも僕自身はできなかった。わけを探せば色々あるだろう。けど、どれも本当じゃない。僕はこれから行くよ。これが一番簡単な方法だ。空虚の中に飛び込む。そしたら僕は解放される。最後の歌は《Pictures of matchstick-men》（1968年、ステイタス・クオ）がいいな。一三歳のとき、いや一二歳かな、初めて聴いたのは。当時のヒット曲だった。僕にとっては永遠のヒット曲だ。今じゃ古いかもしれないが、七〇年代だから、そう思ったんだ。自分の青春というものが、とにかくよくわからなかった。大人ってものがわからないのとおんなじさ。しっかり飲んでくれよ。頼むよ。ご利益《メーケ・エス・ニュッツェン》がありますように！ってね。僕の部屋を片付けようと思ったんだが、もうできない。壁はどのみち答えてはくれないしね。それから、親愛なるタボールよ、ラファエル少年を探し出してくれ。一人で無理なら、ソーニャや他のみんなの手を借りるんだ。何でもかでも一人でやろうとするな！　一人で死ななきゃならないのだって、十分大変なんだぜ。僕は自分が嫌いなんだ。そのことをわかってくれたらありがたい。みんな今日こうして、これまでになく僕の近くにいてくれて、ありがとう。君たちにウィンクするよ。やり方はわかってると思うけど。僕を許してほしい。あるいは許してくれなくても。マルティン」

そのとき、スピーカーからエレキギターの音が聞こえてきた。

しかし歌が始まる前に、最前列で、ソーニャ・ファイヤーアーベントの隣に座っていた一人の肉付きのよい男性が立ち上がった。ソーニャは顔を両手で覆ったまま硬いベンチに跪《ひざまず》いていた。男性は祭壇の前まで歩いて行き、タボール・ズューデンの隣で、祭具室のドア口で指示を待っていたミサの侍者に、音楽を一旦止めるように、合図した。

それはパウル・ヴェーバーだった。マイクを手にして口元へ運ぶ手が震えていた。

「私は……」咳払いをして、ズューデンの方を見た。頑張れという合図が返ってきた。そこで静かに話し始めた。「ここで、ある短い詩を聞いてもらい……、ええ、読みたいと思います。亡くなった私の妻が好きだった詩でして、これを今日は、我々の友人であるマルティン・ホイヤーに捧げたいと思います。ええと、あるチェコの詩人の短い詩です」

一呼吸置いてから目を閉じた。そして、彼はその詩を暗唱した。

葉っぱの色した雨蛙たちが
大声出してお願い事をする
（朝はちょくちょく聞こえないふり、見えないふり）
声に葉を、舌に露をいっぱい載せて
心が裸足の全ての者のために
（ヤン・スカーツェ、モラヴィア出身の詩人。自然詩人・体制批判的思想家）

しばしの沈黙の後、あらためてギターの演奏が、ドラムに合わせて始まり、教会堂は七〇年代の不滅のサウンドに打ち震えた。

第二部

10　迷子たちの待ち合わせ場所

アウグスト・アンツの尋問を始める前にタボール・ズューデンは、今は亡き親友の部屋の床に座った。

一時間ほどじっと座っていた。外から聞こえてくる物音は徐々に減っていき、まもなく聞こえなくなった。集合住宅のどこかほかの部屋で誰かがリコーダーを吹いている。たぶん子供だろう。悲しいメロディが繰り返し聞こえてきたが、最後には途中でぷつんと聞こえなくなった。

胡座《あぐら》をかいて座ったタボール・ズューデンは両手を膝の上で組み、目を閉じ、口を半分開けたまま、マルティンの声に、その静寂の声に、聴くともなく耳を傾けた。意味不明な唸り声が聞こえたような気がし、おもわず微笑んだ。ほかの同僚たちが今ここにいたら、頭がどうかしてしまったのかと思ったかもしれない。例のごとく、一言も言わずにふいにどこかへ消えてしまって、わけのわからない奇妙奇天烈なことをしたときのように。踊りといい、瞑想といい、子供のときに父親のインディアンの友達からもらったという動物の骨を使った儀式といい、太鼓叩きといい、そして、ときどき見せるあの目つきといい――実はそのすべてが、彼にとっては長い間の訓練の末になおもおぼろげにしか掴めていない、あることのためのトレーニングだったのだ。夜になるとときどき、自己沈潜の実験を「己の孤独を過剰に自慢したおかげで、体内のホルモン調整に失敗したある男の気まぐれ」と名付けたりした。それから、踊り狂ったり叫んだりして大騒ぎをした。翌朝には隣人たちから、近所のことも考えないエゴイスト、国家公務員だなんてとんでもない、とこっぴどく罵られるのだった。偏在する死に、偏在する自らの死に、耐えることが彼のやり方であった。それを他人のための教訓にしようなど、考えたこともない。新聞が彼を尊師《グル》に持ち上げたりしたが、自分自身があまりにも怖いと思っている彼には、それはとても向かない役柄だ。もう少しゆったりとした気分で、自分の時間を大きな気持ちで他人に差し出すことができるようになりたい。そのためには、自分のどこをどうすればよいのか、それを知りたいのだ。

父親と例のスー・インディアンのシャーマンのもとで過ごした二年間は、ある修行の始まりであった。これまでわかったことの一つは、この修行は死ぬまで終わらないということだ。いよいよ彼は、マイスターになるための試験を受けようと思った。近所のおばさんや上司のフォルカー・トーンは正しかった。自分はエゴイズムに偏った人間だ。彼としてはしかし、自分の人生をノマド《流浪民》として貫徹している人間はいつでも何度でも客人として歓迎したつもりだ。彼はもてなし上手な一匹狼だった。友情に値段をつけるようなことはしなかった。そばにいないからといって誰かを非難したことはないし、替わりにこちらも勝手に行動した。

そういうわけで彼は無言のまま職場から消えたわけだが、その間親友はといえば、まさに心に空虚を抱えて身の引き裂かれる思いをしていたのだ。

それを思うと、頭を胸に押し付けるようにうなだれて、息もできなくなるのだった。映画のスクリーンのように真っ白な彼のシャツの上に、あらすじがめちゃくちゃな映画が映っているのが見えた。マルティンが主人公だ。突然ズューデン自身に姿を変えたり、そうかと思えば今度はソーニャに、最後には再びマルティンに戻ったりと、変幻自在だった。碧青《へきせい》のポリエステル製防弾チョッキを身につけた、やせ細った汗だくの男が、全力で彼を追跡する男から逃げようとしている。この男は怪物のように見えた。というのも、それは彼自身だとわかっていたからだ。そのことが彼の恐怖心をさらに煽り、薄暗くてよく見えない奥の部屋に彼を追い詰めた。そこで彼はお金を使い果たして、逃げ道を見失ってしまった。しばらくしてから、慌てて手紙を書いて封筒に入れたが、密封はしなかった。悪魔。手紙には何度もこの言葉が、まるで呪いのように書かれていた。それは自分のことであり、それはまた、ズューデンであり、ソーニャであり、フンケルでもあり、さらに自分を追いかけてきて、自分がそれから逃げることができない、すべての人間たちでもあったのだ。彼は駆けだした、疾走した。足元の大地が燃えた。汗をかき、咳をし、手を回してもがいたが、誰にもそれは見えなかった。

目を上に向けたとき、映画は突然終わった。独り、部屋にいた。もう夜だ。わずかな光の中で、汚れた窓ガラスの外に、かすかな雨と風の音が聞こえた。

「俺たちは二人とも逃げたのさ」ズューデンは静寂の中で、廊下に通じる開いたままのドアに向かって言った。「お前との別れは受け入れるよ。だけど、次に生まれてきたときにまだ頭痛がすると言っても、俺は知らないぞ！　手紙は読む、お前の意見が聞きたいときに。ちょくちょく読ませてもらうことになるだろうな。リーロへのツケは俺が払っておいた。お前の埋葬のときはものすごく泣いてたよ、彼女。お前がどの窓からずらかったか、彼女に教えてもらった。心霊術の本をどうしてお前が買ったのか知りたいものだが、本は捨てようかと思った。でもソーニャがダメだって言ったんだ。何か証明したいことでもあったのか？　どういうことだ？　マルティン。手紙に『僕の繊維が発光するのをやめた』という一文があったけど、一体どういう意味だ？　こんな文句、どこから何のために引っ張ってきたんだ？　どんな精霊に取り憑かれたんだよ、お前は？　絶望は危険な助言者だぞ。そういえば、お前を埋葬するとき、すったもんだしたんだよ。神父が、自殺した人間のためにミサを執り行うことをためらうって一幕があってね。お前の宗派の儀法に自殺の項目がどこにもないんだってさ」

ズューデンは立ち上がり、両腕を前方に思いっきりのばし、昂然と頭をそらして、叫び声をあげた。あまりに大きく、あまりに長いので、近所の人々がテレビの音を小さくして、びっくりした様子で壁に耳を当てたほどだった。

誘拐犯だと踏んだ男が三度答えるごとに、ロスバウムとゴーベルトの二人の若い刑事はお互いに、意思の通じた者どうしのような視線を交わした。二人とも考えは同じだった。お前を吐かせてみせる、アミーゴ。あと一〇分もすれば、お前は詰みだ！

尋問を始めてからすでに半時間ほどになるが、アウグスト・エマヌエル・アンツは、目の前に座っておかしな質問をする主任警部ズューデンにも、小さな手帳にメモを取っている主任警部ファイヤーアーベントにも、何かを隠しているという印象は与えなかった。質問に答えるのを躊躇したのは、質問の趣旨が即座に理解できなかったときや、それが誘導尋問なのかどうか、迷ったときだけであった。その手に乗らないためにも、デカなんか家に入れないと決めていたのだし、ましてやコーヒーとクッキーで歓待することなどもってのほかだった。

犯罪を証明するものは何もないということで、アンツは帰宅を許された。少年と会ったことを報告しなかったのは確かだが、それで罰することはできない。

今、三人はアンツのアパートの居間に腰をかけていた。テーブルの上には、それぞれのコーヒーカップと、真ん中にはクッキーを乗せた皿が置いてあったが、それには誰も手をつけていない。二人の若い警官は窓辺に座って黙っていた。自分を警察署にしょっぴいて、やたら攻撃的にムキになって彼の手首を捻じ曲げようとしたのがこの二人だったのは、アンツにとってはむしろ好都合だった。この手の警官は、一番怖くないタイプだった。危ないのはむしろ、長髪で、首に革紐なんかして、相手が少しでも長く自分を見たら、凄んだ目つきで睨み返して、そいつをすくませてしまうような奴だ。

アンツは横を向いて窓を見た。クッキーを手に取り二つに割って、口には入れずにそのまま手に持ったままでいた。それからこの二つを目の前に並べてから、この刑事はさっき、どういうつもりであんなことを自分に訊いたのだろうかと、考えを巡らした。

「あなた、子供の頃に人から、あなたがいなくて寂しいって言われたことがありますか？」

タボール・ズューデンはカウチに座り、上体を前に乗り出して両腕を太ももに乗せ、両手を組み、急ぐ様子はなかった。白いゆったりとしたシャツを着て、上の方のボタンは外してあった。首には、細い革ベルトに鷲を刻んだお守りをかけているのが見える。いつもながら尋問では、袖はまくり上げている。腕時計はしていない――署内で時刻を知らないのは彼だけだ。

「質問の意味がよくわからんよ」とアンツが言った。

このとき、ゴーベルトは不恰好な黒のダイバーズ・ウォッチを見た。一二時二二分。そろそろ何か腹に入れるものが欲しくなってきた。隣の相棒をチラと見た。彼も同じことを考えていた。

「あなたがいなくて寂しいと思わせるようなこと、なかったかな、子供の頃に？　例えば、理由はともかく、突然いなくなってしまったというような」座り心地の悪そうな赤茶のソファーに座ったソーニャ・ファイヤーアーベントが言った。彼女の帽子はソファの肘掛に置いてある。彼女はグレーのセーターに濃紺のスカートだった。ギリギリ膝の下まで届く長さで、ソーニャが脚を組んだときにアンツは、誰にも気付かれていないつもりで、彼女のスカートの裾に目をやった。柔らかいソファは落ち着きが悪く、ソーニャは何度も脚を組み替えた。

自分と同じように彼女も短髪だった――もっとも彼は灰褐色だが――ので、アンツは面白がって、署にいるときに、「俺たち二人とも、髪型は世紀末風だな！」と言った。そのとき彼はニヤッと笑って鼻を高く上げ、黄色く斜めになった歯並びの上の歯を露出させた。

「俺は昔からいい子だったよ」と彼は言い、遠くてよくは見えないが、彼女がノートにメモかなんかを取るときに、スカートの裾が、二、三ミリでもずれるかどうか、注意して見ていた。

「ずっといい子だなんて、そんな人間はいない」とズューデンが言った。

「俺はそうだったんだよ」

「あなただって例外じゃないでしょ」とソーニャが言い、素早く頭を上げて、アンツがこっちを見ているのを見とがめた。彼はドギマギして彼女と目があってしまい、瞬きすることさえ忘れてしまった。

「初めて母親に黙ってどこかへいなくなったのは何歳の頃ですか？」

「ないよ」と彼は言った。それから、しゃがれ声で喉を鳴らし、頭を横に回して紅葉した鉢植えに向かって咳払いをしたので、枯れた葉っぱが一枚とれて床に落ちた。アンツはそれを物思わしげに見つめて、もう一度咳払いをして風を送った。葉っぱはカーペットの上で震えた。彼は重い溜息をひとつついた。「この天気には参るよ。俺は夏向きなんだ。あんたは違うのかい？」まずソーニャを見て、それからズューデンの方を見て、肯いた。「俺はそうなんだ。人間にはリズムってものが必要だ。自然と同じように」自分の上履きのそばまでやってきた、やせ細った葉っぱに最後の感慨深い一瞥を投げてから、立ち上がり、ズボンの脚の部分を手でまっすぐに撫でて、両方の親指をベルトに突っ込んで、ズボンを引っ張り上げた。一座の顔を見回してから、再び腰を下ろして、皿のクッキーを一つ手に取り、口に運び、ボリボリと音を立てて食べた。

「夏が来ない一年なんか、我慢できんね」とアンツは言って、クッキーのかけらが挟まった歯の間を舌でほじくった。

「あなたがいなくなった後、お母さんは警察に捜索願を出しましたか？」とズューデンが訊いた。

「いや」とアンツがもぐもぐ言った。

「なぜです？」とソーニャが訊いた。

「自分だって出て行ったんだぜ、お袋は。おたくのコンピューターに入ってないのか?」

「あなたはフライジングで生まれた、とあるが」とズューデンが言った。「そしてそこで育ったと。母親が出て行ったたって、どこから?」

「そんなことも知らなくて、よく刑事やってるなあ。冗談だろ!」体をそらして、すり減ったグレーのコーデュロイのズボンに入った両脚を広げた。そして舌で内側から頬を突いてズューデンの顔を見た。「俺はフライジングで生まれた。それがどうした? 俺が選んだわけじゃないよ、こんなクソ田舎。俺はもともとベルリンっ子なんだ! 大都市の子供だ。なのに何だ、ここは? こんなクソみたいな部屋で、あんたたちからいびられてる。それもこれも、お袋があのとき、出て行っちまったからだ」

「ベルリンから」とソーニャが言った。

「もちろんベルリンからさ。他にどこがある、お嬢さんよ? 封鎖(一九四八年六月二四日~一九四九年五月一二日のソ連軍によるベルリン封鎖)のあと、四九年五月に、行っちまったんだよ。電車に乗ってハノーヴァーに、それからバイエルンに姉が住んでいて、そこへ行ったんだ。ベルリンにはもういたくないって。ロシア人が怖かったんだ。共産主義者がな!」

「で、父親は?」とソーニャが訊いた。

ズューデンはさらに体を前に乗り出して、アンツから目を離さなかった。

「俺の親父のことか?」

誰も口をきかなかった。沈黙の中で、ロスバウム刑事が椅子の上でお尻をぐるぐると擦る音がした。なぜズューデンは、早く本題に入って子供の居場所をこの男に吐かせようとしないのか、納得がいかず、じりじりしていたのだ。子供の頃の話には飽き飽きだ。それに、警察学校の授業にあった心理学云々かんぬんなど、アンツのような人間に役に立つとは思えなかったのだ。こういう手合いは、自分の名前を忘れるくらいまで追い詰めて、知っていることを全部吐かせる方法が一番だというのが、彼の意見だった。譲歩しながらとか、じっくりと聴きながらとかでは何の役にも立たない。せいぜい残業時間が増えるのと、胃のキリキリがひどくなるのが関の山だ。

相棒のゴーベルトは、背もたれの後ろに腕組みをしていたが、自分がこの場にいてもいなくてもいいような気がしてきた。そもそも、この男を署にしょっぴいたのは何のためだったのか？　尋問室でたっぷりと汗をかかせる替わりに、こいつの居間でまたこうして座って、子守唄みたいな話を聞かされちゃたまらない。

たぶん――とゴーベルトは思った――ズューデン主任警部には親友の自殺が相当こたえたのだろう、だから仕事をまともに運べないんだ。ただそれにしても、シャツを半分開いて髪を肩まで垂らして座っている様子や、その精悍な姿全体から出るオーラなんかは、ゴーベルトにとってはかっこよく映ったし、それに、このアンツという男はそのせいか、徐々に自分のペースを失って、遅かれ早かれ口を割りそうになってきてはいる。今にもそんな感じだ。ゴーベルトは肯いた。

「俺は知らない、その男のことは」とアンツが言った。

「つまりあなたの母親が、ベルリンからフライジングにやってきたとき、父親は一緒ではなかった」とタボール・ズューデンが言った。「なぜ？」

「お袋に訊いてくれ」

「現在どこにいるんですか、母親は？」とソーニャが訊いた。

「天国って、あるのかな？」

「お母さんは亡くなったと？」とズューデンが言った。

「確実にな」

「で、埋葬はどこで？　フライジングで？」

「フライジングだって！　行ったことあるのか、フライジングへ？」体をさっと前に突き出し、両手を太ものの上について、ズューデンの目を見た。「俺なら、あんなとこに埋められたくはないね。俺とは関係のない場所だ。もちろんお袋だってそうだ」

「亡くなったのはいつですか？　アンツさん」とズューデンが訊いた。

「さっぱりわからん」彼は立ち上がって、両腕を前に伸ばして窓の方を見た。ロスバウムとゴーベルトが彼をじっと睨みつけていたので、そっちに目が行ったのだ。「俺のお袋はもう一度出てったんだ。今度はベルリンへな。西ベルリンだ。六〇年代に」二人の若い刑事に向かってそう言った。だが、その目を気にしている様子はなかった。ただ彼らの方に目をやっているだけだった、まるで二つの石像でも見るかのように。

「俺にはどうでもよかった。どのみちもうミュンヘンにいたし。旋盤工の訓練を受けて、ベルトルトって会社で。全部あんたんとこのコンピューターに入ってるんだろ。それに……」

彼は急に押し黙った。そして、メモを取る手を止めて彼の言うことに耳を傾けていたソーニャを見遣り、ガバと立ち上がって、部屋から出て行った。間髪をおかずロスバウムが飛び上がった。だが、最初の一歩を踏み出す前に、ズューデンが、腰を下ろすようにと目で合図を送った。ロスバウムはイライラした様子で立ったままでいた。拳銃に触りながら、何か口答えをしようとしたが口にする言葉が思い浮かばず、再び座った。

テーブルの上のカセットレコーダーはそのまま動いている。

ソーニャは脚を組んだ。そのとき、ガサガサと音がした。

ズューデンは動かなかった。それをゴーベルトはじっと見ていた。

ロスバウムが陰気な顔つきで、アンツが消えた廊下の方を見ると、ビールを三本抱えてアンツが現れた。椅子に座り、親指で一本目の瓶のアンカートップを跳ね上げた。手のひらで飲み口を拭いてからぐいっと一飲みして、さらに立て続けにぐいぐい飲む様子を、四人の刑事は眺めていた。瓶をテーブルに戻したとき、中身はほとんど空になっていた。テーブルに置いてある残りの二本の横にその瓶をきちんと並べてから、舌鼓を打った。

「親父は」と彼は言って、ソーニャのスカートの裾に素早く目をやった。「親父はあのピーク（ヴィルヘルム・ピーク＝ドイツ民主共和国（東ドイツ）の初代大統領）の友達だった。例のＳＥＤ（ドイツ社会主義統一党）を創った奴さ。共産主義者だ、ピークは。で、俺の親父は党創設の集会に参加したんだ。それでお袋は親父を嫌ってた……」

「そんなことは我々にはどうでもいいことなんだ、アンツさん」とズューデンが言ったとき、アンツは口を開けたままぽかんとしていた。「きっと大そうなファミリー・ヒストリーがおありのことだろう。誰にでもある。だがねえ、我々が知りたいのは、あなたが家出をしたのがいつの頃で、どこへ行ったのか、そして母親はどうしたのかということなんだ。父親のことはそれからにしよう、もし話したいのならだが。しかし、今話してもらいたいのは、あなたが初めて誰にも知られずにフライジングから出て行ったのはいくつの頃だったのか、ということなんだよ」

アンツはズューデンを見て、目の前でひどく下品なことを口にした人間を見るような顔をした。ゴーベルトは肯き、ロスバウムは眉毛を高く上げた。

「いいよ」とアンツは言い、ビール瓶をつかんで残りを飲み干した。それから二本目を開けて、飲み口を親指で拭ってから、一口飲んだ。「訊かれたから答えたまでよ。俺は礼儀をわきまえた人間だ」

「その気になれば礼儀のある人間だ、あなたは」とズューデンが言った。

「そうさ、刑事さん」アンツはもう一口飲んで、ボトルを手に持った。「四六時中腰を低くしたって、一文の得にもならない。このご時世じゃあな。それにこんな街じゃ、なおさらだ。俺が初めて家出したのがいつだったか知りたいんだろ？　ノープロブレム。一一のときだ。年上の友達がいて、バイクを持ってた。そいつが連れてってくれたんだ。二人でミュンヘンに行って、そいつの親戚んとこに泊まって、オリンピックを見たんだ。テレビで。ローマだったたな、オリンピックは。ボクシングでドイツの選手がメダルを取ったんだ。なんていう名前だったか忘れたけど」

「ミュンヘンには何日ぐらいいたのかな？」とズューデンが訊いて、そこで初めて姿勢を変えた。手のひらをテーブルに乗せ、今にも立ち上がりそうに見えた。

「三日」

「それで母親は、あなたがどこにいるのか知らなかった？」

「ああ。パン屋で働いてて な、日に一五時間も。どのみち俺にかまってる時間はなかった」

「彼女は、警察には？」

「いや。俺の友達の親から聞いたんだよ。それで十分てわけだ。俺を迎えには来なかったよ、仕事だから。うまい具合にできてるよなあ、ええ？」渇死寸前の人間のように彼はビールをごくりごくりと飲んでから、一息ついた。そして空になった瓶を口につけて、一滴も残さないようにと、斜めに持った瓶の底をトントンと叩いた。それからその空瓶を一本目の空瓶の横に几帳面に揃えて置いて、三本目をじっと見て、それを両方の手でつかんでぐるっと回した。「動物園に行ったんだ。猿と魚なんかを見たんだ。人が少なくて、よかったなあ。あの頃の動物園は本物の公園だった。今みたいにコンクリートのブロックとか遊園地とか、そんなものなかった。一日中いたんだ、あそこに。一人で」

「一人が好きだった?」とズューデンが訊いた。

「もちろん。ただし俺自身が一人でいたいときは、ってことだけど。ひとりになりたいのは自分がそう思ったときで、人に言われてそうするのは嫌なんだよ。わかるだろ? 大きな違いだ。あそこで小さな男の子を助けたんだよ。ずいぶん前のことだから、もう誰も覚えちゃいないだろうけど」

「その男の子、どうしたんですか?」とソーニャが訊いた。ズューデンはまた元の姿勢に戻って、両手を組み合わせて前かがみになった。首のお守りが、天井に吊られたランプの白い光の中でキラキラ光った。

「あの子は道に迷ったんだよ。怖くなって公衆トイレに隠れたのさ。その子の母親はヒステリーを起こしてぶっ倒れた。守衛たちがみんなで探し回った。だけど、俺が先に見つけちまった。トイレにいて気がついたら隣で泣いてた。聞こえないくらいの声で泣いてた。ふつう、子供だったらうるさく泣くのに、全然声を出さずに、静かなんだ。何ていう名前だって訊いたら、黙っちまった。歳はたぶん六つくらいだった。どうしようもないから、ほっといて行こうとしたら、俺の手を掴んだんだ。変な子だなと思ったんだが、なかなか手を離そうとしない。それで一緒にトイレから出て歩いて行ったんだ。入口で見た看板のことを思い出して、俺たちはそこへ行ったんだ。そこで待つことにした。そのときもずっと俺の手を離さない。きっと俺のことを兄貴だと思ったんじゃないかな。鎖で繋がれたような気がしたよ。だけどあいつ、俺の手をこうして固く握り締めたんだ」彼は拳を作って腕を上下に振った。

「それはどんな看板だったんですか、二人が待っていたっていうのは?」とソーニャが訊いた。

「緑の看板で、迷子の待ち合わせ場所、って書いてあった。今はもうないと思うよ。あそこには今だって迷子はいるはずだけど。ああいう看板、大事だと思うけどなあ。道に迷った子供たちを探し出すのは難しいと思うよ。俺がいなきゃ、あのチビがその看板を見つけたとは思わないね。ずっとトイレにいたままだったろうから、誰もあの子は探し出せなかったはずだ。そのうちに守衛が一人通りかかって、俺たちを見つけたんだ。看板の前に立ってたからね。座らないで、ずっと立ちんぼだったんだ。注文があったのに誰も取りに来ない品物みたいにな。そしたら、お袋さんがやってきた。若い綺麗な女だった。まだ覚えてるよ。天使みたいだなって、見惚れてたんだ。俺にチョコレートをくれた。俺が一人で動物園にいるのかって訊くから、兄貴がもうすぐ迎えに来るって答えたんだ。兄貴と呼べる奴なんかいなかったんだけど。お袋さんは息子が見つかって、ほんと喜んでたよ。お袋を見て、あいつ、泣き出したんだ。俺は気まずくって」

「どうして？」

「だって、人前じゃ泣かないもんだよ、たとえ子供でも」

「母親にそう教えられたから？」

「いいや、自分でそう学んだんだよ」

「それで、三日後にフライジングに帰ったんですか？」

「警察に行って、頼んだんだ。うちに連れてってくれって。そしたら連れてってくれた」

「あなたの友人はどうしてあなたを連れに来なかったんですか？」

「そいつに会ったのはあれが最後だった。一晩だけだ、あいつんとこで寝たのは。ボクシングの試合があった夜だ。あとはエングリッシャー・ガルテン《英国庭園》で寝たよ。夏で、夜でも最低二〇度はあった。外はいいよ。自然の音が聴けるし、色々学べるんだよ」

「どんなことかな、学べることって？」

「すべてのものには秩序と目的があるってこと。無駄なものなんかこの世にはないってこと。死んでいくものだって、春になればまた生き返ってくる。その次の年かもしれないけど。だから、消えてなくなるものなんか何もない。そんなことさ」

「あなたの母親はあなたのことを怒ったりした？」

「ああ。だけど、俺にだけじゃなかった。いつもブツブツ言ってた。部屋に閉じ込められて鍵を持って行かれたことがあった。四階に住んでたから、窓から飛び降りるわけにもいかなかった。だけど俺は別に気にしなかったよ。一日に一回は外に出してくれて、トイレに行ったり、飯食ったりしたよ」

「どれくらいの間閉じ込められていたんですか？」

「一週間。なんだ、短すぎてつまんない、って思ったくらいだ。やっと一人きりになれたのに」

「その後動物園にはちょくちょく行きましたか？」とソーニャが訊いた。

「行ったよ。親から逃げてきた子供たちの面倒を見てたんだよ。親たちが子供を動物園に連れて行くのは、何も一緒に遊んで楽しみたいからじゃないってことさ。なるべく一人で遊んでほしいからだよ。だから今じゃ、遊園地とか動物とのふれあいコーナーみたいなものとかミニ鉄道とか、なんだかんだと作るんだ。金がかかるだけだし、子供たちは退屈してるよ。だから逃げちゃうんだ。俺にはよーくわかるね。行くところさえあれば、俺だって逃げるさ。お袋がベルリンへ、西ベルリンだけど、そこへ引っ越してったとき、俺は、どこへ行けばいいかわかってた。ミュンヘンだよ。一六歳で出てったんだ」

「お母さんはどうしてあなたをベルリンに連れて行かなかったんだろう?」

「お袋に聞いてくれ」

アウグスト・アンツは、三本目のビールを開けて、これまでよりもせっかちにゴクゴクと、瓶が空になるまで一気に飲み干した。フーッと息をして、瓶を眺めながら口を拭い、それから黙った。

「お母さん、もう亡くなったのですか?」とソーニャが訊いた。二人の同僚が椅子の上で立てる音に、ソーニャは神経をとがらせていた。二人には背中を向けているので、睨みつけるわけにもいかない。その動きだけが聞こえる。堪えきれずに足を延ばす音、手の指を肘掛の上でトントンと叩く音が耳に入る。

アンツは口元を歪めてビール瓶の中に息を吹き込んだ。空ろな音がする。瓶をテーブルの上に斜めに傾けたので、最後の数滴がポトポトと落ちた。

「死んだよ」と言って瓶を置いたとき、アンカートップの留め金が瓶のガラスに当たって、がちゃんという音がした。

「亡くなったのはいつですか?」とズューデンが訊いた。

「さあな。俺が知ってるのは、死んだってことだけだ」

「で、彼女はあのとき、あなたをずっと閉じ込めたままだった? 何があったんですか? 詳しく話してください」とソーニャが訊いた。背中の後ろの雑音が止まなければ、振り返って二人の刑事に、足の指一本も動かさないで、と言うところだった。

「何があったかって? それが知りたいのか、女刑事さんよ? 何があったか? いい質問だ。いいかい、何が起こったか詳しく話してやるよ。ノープロブレム。朝起きてキッチンに行ったんだ。日曜日だった。聖なる日曜日だよ。冷蔵庫を開けようと思ってね。死ぬほど猛烈に喉が渇いてたんだ。前の晩に俺の友達の一五歳の誕生日があってな。あの頃はまだ友達がいたってことだ。とにかく冷蔵庫を開けようと思った。そしたらテーブルに紙切れが置いてあって、A4の紙だ。何が書いてあるのかと思って体を屈めて読んでみた。そしたら、お袋が夜中にクルトと、お袋の愛人だよ、トンズラこいたって、ベルリンへ。俺には、心配することない、叔母と叔父が面倒見てくれるからって。警察に届けちゃダメ、本当にごめんね、って書いてあった。お金が二〇〇マルク、手紙に貼り付けてあった。手紙の最後に、俺のことを愛してる、愛してるって。俺はその金をひっつかんで、手紙は破った。振り返ると俺の後ろにヴローニおばさんがいたんだ。お袋のベッドに寝たんだってよ。これからは、おばさんがお袋だってわけさ。どうだい、女刑事さん、これで十分かね？　俺は警察には行かなかった。自分のお袋を届け出るなんてことはしないさ」

「母親のこと、怒ってはいなかったのか？　あんな仕打ちを受けて、彼女を憎む気持ちはなかったのか？」とズューデンが訊いた。

「そりゃあね。けど、だからって、警察に行けば、お袋を憎む気持ちが変わるってわけじゃないさ。どっちにしたって同じだ。結局俺はヴローニおばさんと、内装関係の店をやってたベルント祖父さんとこで世話になることにしたんだ。経営はうまくいってたし、金もある。お袋にとっちゃ、それが肝心なことだった。俺たちには金がなかった。パン屋で働いても、大した収入にはならなかった。もうその話はしたくない」

そう言って立ち上がり、ズボンを手で払ってから澄ました顔をして立っていた。

「青少年局は、お母さんがいなくなったことで何かしてくれなかったのですか？」とソーニャが訊いて、下唇を噛んだ。不吉なことが起こりそうな兆候だ。

「どうして？　俺には面倒を見てくれる人がいた。一六になってたし、中等教育修了資格はあったから、学校にはもう行く必要がなかったんだ」

「あの、そこのお二人ね、少し静かにしてくれない！　こっちは真面目な話をしているんだから」とついにソーニャは言った。後ろを振り向かずに。アンツはぎょっとして彼女を見た。ズューデンは窓辺の若い刑事たちに目配せした。二人は一瞬、体を硬直させた。

アンツはテーブルに向かって体を屈め、三本の空瓶を両手でしっかり持った。彼が体を再び起こそうとしたとき、ズューデンが訊いた。「あんたの母親はなぜ突然、あんたを捨てて出て行ったんだろう？　なぜそんなことをしたんだろう？」

アンツが視線をテーブルからズューデン――二人の顔はほんの数センチしか離れていなかった――に移し、それから背を伸ばして、三本の瓶を胸にしっかり抱えてぎこちない足取りで居間を出て行く間、瓶のアンカートップどうしが触れ合って、カチャカチャと音がした。

「もうちょっと我慢してもらえるかな？」とズューデンがロスバウムとゴーベルトに向かって言った。ちょうどソーニャが何か言おうとしたそのときに、彼は立ち上がって居間から出て行った。彼女は腹を立てて両手を打ち鳴らして頭を振った。そして無意識にカセットレコーダーを止めた。

キッチンではアンツが、空瓶をテーブルの下に置いてある瓶ケースに入れているところだった。そこには普段は誰も座らない椅子が置いてある。冷蔵庫からもうひと瓶取り出したが、やけに冷えているなと思った。温度を一段上げるように調整してから、テーブルに戻った。背にしたドアからズューデンが入ってきた。

何分間か、二人とも口を開かなかった。

「座りなよ」とアンツが言った。刑事は真向かいに座った。普段なら壁が真正面に見える位置だ。「そっちは普段はウサギが座るんだ」とアンツが言って、ニヤッと笑った。「だが、今日はお出かけだ……」平手でアンカートップを開けて、「好きなことをやりに行ったのさ」と付け加えた。ニヤつきながら一飲みし、ボトルでズューデンを指して、「俺はもう何も話したくないよ」と言った。

「いや」とズューデンが言った。「そうはいかない。話してくれ。私が聴いている。一日中でも、一晩中でも、いつまででも、話したいだけ話してくれ」

「いやだ」

「さあ、始めて！」

「いやだよ」

「母親の愛情について話してほしい」

「あんたには関係ないだろ」

「関係なくても話してくれ。誰にも言わないから。ここには私たちしかいない」

「仲間を忘れちゃいかんよ。どうせこっちに聞き耳たててるんだろ」

「聞かせておけばいい！　聞き耳は空耳だろ？」

「聞き耳は空耳？」

「違うか？」

「あんた変な刑事だな。ズューデンってのは、本名かい？」

「ああ。あんたの『アンツ』と同じように」

「アンツってえのはシンプルな名前だよ。ごくごく普通の名前さ。だけどズューデンってのは……」

「父親はアンツという苗字？」

「いや」

「じゃあ、母親の旧姓かな？」

「ワルトラウト・アンツだ。ドレスデン生まれ。一九二七年四月一二日。親父が製材所をやってたんだ。お袋は製材所なんてやる気はなかった。女優になりたかったんだよ。イングリッド・バーグマンとか、でなきゃせめてリリアン・ハーヴェイみたいな。ベルリンへ行って芝居とか映画に出たかったんだ。ちょうどいい年頃になったかと思った矢先に戦争だ。兄貴はロシアで戦死。とにかく家に帰ってこなかったってことは死んだってことだから。死亡通知は来なかった。遺失したとかで。戦争だから、そんなこともあるだろうさ。一九四三年にお袋はベルリンへ行った。男と一緒に。一八歳のユダヤ人だ。親父の製材所にまぎれ込んでたんだ。親父は特にユダヤ人を目の敵にはしてなかった。お袋がそう言ってた。本当かどうか、俺は知らないけど。親父はナチで、まぎれもないアーリア人だった。そんな奴がユダヤ人を匿ってたなんて、信じられんな。お袋がしでかしたことを、奴は知らなかったんだと俺は思うんだ。ドレスデンが四五年に爆撃で丸焼けになったとき、バルト海沿いの森の中にいたんだ。恋人と、それからもう二人の男たちとそこに逃げ込んでたんだ。だから、故郷の街が炎に包まれてたとき、お袋はそこにはいなかったってわけだ。製材所なんか真っ先に燃えちまうよな。そうだろ？　とにかくお袋はそこにはいなかった。お袋の親は二人とも焼け死んだ。家も、友達も、親戚もみんな。逃れた者は一人もいない。お袋だけが生き残った。ちょうどいいときに出て行ったからな。運が良かったんだ。何度か俺にそのことを話してくれたよ、お袋が。防空壕でのこととか、夜中に逃げ回ったときのこととか、森にいたときのこととか。

いつも真っ暗なんだ。外には出られない。どんな音がしても怖くてたまらない。昼も夜も。あんた、暗いの怖いか？　あんたは絶対怖くないよな。あんた、刑事だ」

「暗いのは怖いよ」とズューデンが言った。

「怖くならないためにはどうするんだい？」

「歌を歌う。でなきゃ暗がりの中をじっと見続けるんだ。何かが見えるようになるまで」

「で、そこに何もなきゃ？」

「必ず何かあるもんだ」

「お祈りはしないのか？」

「神に祈らないのかっていう意味か？」

「他にいるかよ？」

「神は暗がりそのものだ。暗がりに向かって何を祈れっていうのかね？　神はそこにいるんだよ」

「そう言われちゃあな……。俺が暗がりを怖がるのは生まれつきなんだ。俺がガキのころ、お袋は、夜にはいつも明りをつけっぱなしにしてた。俺はもう覚えてないけど、お袋がよくそう言ってた。怖くないよって、俺をなだめてくれてたよ。それには感謝してる。それなのに、お袋はしょっちゅう俺を一人きりにした。よくわからない女だったたな」

「ドレスデンの親戚はみんな死んだって言ったよな。だけど、フライジングの女性のこと、あんた、おばさんって呼んでたじゃないか」

「義理の姉だよ。お袋の親父が当時、ある若い女と浮気してね。その女はそのあとバイエルンの実家に帰って行ったんだよ。その娘が俺のおばさんで、彼女は自分の親父さんに会ったことがない。俺が自分の親父と会ったことがないのと同じだ。親父はＳＥＤ（ドイツ社会主義統一党）の党員で、あのピークの盟友だ。俺が知っていることはそれだけだ。俺たちゃみんな半端もんだ。半端もん家族ってわけ。みんな自分一人だけ。親戚の中に頼れる者は誰もいない。家族のふりしてるだけさ。これが本当の話。そういうもんだと諦めるしかない。でなきゃ頭がおかしくなっちゃうよ。それにしても、なんでそんな人間が子供なんか産むのかなあ？　どうせ、そのうち捨てちまうんだろ、自分たちが生き残るために。俺のお袋みたいにさ。お袋は、逃げてなきゃ焼かれてたよ。そしたら俺だって生まれてなかった。それで万事こともなし、だったじゃないか」

彼は押し黙ってズューデンを見つめた。相手は両手を重ねて座っている。背中を丸めて。定住したよそ者。急《せ》くでもなく、企むでもなく。

「テーブルに置いてあった紙を読んだとき、悲しいとは思わなかった。不意を食らったって感じでもなかった。もちろん予想してたわけじゃあないが。だけど俺だってあんなチンケな街から出て行きたかったんだ。どうやって出て行ってやろうかなってずっと考えてたんだから。そしたら、お袋から先に出て行ったってわけだ。俺としちゃあ、お誂え向きだ。もう義務はないし、良心の呵責ってのも感じる必要はない。急に俺がいなくなってたら、お袋だって驚いただろうからさ。いつかの動物園でのときみたいに」

「家出した子供たちを両親のもとに連れ返してやったんだよな」とズューデンが言った。シャツをまくり上げた腕から忍び寄る冷気は無視した。

「帰るべきところに返しただけだよ」とアンツが言った。

「ラファエル少年は無事か?」

アンツはビールのボトルを見つめた。

「あんたのところでよかったよ。他の人間じゃなくて」とズューデンが言った。「あんたのところなら、あの子は何も怖がることがないからな」

「そのとおりだ!」とアンツが言った。

「どこにいる?」

たぶん、天井裏で何か目に見えない奇想天外なことが起こったのだろう。アンツは天井を睨んだまま、その目を動かさなかった。


紐が切れてしまったサンダルを履いたまま、彼はアパート中をよろけながら歩いた。急ごうとすると片方のサンダルが脱げてしまい、立ち止まってしまった。二歩下がってサンダルを引っ掛けようとした。靴下で走ろうなど、考えもしなかったのだ。少年が三度目のトライで反対方向にすり抜けて逃げようとしたときに、彼はやっと少年の肩をつかんだ。

「やめてよ!」とラファエルは叫んで、指先で、肩をつかんで離さないフランク・オーバーフェルナーのでかい手を引っ掻いた。

「じっと立って、俺の言うことを聞くんだ」と彼は喘ぎながら言った。トレーニング・パンツが半分ずり落ち、色あせた緑のシャツのボタンがちぐはぐになっていた。少年が自分のアパートに来てからは、彼の侘住まいもめちゃくちゃになってしまった。

「おじさん、臭いよ！　臭い！」とラファエルは叫んで、男に掴まれた腕を振り払おうとした。

「何も悪いことはしないよ、ラファエル……」

「したじゃないか！　離してよ！」

ラファエルが一つ大きな叫び声をあげたので、オーバーフェルナーはすぐに手を離した。もし隣近所に聞こえたら、と生きた心地がしなかった。アンツが知ったら、あいつの手で絞め殺されかねない。

「たのむよ、ラファエル。お前はここにいていいんだよ。どこにも行かなくていいんだ。俺が言いたかったのは、俺が言ったのはさ、なんで……」

チビはどこへ行ったんだ？　寝室にはいなかった。バスにも、キッチンにもいない……。オーバーフェルナーはパニックに陥った。左のサンダルがまた脱げて蹴つまずいた。壁で体を支えて、足を伸ばして、足の指でサンダルを引っ掛けようとしたが、うまくいかなかった。ようやく、自分がウールのソックスを履いていることに気がつき、あたりに釘か何かが落ちていないか確かめようとしたそのときに、ドアの鍵を回す音が聞こえた。

ラファエルが物置からリュックを取り出してきて、部屋を出て行くところだった。

「出ちゃダメだ！」オーバーフェルナーは少年に駆け寄り、その体を持ち上げて、リュックもろとも強く抱きしめた。部屋に戻り、寝室への廊下を進んで行って、衣類の束のようにラファエルをベッドに投げ下ろした。

「ここにいろと言ってるんだ。わかったな！」どうだ参ったか、と胸を張って己の勝利を味わうこと四秒間。ラファエルはベッドから這い下りて彼の横をすり抜け、ドアのところに帰り着いた。

「しょうがない小僧め！」

もう片方のサンダルを脱いで、ラファエルを追いかけた。

ラファエルはドアを押し開けた。オーバーフェルナーは後ろにぴったりとくっついてきた。コートハンガーの帽子がビュンと飛び落ちて、あたりに埃が舞い上がった。肩に背負ったリュックを放り投げて、ラファエルは急いで階段に一歩踏み出そうとしたが、すぐに後ずさりした。

黒人の婆さんが両手を広げて行く手を塞いだのだ。ラファエルはびっくりして婆さんを見た。畑の畝《うね》のようなシワと不精髭がいっぱいの、大きくて怖そうなその顔を見た。頭のてっぺんに黒い角帽を被り、ブカブカのコートは樟脳の匂いがした。

ラファエルは壁に手をついてハアハアと激しく息をした。

目の前の巨体は微動だにしない。頭一つ背が低いオーバーフェルナーは、ライオンに睨まれて死を宣告された者が、せめて気が触れたふりをして何か気の利いたことを喋ろうとするかのように、作り笑いをした。するとライオンもニコッと笑った。

「今日はスポーツでもするんですか？　オーバーフェルナーさん」

ラファエルは、石のような顔の中の薄い口が動く様を、ぼーっと眺めた。「百メートル競争にはちょっと短すぎるわよね、おたくの廊下は」

「ああ」とオーバーフェルナーはかすれ声で言った。五九歳にもなって未だに、まるでタバコを吸っているところを見咎められておどおどしている中学生のようになってしまった。

「それだけ？」

「どうも」とオーバーフェルナーは言い、口を開いて壁にもたれているラファエルに目で合図をして、ゆっくりと自分を取り戻した。「こんにちは、ホットロップさん。お久しぶり。旅行にでも行ってたんで？」

「いいえ。あなたは？」やっとその巨大な腕を下に降ろしながら、オーダ・ホットロップ夫人が訊いた。

「私？　いや。さあ、ラフ。まだ忘れ物があるぞ。さあ、おいで！」

ラファエルは背いて壁に手を触れながら、部屋の中にいるオーバーフェルナーの後ろに消えた。

「その子、前に見たことあったかしら？」とホットロップ夫人が訊いた。

「仕事仲間の子供なんですよ。ちょっと預かってくれって言うんで。今日だけ……」

「子供の相手なんてできるんですか？」

「まあなんとか」と彼は言った。それから手をあげてゆっくりとドアを閉めた。「じゃあまた、ホットロップさん」

「その子、あたし見たことありますよ。嘘言っちゃいけませんよ、オーバーフェルナーさん！」

彼はドアに鍵をしてため息をついた。重い足取りで、オーダ婆さんは階段を上がって行った。

「あの人危ないよ」とラファエルが言って、リュックを背負った。「そんなことないさ。頭がおかしいんだよ、婆さんは。昔はオペラの歌手だったんだ。大した役はやらせてもらえなかったから、今になってああやってもったいぶってるだけさ」

「あの人危ないよ」

「お前のこと脅しでもしたかい？」

「しないさ！　僕、もう行かなくちゃ」

「行っちゃダメだよ。それにグストルがもう帰ってくるんだ。お前がいないのを知ったら何言うと思う？　奴はお前の面倒を見てくれるんだよ。お前に約束しただろ。俺だってお前の面倒を見てるだろ」

「面倒なんて見てくれてないじゃない！」

「見てるったら。さあ、靴を脱いで、リュックも降ろしてさ。〈怒っちゃいけないよ〉ゲームをやろうよ」

「嫌だ。もう行くんだから」

「頼むよ、ラフ！」

「僕のこと、ラフなんて呼ばないでよ。呼んじゃダメ」

「ごめんよ。グストルが帰るのを待つんじゃないのか？　お前の友達だろ」

「じゃなぜ帰ってこないの？　午前中には帰ってくるって言ったじゃないか……」

「そりゃ……」

「それから、今度は昼に帰るって言った。もう午後になったのに、まだ帰ってこない。嘘つき、あんたは嘘つきだ！」

　助走をしてから力一杯にオーバーフェルナーの脚に向かっていったが、つかまってしまった。

「グストルはなあ、今警察にいるんだよ。お前のことを訊かれてるんだから、用心しないといけないんだ。お前がここにいるなんて言えないだろ。だから時間がかかってるんだよ。一言一言間違いがないように話さないといけないからさ」

「嘘だ！」

「嘘じゃないよ、ラファエル。グストルはお前の友達だ。そして俺もお前の友達だ」

「あんたは友達なんかじゃない！」

「友達だってば。リュックを寄こせ！　何か食べたいかい？」

　ラファエルは首を横に振った。

「何か飲むかい？」

ラファエルは再び首を横に振った。

「テレビは？」

ラファエルは肯いた。

「よーし、じゃあ居間へ行ってテレビのスイッチを入れるんだ！　俺はちょっとトイレに行ってくるからな。もう破裂しそうだよ。それからな、あの変な婆さんのとこは忘れちまうんだ！」少年の頭をぎこちなく撫でて軽く一押しした。それからトイレに消えてドアを締めた。ラファエルはドアの前に立ったまま、手を掻いた。母親と同じしぐさで。


沈黙が長引くにつれ、気まずくなってきた。暗く冷たい廊下から、彼女は尋問を続ける同僚を見つめた。彼はテーブルに座ったまま、相手から目を離さない。アンツはそのまま天井裏の出来事に魅せられているかのようだ。ソーニャはイライラを募らせて、ボールペンでメモ帳の上をコツコツと叩いた。窓辺のロスバウムとゴーベルトの二人は、からかわれているように感じていた。

今日は九月三日、月曜日。時刻は三時四八分。

「少年がいなくなってどれくらい経つかね？」とアンツが天井に訊いた。

「一一日」とズューデンが言った。

「長いな」

「あの子の母親を知ってるのか？」

「いや」

「私は知ってる」彼はソーニャの我慢が限界に近づいているのを感じていた。とはいえ、彼としてはそのままそこに座って、待ち続けるしかないのだ。

突然アウグスト・エマヌエル・アンツがキッチンの天井から視線を離した。

「子供はいるのか？」と刑事に訊いた。

「いや」

「俺には天使が一人いる。天使なら、少なくとも逃げていくことはないしな」

「飛んでいくことも」とズューデンが言った。

アンツは肯いた。それから立ち上がり、ズボンを手で払って、頭をくるりと回し、廊下に立っているソーニャを見て、目をパチクリさせた。ソーニャの後ろにあるスツールの上に置いてある電話のところへ行って、受話器を取り、ある番号を押した。

ズューデンは彼の隣に移動した。そのとき、フンケルがときどき自分の執務室でやるように、ソーニャの手に触れた。彼女はそれを拒まなかった。

「俺だ」とアンツが言った。「どうだ、そっちは？……もう一度言ってみろ……お前はこの国で最悪のバカ野郎だ！」

受話器を置き、腕組みをした。「小僧がいなくなった！　逃げたんだよ、仲間がトイレに入っている隙に。隣のババアが警察に連絡したんだってさ。逃げていく小僧を見たって。新聞の連中も集まってる」

「仲間って、オーバーフェルナーさんですか？」とソーニャが訊いて、携帯電話を上着のポケットから取り出した。

アンツは彼女の前を通り過ぎて居間に入り、何かを探すような格好で周りを見回した。二人の若い刑事には目もくれなかったが、二人は立ち上がってぎこちなく道を塞いだ。しかし、彼は振り返って廊下の明かりのスイッチを入れ、身を屈めて、床に落ちていたジャージーの上着を拾い上げた。それを着終わったとき、ちょうどソーニャは、オーバーフェルナーのアパートにいる同僚との電話を終えたところだった。

「少年がどこに行ったか、心当たりはありますか？」と彼女は訊いた。彼は目をそらした。「あなたとあなたの仲間がやったのよ！　哀れな二人連れ誘拐犯。お見事、ヘル《ミスター》・アンツ！　チンケな孤児から、犯罪者にご昇進てわけね！」

「あの小僧は自分でやって来たんだぜ。自分からだ。小僧に訊いてみりゃいい！」

「そうだ、その通りだ。間違いない。自分でここへやって来たんだよ。助けてくれって言ったんだ。だから俺たちが助けてやった。親から暴力を受けている子供を見捨てるわけにはいかないからな、その通りだ」とオーバーフェルナーは言った。それはちょうど、タボール・ズューデンが、アルラム通りの狭いアパートを包囲している警察官たちが、大きな声で喋ったり、部屋の内外をあちこち探し回ったり、写真を撮ったりするのをくぐり抜けて、ようやくその場にたどり着いた後だった。

アパートの前には報道記者たちが入れ替わり立ち代わりやって来た。隣人たちがインタビューを受け、パトロールの警官たちは説明に追われた。ある記者が、ラファエル少年を誘拐し匿ったとされる例の男の顔写真を、運よく手に入れた。

数時間後には、小児性愛者《ペドフィリア》、墓地の庭師フランク・オーバーフェルナーの顔は、街中が知るところとなった。

11　煉獄への帰還

第一一分署を精神病院に変えてしまうには一〇日と一日もあれば十分であった。もはや理性はどこかに置き去りにされ、代りに自制の効かない感情が自然爆発する場と化してしまった。五階建てビルの全てのフロアでは、この事件では末端の仕事しか命じられていない警察官たちが、お互いを指差して罵り合ったり、叫び合ったり、罵倒し合ったりしていた。あるいは、ほかの同僚のことを――バカとか腰抜けとか呼んで――陰口を叩いた。彼らに言わせれば、事前に上司の誰かに直訴して、件の刑事を本件に引っ張り込むのを止めてさえいたなら、こんなことにはならなかったということになる。噂では、この刑事は精神を病んでおり、おまけに麻薬中毒だということなのだから。それに、ここでは誰もが、とりわけ上の方では、こちらのお人好しにつけ込まれて、報道陣にいいようにひっかき回されていて、おかげで部署全体が、道化役者みたいにウロウロするだけで、とことんバカにされる羽目になったのだと言う次第だ。

この部署で報道の力と責任者の無力をどう評価するかはともかくとして、ラファエル・フォーゲル失踪事件における今回の失策について、誰に一番の責任があるのかという点では疑いの余地がなかった。主任警部タボール・ズューデンである。彼については、ありとある噂が飛び交った。一階のトルコレストランでは、警官たちが軽食を取りながら、ズューデン自身も小児性愛者だ、その証拠に、子供たちの前で平気で裸で踊ったりしている、などと口元に手を当ててひそひそ話をするほどだ。

彼こそがアウグスト・アンツに真実を言わせた刑事であるという事実は、この際どうでもよかった。ズューデンは、自白に追い込むためにその悪名高いのらりくらりの質問攻め手法に時間をかけすぎたのだ。そのせいで少年を逃がしてしまったのだ。大方の同僚たちの目には、そう映った。

《酷い！　警察の目の前で少年二度目の失踪！》の見出しが打たれた新聞記事では、ほとんどの人間がタボール・ズューデン刑事の責任だと言っていた。特別捜査班のあるメンバーが、「あいつは厄介者だと、ときどき思う。あのルチア・シモンの事件と同じだ。タボール・スューデンさえその場にいなければ、彼女は生きているうちに発見されたはずだ」と言った、と書かれていた。

誰が言ったのかつきとめようと本部長のフンケルは、二つの部屋に分かれて黙ってへたり込んでいる部下たちの顔を見渡した。その中にはタボール・ズューデン本人もいた。彼が目を向けても、答えてくれる者は誰もいなかった。

「やり方は二つだ」とフンケルが言った。「今ここで、ズューデン刑事の目の前で自ら名乗り出るか、全員に一人ずつ私の部屋に来てもらって、誰なのかが分かるまで部屋から出さないか、そのどちらかだ」そう言って周りを見回した。左目の黒いアイパッチを掻きながらしばらく待った。

「私の考えを言おう」と言い始めたところで、一瞬間おいてズューデンを見やり、やおら右手を上着のポケットから出して続けた。「私は、あれは捏造記事だと思う。どこかのトップ屋がでっち上げたのだ。我々を挑発するために。編集長は、誰が言ったのかちゃんと名前は押さえてあると言っているが、それは嘘だ。そんなことを言う者がここにいるはずはない」左手もポケットから出し、デスクに両手を置いて体を支えた。「それはそうとして、諸君の一人一人と少し話す時間を持ちたい。確かに異例のやり方だが、今のような雰囲気では、みんなが平静を取り戻すための一つのやり方だと思うんだ。新聞やテレビで言われていることは、ほとんどが愚にもつかないことだ。悪意に満ちたたわごとだ。関連のないことが、ごっちゃにされている。そんなことに我が部署が、たとえ一人であっても、振り回されてはならない。だから、みんな早急に持ち場に戻って、ズューデン刑事に対するこんな無意味な言いがかりはやめてもらいたい。いいね？」

彼の言葉は怒気を帯びていた。それだけは避けたかったのに。いつもなら、ラファエルの捜索で失策があれば、チームがバラバラになるよりもむしろより団結が強まったはずなのだ。だが、変人で問題の多いズューデン刑事に、よりによって劇的な事件解決の真際というところで本件を担当させ、おまけに最も重要な尋問を任せるという自分の決定が、予想もしていなかった猛烈な抵抗に遭ってしまった。そのことが腹立たしくてしかたがないのだ。

それに、タボール・ズューデン自身が自分への非難や侮辱にもどこ吹く風で、フンケルが、きちんと反論するようにとあれだけ要請したにもかかわらず、それも無視して、自身の立場について説明したり弁解をすることをこれまで一切しなかった。そのことで、彼の怒りは減るどころか一層増幅したのだ。

「ちょっといいですか」とラース・ロスバウムが手をあげた。

「どうぞ」とフンケルは言いつつ、不吉な予感がした。

「言っておきたいことがあるのですが、つまり……」ロスバウムは、ズューデンをなるべく見ないようにした。「……私とゴーベルトは、アンツの尋問の場にいました。私が言いたいのは、その……ズューデン刑事の容疑者への尋問のやり方が、どうしても納得できなかったということです。もちろん私は新聞にそんなことを言ったりはしません。あんな連中には我慢ならない。でもとにかく、アンツのアパートでのことは尋常ではなかった。ここでは自由にものを言っていいんですよね。違いますか？　ズューデン刑事があそこでやったことは、警察学校じゃ教えられなかったし、相棒のゴーベルトも同じ考えですよ。ああいう風にやるものじゃないって思うんですが……」

「どういう風にやるって？」フンケルが素早く訊いた。

「尋問に時間をかけすぎるってことです。つまり、私たちはお茶の会みたいに腰掛けて、奴が子供の頃のどうでもいいような話をするのを聞かされるんですよ。そんな男のガキの頃の話なんか、誰が面白がりますかね？　私には全然面白くない。だから、もしもっと早く奴に吐かせてさえいれば、ラファエルに逃げられるようなことはなかったはずだ、そう思うんですよ。ここにいる相棒のゴーベルトも同じ考えですよ」

ピット・ゴーベルトはおどおどしながら肯いた。ロスバウムはしばし立ったまま、幾人かの同僚が黙って肯くことで喝采の意を表したのを確認した。それから腰を下ろして、隣の相棒の太ももを手の甲で叩いた。

「私の見解としては」とフンケルは言って、ガバとデスクから離れた。「それに事実関係からして言えることだが、アウグスト・アンツがついに本当のことを言ったことについては、ズューデン刑事に負うところが大きい。彼をそこまで追い詰めたのはズューデンなんだ。そのことはしっかりと認識しておいてもらいたい。そして……」

「そうですが」とロスバウムが遮った。「ただ、時間がかかりすぎですよ。少年はいなくなったんですよ。これも事実でしょ」

「ちょっと待て！」ようやく主任刑事フォルカー・トーンの出番だ。絹のネッカチーフをもどかしそうに外して、ロスバウムの顔が見えるように首を上に伸ばした。「ロスバウム君、次回の会議までに事情をもっと正確に知っておいてもらうとありがたいのだがね。事実はつまりこうだ。オーバーフェルナー氏の隣の婦人が、警察に連絡しようと決心するまでに、一時間もかかったのだ。以前に少年を見たことがある、と彼女自身が証言しているのにもかかわらず！　このオーダ・ホットロップさんは、ラファエルがそこにいることを我々に通報して気が楽になるまで、なんと一時間も無駄に過ごしたのだ。警官たちが駆けつけたときはもう少年は逃げたあとだった。代わりに記者たちが待ち受けていたってわけだ。ホットロップさんの慎重な行動のおかげでね。アンラッキーだったということだ、ロスバウム君。ズューデン刑事については、私だって君と意見は同じだが、この事実を無視してもらっては困るのだよ。わかってもらえたかな、私の言うことが」

「ええ」とロスバウムが言って、再び立ち上がった。

「しかし、じっと聴くだけの人間に何のお咎めもないのは、誰が何と言おうとおかしいじゃないですか。そんな聴くだけが能の人間が何の役に立ちます？　そいつには誰だって話したいだけ話をして、あとは馬鹿にして笑うだけですよ。聴く人間になりたければ、神父とかセラピストが似合ってますよ。刑事じゃないでしょ」そう言って腰を下ろしたが、斜め前に座っているタボール・ズューデンを見ないように全精力を注いだ。

特別捜査班の大半のメンバーにとって、容疑者アンツを吐かせたのは他でもないタボール・ズューデンなのだ、というフンケルの指摘は、ガス抜きのための心理的なトリックに過ぎなかった。どのみち誰かがこのアンツの口を割らせることになっただろうし、そのためには、フンケルが親友をわざわざ森から呼び戻すこともなかったろうにと。

後ろの壁際でライターの音がした。喫煙家がこのときとばかり、タバコを取り出して火をつけたのだ。水を飲む者もいて、囁き合う声が大きくなった。

「よろしい」とフンケルが言った。「じゃあ、一旦解散して、一人ずつオフィスに来てくれ。私と二人だけの短い面談だ、両方の目と目で。いや、この場合は、両方と片方だが」

みんながこれにドーッと朗らかに応じたのは、彼に対するお追蹤ではなかった。

三人組の陰謀団よろしく彼らは廊下に出て、小声で話し合った。三人の前を通り過ぎようとする同僚たちは、ちょっと立ち止まって、なにやら呟くように挨拶してから、静かに遠ざかっていった。

「何か言えばよかったのに」とパウル・ヴェーバーは、額に汗を浮かべて言った。赤と白のチェックのシャツがズボンからはみ出ている。緊張気味で、やや攻撃的になっていた。

「私もそう思うわ」とソーニャ・ファイヤーアーベントが言った。短い髪が今日は特別に黄色く映えていた。そのせいで、ジグザグになった分け目が一層目立った。

「あなたが黙っていればいるほど、チャーリーへのプレッシャーが強くなるのよ。そしたら彼、きっとあなたをクビにするわ。絶対に。さっきあなたを擁護したでしょ。正直驚いたわ」

太っちょのヴェーバーは、ティッシュペーパーの半分の大きさに畳んだ淡いブルーのハンカチで額の汗を拭き、それをくしゃくしゃにして革ズボンのポケットに入れた。たぶん彼は、バイエルン人特有の格好をしてバイエルン方言を喋らない、ミュンヘン（バイエルンの首都）生まれの唯一の人間だ。

「ソーニャの言う通りだ」と彼は言った。「もうちょっと攻めに出なきゃ、あいつらに追い出されちまうぜ。全くヘドが出るよ。だけど、あいつら、ずいぶんいきり立ってるぞ。あんなの見たことないよ。新聞に載っていることを喋ってるだけなんだ。お前が復帰した途端にヘマをやらかしたってな。以前お前のことを見者だって持ち上げた連中ですら、今度は撃ち落とそうって勢いだ」

「たぶん、私はヘマをしたのだろう」とタボール・ズューデンが言った。目に隈ができていた。夜の半分をソーニャや、ヴェーバーや、トーンや、フンケルや、それにあの二人の同僚と一緒に、フランク・オーバーフェルナーの尋問に費やした後で、髭を剃るのも忘れていた。夜のもう半分は、まずは自分の部屋で過ごし、そのあと、集合アパートメントの中庭を行ったり来たりした。眠気に襲われることもなく。

「フンケルさんが呼んでますよ！」とフロリアン・ノ

ルテ警部補がソーニャに言った。彼はフライヤと一緒に、俳優のセバスチャン・ホイスの娘のところから帰ってきたところだった。

ソーニャもヴェーバーも、記者たちにタボール・ズューデンについてあのような侮辱的なコメントを言うはずがないことは、フンケルにはわかっていたが、原則は原則だ。大事なのは、彼が自分の部下を、少なくとも名誉と連帯が問われている状況では、誰でも平等に扱っているということをみんなに示すことだ。名誉と連帯……。ソーニャが部屋に入ってきたとき、彼は自問していた。私はずっと私自身に言い聞かせていたのではないか、部下たちは一人の自分勝手な刑事を追い払うことよりも他のことを狙っていたのではなかったか——即ちこの部署のリーダーとしての私をお払い箱にすることを、と。ルチア・シモンの事件以来、内務省からは、彼の生ぬるいと言われる捜査の仕切り方や、ソーニャ・ファイヤーアーベントとタボール・ズューデンの特別な個人的関係は、部下を平等に扱うという点で問題があると難癖をつけられ、繰り返し攻撃を受けてきた。だが、そんなことにはもう慣れっこになっていた。それが私の仕事だと。階級が上になればなるほど、信頼できる人間は少なくなっていく。どこだってそうだ。社会に対して効率と責任が問われるところでは。警察だって同じだ。教会に聖人などいない。私は教会には行かない。見せかけの聖人なんかうんざりだ。

「座れよ！」と彼は言った。ソーニャは立ったままでいた。

「窓、開けてもいい？　空気が臭うわ」そう言って、窓を開けた。

「パイプを吸っても構わないかな？」

「イエス・アンド・ノーよ」

「ありがとう」と彼は言って、パイプにタバコを詰め込んだ。

廊下の端にあるトイレの中で、タボール・ズューデンはドアの脇に立って目の前の白い壁を睨んでいた。顔を近づけ、ふだんなら誰も気がつかないような小さな疵《きず》や染みの上に目を這わせた。そして吐く息は、静かな小川のように流れ出た。めげそうなときの睨めっこ。我慢だ、我慢。そうだ、いいぞ、いいぞ。力が出てきた。やっと腹が据わってきたぞ。何くそ、諦めるものか。誰に教わったわけでもない、自ら開発した訓練法だ。一三、四の頃、母親はまだ生きていて、父親はアメリカだった。ある晩、一人で部屋にいるときに明かりがスーッと消えた。そのとき、四方の壁が自分の方に近づいてくるのが見えたのだ。身をすくめた。それでも壁はずんずん近づいてくる。このままでは窒息するか押しつぶされる。怖い。大きな声で、生まれて初めての大きな声で、叫んだ。壁に突っかえをするように手足を伸ばして、壁を睨み、その白い、見えない顔を覗き込んだ。そしてその沈黙と冷淡さを罵った。数分が過ぎた。自分はまだ生きている。一〇分、三〇分、一時間。壁と睨めっこしているうちに、彼の中の恐怖心が徐々に消えていった。そしてその白い空虚はやがて、丘や、道や、川の流れや、動物たちが住む森の風景に変わっていった。まるで壁をぶち抜いて、外側を覗き見て、そこから自由に歩き出せるような気持ちだった。そして本当に彼は自由になったのだ。この日から、どんなことがあっても自分を見失うことなく、何ごとにも怯む気持ちがなくなった。外から聞こえてくる人声や、ベッドの下や戸棚の後ろから聞こえる物音を怖がることがなくなった。街の家々や周囲の風景をこれまでとは違う目で見るようになった。それが彼を落ち着かせ、勇気を与えた。その後、母親が亡くなった後、母との別れの夜を耐え抜くことができたのも、この強さと勇気のおかげなのだ。

ドアがバタンと開いて壁にぶち当たった。元に戻ったと思うと、人の手がドアを壁に押し付けた。

「失礼。脅かせてどうも！」ドタドタとトイレに入ってきたラース・ロスバウムが大声で言った。歩きながらズボンのファスナーを下ろして小便器に向かった。ズューデンは首をすくめて、冷たい壁に両手を当てて腕で突っ張りながら、目を閉じた。

「あなたに個人的な反感を持っているわけじゃない！」タイル張りのトイレにロスバウムの声が響いた。「本当ですよ！　あなた個人を非難しているわけじゃない。あなたのことはほとんど知らないし。ルチア事件のことは私には関係ないです。正直な話。あのアンツという男とあなたが話しているのを見て、驚いただけなんだ。あいつ、あなたのことをコケにしてたんじゃないですか？　違います？　私にはそう見えましたよ。そうに違いない」

ロスバウムは用を済ませて、鏡を見た。左の耳朶《みみたぶ》の金のピアスを指で鳴らし、手を洗ってドライヤーの下で乾かした。「あなたに対して色々と含むところのある連中はいるでしょうよ。しかし、私は何も思っちゃいない。ただ驚いているだけで。だから、そういう気持ちを正直に表に出すためにも、ああいうミーティングはいい機会だと思うんです。もし傷つけたんだったら申し訳ない。そんなつもりはないんですよ。本当に」両手を振ってから、ズボンの尻で拭き取った。

「傷つけたなんてことはない」とズューデンが言った。「ただ、おたくの手法ならもっとうまく、しかも早くことが済んだ、とは思わないだけだ」ズューデンは水道の栓をひねり、手を出して前かがみになって冷たい水で顔を洗った。

「さあどうかな。いまさら言ってもねえ。少年はすぐに見つかりますよ、もう隠れるところもないだろうし。ずる賢い奴だ。あのチビ。じゃ、どうも」再びドアを勢いよく開けたので、ドアは壁にドカンとぶつかった。

鏡の中に濡れたままのズューデンの顔が現れた。乾くまで二、三分、そのままの姿勢を保ったあと、指で髪をとかし、自分の顔をまじまじと見た。たぶんソーニャの言う通りだ。自分を恥じる理由は何もない。たぶん。

その声を聞いたとき、少年は最初は驚いたが、とりあえずやりすごすしかなかった。おもちゃのレンジローバーを自分の足をめがけて走らせたり、リモコンでアパート中を操縦して、「ブルンブルーン」としゃがれた唸り声をあげている弟の金切り声が、頭上に響くのをどうにもできなかった。

「こら、うるさい。失せろ！」とアラースは弟に怒鳴って、電話を持ったまま自分の部屋に引っ込んだ。しかし、ムスタファを止められないどころか、後をついてくる始末だ。そこで受話器をステレオの上に置き、弟を捕まえて、教会の聖体顕示台のように後生大事に抱え込んでいたリモコンもろとも、キッチンにぶち込み、床に座らせてテーブルの下に押し込んだ。ここならムスタファは怖がっておとなしくなる、とアラースにはわかっていた。はたして、弟はおとなしくなった。

「もしもし、よく聞こえないぞ、もっと大きな声で話せよ！」、自分の部屋のドアを閉めてから、アラースは受話器に向かって言った。「ええ？　ああ、わかったよ。わかった。今どこにいる？　ママはここにいるよ。風呂場だ。洗濯を……大丈夫だって。ああ、任せとけって。わかったよ。元気かい？　……おい、ちょっと！」

電話の向こう側の低い声は聞こえなかった。アラースは受話器を一旦置いて、すぐにもう一度取り上げて、ある番号を押した。

「なんてこと！」母親が叱る声がした。「弟が泣いてるのに、ほったらかしにして。こっちは忙しいんだから、少し手伝ってよ。誰と電話してるの？」

「サニーとだよ。コーヒーに来ないかって誘われてるんだ。お父さんも一緒だって。あの有名な俳優だよ……ああ、もしもし？」

「今行っちゃダメ！　手伝ってちょうだいね」

「ああ、ママ」彼女を部屋から出して、ドアを閉めた。「もしもし、サニー。話があるんだけど、電話じゃちょっと……時間ある？」

「ううん」と彼女は言った。

「大事なことなんだ……」と囁くように言った。子供部屋のドアの前で聞き耳を立てていた母親には、何を話しているのか、聞こえなかった。それから、アラースが受話器を置く音が聞こえた。部屋から出てきたとき、ブルーのジャケットを着て野球帽をかぶっていた。

「うちにいて、弟のことを見てって言ったでしょ。ママ、これから買い物に行ってくるから」と母親が言った。「二時間で帰ってくるよ、ママ。学校は休みなんだし」廊下に置いてあったスニーカーを履いて、もうドア口に立っていた。「チャオ、ママ！」

母親が答える間もなく、彼はアパートから飛び出して、駅の方に走って行った。

パージング駅から高速鉄道でオスト駅まで行き、そこからボルドー・プラッツのサニーの両親のアパートまで走った。水たまりを飛び越えて、高価なナイキのスニーカーが汚れないように気をつけて走った。家に入る前に、ちょっと周りを見回した。テレビでその筋のプロがやるように。通りの端には車が列をなして駐車しており、家の玄関近くの歩道にも白いＢＭＷが歩行者の邪魔になっていた。

呼び鈴を押してドアに体をもたせかけ、そのまま中に入った。それから一気に五階まで駆け上がった。

自宅を出てから三五分で、アラースはベッドの上でサニーの横に座り、しぼりたてのオレンジジュースと全粒粉入りのクッキーを手に密議を始めた。

そこに座ったまま動かないように、と彼女は彼に命令するように言った。それがまた彼の癪に触った。革のタイを弄びながら絶えずカメラを覗いた。女性の記者が見ないようにと言ったのだが。この赤毛の鴫《しぎ》みたいにやたらと脚の長い女は人の家で、俺にあれをするな、これをするなと指図して、いったいこれはどういうことだ？　だいたい、こっそり忍び込んできてマイクを鼻先に突き出して、バカみたいな質問をする。それに男を二人連れてきていた。一人はカメラマンで、もう一人は録音係だ。二人は鴫《しぎ》女の指図通りに動いている。クソみたいな仕事だ！　テレビでこの《現場から》と銘打たれた情報番組を見るたびに、この連中の愚にもつかない馬鹿話に我慢ならなくなるのだった。何時間もダラダラと、殺人だの、撲殺だの、災難だのと、くだらない話をするかと思えば、突然泣き出したりする。そうなるともう我慢ができない。この手の番組を見ると頭に血が上るのだ。目ん玉にたっぷりの作り涙。近頃じゃ、こればっかりだ。あーあ、反吐が出るぜ！

　ところが、今度は自分がここに座ってひとくさりやってるってわけだ。一分もすれば全部忘れちまう。なんで俺はこんな鴫女と女の靴拭きみたいな奴らをここに入れてしまったんだろう。

　女の名前さえもう忘れちまったぜ。ゾッシヒっていったかな？

「息子さんの捜索の進捗状況について、警察から何か聞いていませんか、フォーゲルさん？」とニコーレ・ゾーレクが訊いた。報道ワイドショー《現場から》の二七歳の女性レポーターだ。彼女はその赤毛と持ち前の遠慮のないインタビュースタイルで、短期間のうちにテレビのニューカマー・オブ・ザ・イヤーに上りつめたのだ。彼女の強みは、相手を挑発して慌てさせることだった。第一一分署での記者会見で、主任警部フォルカー・トーンを相手に、誰にも真似のできないくらい成功したあのやり方だ。長くこの仕事をしている先輩たちも、妬ましそうにそれは認めた。

「警察だと！」とトーマス・フォーゲルは軽蔑を込めて、カメラを覗き込んだ。妻のキルステンは、黙ってソファーで夫の隣に座り、左手の内側を掻いていた。

「警察の話はやめてくれ！　奴らはしくじったんだ。だから今度はマスコミのせいにして……おかしいだろ、壊れちまってるんだよ、あいつら。チキショー！」

ニコーレは彼の正面にあるカメラの横の椅子に腰掛けて、こちらを見るように合図を送った。フォーゲルはその通りにした。その冷たい目を見ながら彼女は、これまで取材してきた被害者のほとんどは、虐げられた者というより、世間に対する憎悪と報復の意思に満ちた表情をしていたことを思い出していた。彼女の手を借りて世間を見返してやりたいというように。テレビはそのためには最高の手段だ。

「息子さんを匿っていたという、その男性はお知り合いなんですか?」とニコーレは短く訊いた。

「いや。あいつを捕まえたら、その場でぶっ殺してやる!」フォーゲルは上体を前後に揺らした。ほつれた髪の毛が垂れ下がり、頬の筋肉は絶えずピクピク動いている。カメラが顔に近づくにつれて、予測できない動きをした。

「その男があなたの息子さんに何か危害を加えたのではないかとのご心配は?」とニコーレが訊いて、音を立てずにメモ帳をめくった。

「そんなことをしたんだとしたら、タダじゃおかない。だけど、何もしちゃいないと思う」

「どうしてそう思うのですか、フォーゲルさん?」

「息子は賢い奴だから、そんなことはさせない。あんな……そんな奴より頭はいいんだ。そうかと思ったら警察があいつを釈放したっていうんだ。一体なんて国に暮らしてるんだ、俺たちは? アメリカだったら、そんな幼児誘拐犯は電気椅子送りだぜ!」

「あなたは警察官になりたかったということですが、フォーゲルさん。もしあなたならどうしましたか?」

「俺に言わせりゃ、あいつら緩すぎる。あのとき墓場で、親父の埋葬のときに、警察から色々訊かれてた連中と話したんだ。何を訊いてたか、聞いたんだよ……」

「どんな質問をしていたのですか?」

「もう忘れたよ。どうでもいいじゃないか! やみくもに探し回っただけさ。ラファエルは墓場にいた。だから、この庭師が息子をさらっていったんだ。それがあいつらにはわからないんだ! それをあんたんとこのテレビで言ってくれよ。まあ、そんなことやるはずないだろうけどさ! 消えちまった子供を警察がどうやって探すか、言ってやろうか。コンピュータを点けて、それでおしまいよ。おたくのテレビではっきり言ってくれよ、警察が何をやってるのか、みんなに知らせて欲しいんだ！」

　彼女の右手の薬指の爪が割れた。キルステンは誰にも見られないように、拳を握った。赤毛の記者が入ってきたとき、すぐにキルステンは髪をほどいて櫛で梳《と》いた。緑のレギンズを脱ごうとしたが、記者が、その必要はないと言ったのでカウチに座って待っていた。お腹が減らないのが辛い。何も口に入らないのだ。ボーイフレンドのハンスにも言われたし、無理にでも何か食べよう、せめて彼がわざわざ作ってくれたハムサンドかスープでも。だが、食べ物の匂いを嗅いだだけで、気持ちが悪くなった。顔は青ざめ、体が寒くて震えた。テレビに出るのはとても嫌だったけど、トーマスが出ろと言う。あのフンケルという刑事に、記者には一切話さないように注意されていたので、二人はその通りにした。こちらが向こうを信じて話したことも、後でどのようにでも思うように歪めて書かれるのがオチだとわかっているから。しかし、そうしたって埒があかないと思った。あれは警察のブラフだ。そうやって自分たちの無能から世間の目をそらそうとしただけだと気づいた。警察は自分たちが言うことは聞いてくれない、とトーマスが言うのももっともだ。バラバラの家族、亭主は無職で母親はヘアーサロンのアルバイト。息子が家出するのも無理はない。何か面白いことをやりたいし、休暇にみんなが海岸で遊んでいるのに、自分は家でゴロゴロしているだけなんて、つまらない。警察はそう思っているに違いない。あの頃のシモン夫妻みたいに私たちも有名人夫婦だったら、ラファエルはもうとっくに家に帰ってきているはずだ。だって、あの子はルチアと違って誘拐されたわけじゃない、きっと。おじいちゃんの死をどうしても乗り越えられないのだ。あの子を助けてあげられなかった私が悪いのだ。これからどうやって埋め合わせたらいいのか……。

「フォーゲルさん？　お訊きしたいことがあるのですが……」ニコーレ・ゾーレクがやや大きな声で訊いたので、キルステンはうろたえて記者の顔を見た。

「お祖父さんの死以外に、ラファエルが出て行った動機として、何かショックを受けるような出来事があったのでしょうか？」

「ないよ！」と夫のフォーゲルが吠えた。

　キルステンは床を見て、左手の拳を右手の凹みに埋めて両膝をぎゅっと引き締めた。カメラマンは彼女の顔を写した後、硬直した両手にカメラを近づけ、今度はカメラを引いて、フォーゲル夫妻を捉えた。息子の失踪という悲劇の中で言葉もない二人の憔悴した姿。誰が見ても身につまされるような苦悩する人間の姿だ。いい絵が撮れたので、カメラマンはご満悦だった。

「フォーゲルさん?」とゾーレクが、今度は小さな声で訊いた。喋ってよ、おばさん! 時間がないんだから、もう。沈黙なんか放送したってクソだもの、と彼女は思った。

「ええ……」とキルステーンはゆっくりと言った。

「ええと……それは……あの子はヴァカンスに行けなかったんです。うちにはお金がありませんし、あの……」

「バカ、くだらんことを言うな! 女房は何言ってるかわかってないんだ、あんた……ミス!」相手の名前がなかなか思い出せないので、ニコーレをじろっと睨んだ。彼女は目をそらして、キルステンに集中した。キルステンは拳を手の中でこすっている。

「息子さんはヴァカンスはどこに行きたかったのでしょうか?」とニコーレ・ゾーレクは訊いた。

「どこへ?」とキルステンはつぶやくように言った。

「知りません。たぶん、海でしょう、他の子供たちのように、海に……」

玄関ドアの鍵を回す音がして、誰かが入ってきた。

「俺だけど、大丈夫? フォーゲルちゃん」と低い声が言った。ニコーレ・ゾーレクとカメラマンは振り返って、鋲だらけのブルーのGジャンに身を包んだ男を見た。

「お客さんか!」とハンス・ガルボは息を弾ませて言った。「テレビ直々のお出ましってわけか!」

フォーゲルはガバと立ち上がって、彼に飛びかかった。

「この野郎、出てけ、お前なんか!」と叫んで、ガルボの首をつかんで締め上げた。ガルボは難なくやわな相手の手を振りほどいて、その耳をつかんで壁に押し付けた。

ニコーレ・ゾーレクとカメラマンも一緒に飛び上がって、この騒ぎを何一つ撮り逃すまいと、録音係の男を跨いだ。ガルボは黙ってフォーゲルを壁に押し付けたまま、次に何をすべきかわからず、無表情にカメラを覗き込んだ。それからフォーゲルを放してやったが、すぐに殴りかかってこようとしたので、ガルボは親指と人差し指でフォーゲルの鼻をつまんで、ふざけたように言った。「そういきり立つなよ、同志。こうやって視聴者を楽しませるなんざ、気が利くやつだ。だけど今度は俺の番だ」

「あなたはどなた?」とニコーレ・ゾーレクが訊いた。たった今ライヴで撮ったアクションシーンが甦って、心臓の鼓動が早まった。

「俺はフォーゲル夫人のボーイフレンド。俺たちは一緒に暮らしてる。あんた誰? ああ、知ってるぞ。《現場から》だろ。ちょうどいいところにいるじゃないか。ここよりピッタシの現場は他にはないぜ、お嬢さん」

「いつかお前をとっちめてやるからな、この豚野郎!」とフォーゲルが言って、シャツとネクタイをまっすぐにした。

「俺が話してやるぜ、マイスター!」とガルボはマイクの男に向かって言い、自分の胸を指してリビングに入って行った。マイクを持った若い男に背いてキルステンの隣に座り、彼女の肩に腕を回した。「かまわないか、フォーゲル《小鳥》ちゃん?」彼女は首を横に振った。他人のいる前で彼にもたれかかるのは憚られた。

「俺がパスタを作ってあげるよ、大丈夫だ。断食期間は終わり、来年までお預けだ。オーケーだよな、ダーリン?」

　彼女を引き寄せたが、キルステンは体を固くした。

「いいか、おい……」と記者に話しかけたが、ニコーレはカメラマンに、このカップルの一挙手一投足をカメラにおさめるように、目で指図した。「ここにいる女性、俺のガールフレンドはだな、困ってるんだよ。息子がいなくなっちまって、街のどこかをうろついてるんだ。テレビにその子の写真を映してくれ。そうすりゃ、あんたたちもここにやってきた甲斐があるってもんだ。俺は運転手だ、運送会社シンドラーで働いてる。すれ違う奴には誰にでもこの写真を見せて回ってるんだ。いっぱいいるからね、すれ違う人間は」前かがみになってドアの方を見た。「例えば俺みたいに、自分で何か工夫しなきゃな、きょうびは。そうだろ? マイハート」そう言ってキルステンを再び引き寄せたが、彼女は今度はあまり抵抗しなかった。

「俺の名前はハンス・ガルボ」と彼はカメラに向かって言った。「ガルボだ、あの女優と同じ、聞いたことある?」彼はニヤッと笑い、カメラマンはそのゴツイ顔を撮った。「よかったら俺たちと一緒に食ってけよ、パスタならいっぱいあるから」

「結構です」とニコーレ・ゾーレクは言った。

「嘘を放送したら、訴えてやるからな！」とトーマス・フォーゲルは脅すように言って、ジャンパーのファスナーを上げた。妻の顔をちょっと見てから――ニコーレは自分でなくてホッとした――ドアを開けたまま、アパートを出た。

「彼女の全身をもう一回撮って。それから退散しましょう」とニコーレは小声でカメラマンに告げた。

「全身か、いいね」とガルボが言い、キッチンに入って湯むきトマトの缶詰のストックがあるかチェックした。

　キルステンはカウチに座って、両手を膝に乗せて震えていた。そして、空腹よりも、寒さよりも、夫の眼差しよりも恐ろしいことを思い描きながら、震えていた。


　カップルというには二人はまだ少し若すぎた。だが、彼女は恋人のように彼の手を取り、二人は一緒にオスト駅をくぐるトンネルを通ってフリーデン通りまで歩いて行き、その赤く塗った唇を美しく開いて、彼にニッコリと微笑んだ。トルコ人のクラスメートがその手のことにはまだウブなのは、一〇歳のサニーにはかえって刺激的だった。二人が歩道への階段のいちばん上の段にたどり着いたとき、彼女は立ち止まり、アラースの腕を自分の方へ引き寄せ、頬にキスした。彼は不意を打たれたので、迷惑そうに怒ってサニーを押し返して、糊でもつけられたようにほっぺたを拭った。

「変なことするなよ」と彼は言って、通りへ走って行った。

　白いワンピースと緑のジャケットに身を包み、金髪に特製の、リボンで結んだ髪飾りを揺らし、キラキラ輝くブルーの靴を履いた彼女の姿は、まるで世界中の男が足元にひれ伏すプリンセスのようだった。実際、少なくとも自宅と学校では、彼女はみんなのプリンセスだったし、とりあえず彼女にとってはそれで十分だった。

「そんなに急がないでよ、バカ！」と彼女は後ろから大声で言った。アラースはもどかしそうに、待ち合わせ場所だったクンストパルク《アートパーク》・オスト沿いのグラーフィング通りで待っていた。

「二時間したらうちへ帰らないと、ママに叱られる！」と言ってそのままスタスタ歩いたので、彼女は早足で歩かなければならなかった。突然彼女は立ち止まって両手を腰に当てて言った。

「あなたたちのトルコじゃどうか知らないけど、ここはドイツよ。女が男の一〇メートルも後ろからついていくなんてありえないわよ。アホンダラ！」

彼女のために立ち止まる気は、アラースにはさらさらなかった。

サニーはその場をテコでも動かない構えだ。

敷地の一番手前にある駐車場の入口に到着すると、アラースは振り返ってサニーが来る方向を眺めた。彼女は歩道の真ん中に立って動かなかったので、通りかかった数人の大人たちはしかたなく、彼女を遠巻きにして通り過ぎて行った。

「早く来いよ！」とアラースが呼んだ。

「いやよ！」とサニーが叫んだ。

「じゃ、僕一人で行くよ！」

「バーカ！」

彼は向き直って歩き出した。サニーは後ろから追いかけるしかなかった。かつて、プファンニ（食品会社）の工場が入っていたコンコースの中の一つの前でやっとアラースに追いついた。

「待ちなさいよ、トルコのマッチョ野郎！」

「何のことか、君にはわかってないんだ！」

「わかってるわよ。わかってないのはあんたでしょ！」

「うるさい！」

彼女をその場において、再び歩き出し、コンコースの中に入っていった。そこでは、物がぶつかる音や人の叫び声しか聞こえなかった。スケートボーダーはハーフパイプの上をガタガタと乗ったり、スキーのように急斜面をガーッと滑り降りたりしていた。ほとんどが一一歳から一五歳の少年たちで、テクニックは完璧だった。お互いに煽るように声を掛け合い、手を叩いたり、罵り合ったり、思いっきり叫び声をあげたりしていた。カウンターにはお菓子と飲み物があった。そこでは若い男が一人、誰もアルコールを飲まないように、目を配っていた。壁の大きな看板に目立つように書かれた少年保護法のアルコール禁止条項を読んでも、困る者はいなかった。皆ここで、思いっきり羽目を外して騒いで楽しみたいだけなのだ。そうして女の子の気を引くように目立ちたい、それが目的でここへやって来る。

ドアのところに立っているサニーに気がついて、すでに何人かの少年が彼女にウインクを飛ばしてきた。そんなダサい誘いには彼女は、とっくの昔に乗らなくなっていた。ちょっとだけ微笑んでみせたが、彼女の赤い唇に少年たちはたちまち魅了された。

たった今、自分たちのパフォーマンスを披露したばかりのグループのスターの一人が、スケートボードに乗ってレーンを降りてきて、高くジャンプした。空中回転してしっかりと着地した。ブレーキのかけ方もプロ顔負けだ。ボードを脇に抱えてサニーに近づいていった。とその瞬間、誰かが後ろから彼女の目をふさいだ。少年は足に根が生えたように立ち止まり、仲間の少年たちに、向こうへ行くように、目で合図した。少年たちはブツブツと長いブーイングの声をあげながら、再び彼らの人生の最重要課題に戻っていった。スケートボーダーにとって小娘のことは、もう過去のことですらなくなっていた。

「あんたの手、すごく冷たいわ」とサニーが言い、顔から指を解いた。後ろには同じ歳くらいの少年が立っていた。ブルーのサングラスをかけていて、黒い野球帽とリュック姿だ。彼を見て、「あんた誰なの？」

彼はサングラスを取った。

「ラファエル！　あんたどこに……」

「しーっ！」とラファエルは言って、彼女をホールの入口まで引っ張っていった。そこにアラースが走ってきた。

「あちこち探したんだぞ、もう！」と彼は言った。

「用心しなくちゃ」とラファエルが言った。「警察が僕を探してるんだ」

「私にも色々と訊いたわ」とサニーが言って、目を輝かせてラファエルを見た。ラファエルはアホなマッチョではなかった。ブルーのサングラスはちょっとイカれて見えたけど。

「僕にもだ」とアラースが言った。

「あんたなんか、何にも知らないでしょ」とサニーが言った。「ほら、全部持ってきたわよ」ジャケットの内ポケットから小さな革袋を取り出して紐をほどいた。

「五〇マルク入ってる。もしものときのために貯めてあったの。今がそのときよね。ごめんね、これで全部なの」

「すごーい」とラファエルが言った。「もちろん後で返すからね。誓って」

「ご馳走してくれるだけでいいわよ」とサニーは、彼に顔を近づけてそう言った。

「気をつけて、車が来る！」とアラースが言った。

空っぽの駐車場に白いＢＭＷが停まった。運転席から男が降りた。堂々たる体格の男で、バスケットボールの選手に見えた。周りを見回した。この広い敷地は初めてのようだ。助手席の男は車に乗ったままだった。

「中に入ろう。誰にも見られないように」とアラースが言った。

「僕、すぐに行かなくちゃ」とラファエルが言って、リュックを取り上げて革袋を中に入れた。「君はどうする？」とアラースを見た。

「ごめん」とアラースはジーンズに手を突っ込み、丸めた紙を取り出した。原型をとどめないほどくしゃくしゃにした一〇マルク紙幣が二枚だ。「まだ使えるよ。悪いけど、あるのはこれだけだ、ラフ。お小遣い、ちょっとしかもらえないんだ……」

「ありがとう、アラース」とラファエルは言って、紙幣を平らにしてからリュックのサイドポケットしまいこみ、リュックを背負った。それからブルーのサングラスをかけた。

「これからどこへ行くの？」とサニーが訊いて、恭《うやうや》しげに彼の腕に手を触れた。

「それは言わないことにする。警察に訊かれたときに、嘘を言わずにすむだろ」

「僕は絶対に言わないよ」とアラースが言った。

「私も！」とサニーが言ったが、あの女刑事に手紙のことを話してしまったことを後悔していた。ラファエルがそのことを訊かなければいいのだけど。

「手紙のこと、誰かに話した？」と彼は訊いた。

「何言ってんの！」と彼女が言った。

「よかった。ありがとう、二人とも来てくれて！　二人は僕の本当の親友だよ」最初にアラースを抱きしめた。サニーは待ちきれなかったが、ようやくラファエルは彼女を抱きしめた。彼女は彼の首にキスをした。初めてのことではなかったのに、ラファエルは驚いた。

「ママに電話しなくて本当にいいの？」とアラースが訊いて、周りを見回した。白いＢＭＷの運転手は携帯電話を弄びながら、誰かが出てくるのを待っているように、入口の方を見やった。

「もう電話したよ」とラファエルが言った。「パパにも、ママにも。二人とも、僕が何をしようと、どうでもいいんだよ。自分のことでいっぱいなんだから……」

「そうよね、わかるわ」とサニーが言った。

アラースはもう一台の車が来るのを見た。今度はもっと近くまで、スケーター・ホールの方へまっすぐやって来た。携帯を持った男が後を走って来た。

「あれ、きっと警察だよ！」とサニーが言った。ラファエルはさっと振り向いた。男が一人、女が一人車から出てきて、子供たちを見た。ラファエルはすぐに、二人が警察官だとわかり、いきなり駆け出した。駐車場を横切って、表通りに向かった。そしてタボール・ズューデンは後ろから追いかけた。

「あの二人の子供たちを見張らせることを思いついたのは、さすがタボールだ。ラファエルがあの二人ともう一度接触するなんて、僕なら考えもつかなかったな」とヨーゼフ・ブラーガが言った。彼はソーニャ・ファイヤーアーベントの横に立って、タボールが少年に近づいていって、彼を保護する様子を眺めていた。ズヴェン・ゲールケは車内に座ったまま、事の次第を見ていた。


「離してよ。うちにはもう帰らないよ。離してったら！」とラファエルは喚きながら、腕をバタバタさせた。ズューデンは数秒間、ラファエルのやりたいようにさせた。そして一発ビンタを食らわせた。少年は地面に倒れた。

「悪かった」とズューデンは言い、少年の横に膝をついた。

「おじさん誰だよ?」ラファエルは、精一杯踏ん張って涙をこらえた。

「私は刑事だ。タボール・ズューデンていうんだ」

「それがどうしたの?」とラファエルがふくれっ面をして訊いた。刑事の後ろに友達がいるのが見える。女の人と男の人に尋問されてる。話してしまったんだな。女裏切り者！

「さあ、お母さんのところへ帰ろう、ラファエル」とズューデンが言った。

「嫌だ」

「とても寂しがってるよ」

「そんなことあるもんか！」

「本当だよ、ラファエル。君のことが心配で病気になってしまったんだ」

「僕も病気なんだ」

「知ってるよ」

「なんで知ってるの？　刑事さんがなんで？」

「私も、子供のとき、君と同じような病気だったことがあるからさ」

「嘘だ。ごまかしたってダメだよ。警察なんていつもごまかすんだから」

「なんでも信じちゃダメだよ、テレビでやっていることはね」

「なぜダメなの？」

「間違いだからさ」

「それがどうしたの？」

ズューデンは微笑んだ。ラファエルの手を取った。二人が今座っているアスファルトのように冷たく濡れている。

「君が見つかって嬉しいよ」とズューデンは言い、ラファエルが走り出す前に落としたブルーのサングラスを拾い上げた。「さあ、君のサングラスだ」

ラファエルはサングラスをかけて、頭を垂れた。

「家に一緒に来てくれる？」と細い声で訊いた。

「ああ」

「でないと、またパパに殴られる。いつも殴るんだよ、僕が悪さをしたときは。ママはじっと見てるだけ」

「心配いらないさ、ラファエル」

「でも僕、怖いんだ。怖いんだもん！」ブルーのプラスチック製のサングラスの後ろから涙が落ちた。タボール・ズューデンは、どうしたら父親の暴力を防ぐことができるだろうか、と自問した。

「私がついてる」とズューデンは言った。子供に嘘をつくなんて、もう何年ぶりだろう。


半時間後、パージング、ミューラー通りのアパートの玄関ドアが開けられ、キルステン・フォーゲルは目の前に立っている息子を抱きしめた。涙に濡れた顔を拭い、息子に何度もキスをし、いくら拭っても溢れ出す涙で見えなくなったその目で息子の顔を見つめた。

トレーニング・パンツ姿で裸足のハンス・ガルボは、リビングのドアから玄関口の様子を眺めながら、嬉しそうに揉み手した。階段吹き抜きにはタボール・ズューデンとソーニャ・ファイヤーアーベント、それにフォルカー・トーンが、歓迎の儀式が終わるのを待っていた。儀式は、玄関口では収まらず、狭い廊下でもまだ続き、抱いたり、抱きついたままグルグル回ったりした後、ようやくキッチンで終わった。キルステン・フォーゲルは息子を椅子に座らせ、嬉しくて笑いを抑えきれなくなかった。それがあまりに突然だったので、みんながキッチンを覗き込んで驚いたほどだった。キルステンは自分でも驚いて、すぐに笑うのをやめたが、それでもまた笑い出したりした。抱きしめたり、キスをしたり、心のこもった出迎えではあったが、ラファエルはブルーのサングラスをつけたままだった。キルステンは、彼がスキー選手か、歌が下手なアメリカの黒人少年のように見えた。笑いながら、両手で息子の顔を包み、キスをした。頬にも、唇にも、鼻にも。

ソーニャは、キッチンの二人をもっとちゃんと見ようと思い、三人の男たちを押しのけて前に出た。キルステンは右の目をラファエルの鼻に近づけて、激しく瞬きをした。まつ毛が息子の鼻の先端に触れた。ラファエルは、くすくす笑ったり、ゴホゴホと喉を鳴らしたりした。キルステンはさらに瞬きをして、蝶々が花の蜜を吸うように、キスをするのをやめなかった。ラファエルは、もう十分だよ、と母親を押しのけた。彼女は立ち上がり、ため息をついた。

顔は涙で濡れていたが、まるで柔らかな陽の光が彼女の肌の内側から射すように、明るく、朗らかで、安堵に満ちた表情になっていた。

「今すぐに調書を取らなければなりませんか?」と彼女は恐る恐る訊いた。

「そんなの気にするな、大したことじゃないさ」とガルボが後ろから言った。刑事たちから横で待っているように言われていた彼は、ここが出番とばかりキッチンの中に入ってきた。「まずは迷子の無事の帰還を祝って、乾杯といこうじゃないか。それからパスタを少し食べろ。俺が自分で料理したんだぞ、ラファエル。スパゲッティ・ガルボナーラだよ、アハハ。ここでしか食べられないぞ。生クリームも、生ハムもたっぷりだ。アハハ」掌でラファエルの頭を撫でてから、冷蔵庫からビールを五本取り出した。

「お腹なんか空いてないよ」とラファエルは呟いた。

「お電話くださってありがとうございます、ズューデンさん」とキルステンが言った。

刑事たちは、することもなくその場に立っていて、そろそろ自分たちが邪魔な存在になってきたと感じていた。だが、いかんせん、ラファエルが供述をしてからでないと引きあげるわけにはいかないのだ。見たところ、怪我をしているわけでもなくしっかりしているので、すぐにでも事情聴取を始めるのがいいだろうと思えた。

　カセットレコーダーをキッチンテーブルに置いて、もう一つ椅子を置けるように、テーブルを壁から離した。全員が椅子に座った——ただしハンス・ガルボだけはドアにもたれて立っていた。

　主任警部のトーンが話を切り出した。ラファエルは着替えを済ませていた。ズューデンは、聴き取り中もブルーのサングラスをかけたままでいいと許可した。

「始めるよ、ラファエル？」

「嫌だ」

「朝五時半に家から出て行ったんだよね。ママに黙ったまま……」

　ラファエルは口を開かなかった。

「きみは朝……」

　ラファエルは頭を下げて、額にしわを寄せて、履いているナイキのシューズをじっと見た。なんとか口を開かせようとトーンがさらに三度試みたが、少年は耳を塞いでしまった。耳から手を離したのは、みんながキッチンから出て行った後であった——タボール・ズューデン一人を残して。

「彼一人に聴取をやらせるわけにはいかない！」とトーンがリビングで怒鳴った。

「じゃあ、あの子が一言も言わないほうがいいわけ？」とソーニャが突っ込みを入れた。

　キルステンは窓辺でガルボのそばに立って手を掻いていた。

　その間にズューデンはキッチンの椅子に座った。未だに床を睨んでいるラファエルを見つめた。

「私は君が言うことを聴くだけだ」と彼は言った。

　沈黙。

　それからラファエルは頭を上げた。「きっとママがドアの向こうで聞いてる」

「そんなことしないよ。確かめたいか？」

　ラファエルは肩をすくめた。

「市内電車に乗ったんだ……」言葉を途切らせながら、「……ローゼンハイム広場まで。そこから墓地へ歩いていった……」

　少年は口をつぐみ、ズューデンは肯いた。

「そのあと隠れたんだね」とズューデンが訊いた。

「うん。車の中」ラファエルはニヤッと笑った。

「どんな車？」

「古いポンコツだよ。そこに停まってたんだ。その中に隠れたんだ」

「どうやって中に入ったんだ？」

「ドアが開いてたもん」少年は黙った。

「君が墓地に着いたときには、まだ閉まってたんだよ」とズューデンが言った。

「それがどうしたの？　僕、待ってたんだ。そしたら、そのまま寝ちゃったの。車の中で。それから目が覚めたら、パパがいるのが見えて、また隠れたんだ」

「どこに？」

「グストルの車だよ。僕がいるのを見ても、誰にも知らせなかったんだ。なぜ隠れてるのかって訊かれた。おじいちゃんが死んじゃったけど、ぼくにはそれがよくわからない、あそこにいるのがパパで、ぼくをここで見つけたら、きっとひどくぶん殴られる、黙って出て行ったからね、って話したんだ」

「グストルって、アウグスト・アンツのこと？」

「知らない。あのおじさん、グストルっていうんだよ」

「それで何をしたんだね、グストルは？」

「何にも。ぼくのいうこと、すぐにわかってくれた。嬉しかったな。一緒に来るかって言って、それからグストルの友達に会ったよ。フランクっていうんだ。口から臭い匂いがして、最悪だったよ。でもいい人だった。ぼくをこっそり家から出してくれたんだ。外で警察の人が見張ってたから。僕たちの方が賢いんだ」

　少年は黙った。スニーカーを見つめて、指で鼻をほじくった。

「何があったんだい？　パパとママを墓地で見たあと」

「グストルが言ったんだ。よかったら自分の家まで一緒に来ないかって、そのあと僕の家まで送ってあげるって。僕、言ったんだ。家には二度と帰らないって。もし家に連れて行ったら、また出て行ってやるって。なんで、って訊くから、グストルに言ってやった」

「何て言ったんだい、ラファエル？」

「パパがぼくを殴ること、ママがぼくを閉じ込めること、全部話したんだ。そしたらグストルは、うんうんわかるよって、言ってくれた」

「それでグストルは君をアパートに連れて行ったんだね」

「そう。その前にぼくのために歯ブラシを買ってくれた。そのためにわざわざ車を停めたんだ。グストルも飲み物や食べ物を買ってたよ。それからぼくをシャワーで洗ってくれた。汚れていたから……」

「シャワーで洗ってくれたって、どういうことだい？　おじさんと一緒にシャワーを浴びたってこと？」

「なんで一緒なの？　あんな狭い場所に、それは無理だよ。シャワー室は本当にちっちゃかったから、一人でできちきちさ。石鹸をくれて、背中を洗ってくれた。ママがするようにね。それからまた服を着たんだ……」

「グストルは服も脱がせてくれたの、シャワー室で？」

「そうじゃないよ。なんでだよ。おじさんはシャワーに入るつもりはなくて、ぼくがきれいになるようにと思ってただけさ。それから歯を磨いたんだ。よーし、それでいい、って言ってた」

　また黙りこんで、鼻をほじくった。

「どこで寝たんだい？」

「すごく狭い部屋で。最初は怖かったけど、あとは大丈夫だった」

「彼は君をそこに閉じ込めたの？」

「なんで閉じ込めるの？　僕、あそこが気に入ってたんだもん」

「それからフランクが訪ねてきたんだね。彼とも話をした？」

「あんまり。口が臭いから。いつもげっぷをするんだ。パパよりもひどく。でも、隣のおばさんがグストルを裏切って警察に電話したとき、僕のことを隠してくれたんだ」

「フランクはどうやって警察にわからないようにしたんだい？」

　少年はしばらく黙っていた。「言わない」と言ってまた黙った。鼻をほじくり、鼻くそをズボンで拭った。

「フランクは君を連れに来たんだろ。誰にも気づかれずに。車でかい？」

「そうだよ、決まってるよ、車だよ。僕たちフランクのうちへ行ったんだ。僕をベッドルームに隠してくれた」

「ベッドルームって、どうして？」

「リビングじゃ警官がフランクを尋問していたからだよ」

「警官たちがフランクと話している間、君は隣の部屋にいたってこと?」

「頭いいよね?」

「それから?」

「そのまま、ずっとそこにいたんだけど、そろそろ家に帰ろうかって言うから、僕、いやだって言って逃げたんだ。あそこにずっといたかったのに」

「夜はベッドで彼の横で寝たのかい、ラファエル?」

「そんな! 臭いんだもん、フランク。なんで横で寝なきゃならないのさ?」

「そこでもシャワーを浴びたのかい?」

「ううん。お風呂に入った」

「君一人でそれとも彼と一緒に?」

「一人だよ、当たり前だよ」少年は口をつぐんだ。

「つまり、グストルのところでも、フランクのところでも、居心地が良かったんだね?」

「もちろんさ! ヴァカンスみたいで楽しかったなあ。二人におじいちゃんのこと話したんだ。地下室の鉄道模型のこととかをね。海をまたいで赤い島まで架かる大きな鉄橋を二人で作ったこととかさ。二人とも僕の話、じっと聞いてくれた」

「二人とも君に嫌なことは何もしなかったんだね。服を脱げとか、体に触らせろとか」

「ないよ! 僕のこと、告げ口なんかしなかったし。僕を助けてくれたんだ。本当に親切だった、ずっとだよ。今すぐにグストルに電話したいな、今すぐにだよ!」

「電話は後ですればいいさ、ラファエル。約束するよ」

「おじさん、警官なんでしょ。僕、警官なんか信じない」

「どうして家からいなくなったんだい、ラファエル?」

「おじいちゃんが死んじゃったからさ。もう帰ってこないから。僕ひとりぼっちになっちゃったから。僕も死にたかったから。そしたら、またおじいちゃんと一緒にいられる」

「君のおじいちゃん、きっと今いるところで、元気にしてるよ」

「そんなこと言って、僕をだますつもりでしょ」

「違うよ。私は知ってるんだ、きっとそうだって」とズューデンが言った。

「どうして?」

「今度話してあげるよ」

「いつ?」

「二、三年したら」

「何年?」

「三年」

「今話してよ、早く! ねえ早く、話してよ!」

「今は話せない」とズューデンは言った。「仕事があるんだ。でも、もしよかったら、二、三日したら君のところへ来て、どうして、君のおじいちゃんがきっと元気にしているってわかるか、話してあげるよ」

「騙しちゃダメだよ!」

「わかってるよ」

「誓って?」

「私を信じないのかい?」

「わかんない」

そんなやりとりがしばらく続いたあと、ラファエルはガバと起き上がって自分の部屋に走っていき、ベッドに飛び込んだ。グストルに何か大事なことを伝えなきゃと思ったのに、すぐに寝入ってしまった。

「お一人で大丈夫ですか?」とソーニャが、引き上げる前に、玄関口で訊いた。

キルステンは肯いて言った。「ありがとう。おかげで、もとどおりにおさまったわ」

彼女はドアを閉め、警官たちは車に向かった。

「あのまま二人だけにしておけないわ」とソーニャが言った。

「そうするしかない、我々には」とトーンが言った。「任務は終了した。家出少年を親元に返したのだから」

二時間後にラファエルは目を覚ました。もう眠れなかった。暗い部屋のベッドに横になってグストルのことを思い出し、二度と会えないかと思うと、不安になった。

物音を耳にしたとき、きっと母親だと思った。

だが、やってきたのは父親だった。いつの間にかドア口に立ち、奇妙な格好のスーツケースを手にしていた。物音を立てずにそっと入ってきて鍵を締めた。ラファエルは壁に体をぴったりつけて、何かを言おうとしたが、息ができなかった。

以前ビリヤードのキューを入れていた、長細い擦り切れた黒のスーツケースに、トーマス・フォーゲルは一本の竹の棒を入れてきていた。ガールフレンドのエヴァがときどき、舞台で裸になるときに使っているものだ。

どれくらいの時間が経っただろうか。フォーゲルが殴るのをやめたとき、ベッドは血まみれだった。

不思議なことに、ラファエルは痛みを感じなかった。父親が竹の棒をもとに戻してトランクの蓋を閉じて、ドアを開けて、もう一度こちらを振り返る様子をじっと眺めていた。

「二度とするんじゃないぞ、わかったか！　二度と家出なんかするんじゃねえ！」トーマス・フォーゲルはそう言って部屋から出て行った。

まもなくキルステンが倒れこむように入ってきた。そのとき、ラファエルは叫び始めた。初めて聞く、長く大きな叫び声に、キルステンは我が子をなだめる言葉もなかった。

気がつくと二人は並んで横になり、寒さに震えていた。

Sleepless nights don't bother me at all,
If dawn comes I won't worry,
Something deep inside keeps me awake,
I wish that you were here right beside me.
I recall when I was very young …

(眠れない夜があってもいいじゃない
このまま朝が来たって構わない
心の奥に何かがある
そばにあなたがいてほしい
若かったころを思い出す……)

（バフィ・セントメリー、Goodnight）

12　ビールとワインと血のふるさと

... and could not go to sleep,
My father sang me songs to make me tired,
But memories don't make it easier ...
（……それでも眠れなかった
パパは歌を歌ってくれた
私が聞き飽きて眠れるように
たくさんの思い出話も、
わたしの心を楽にはしてくれない……）

　立ち止まって空を眺めると、いつもカラスたちが自分を捕まえようとしているような気がしたものだ。

「カラスって人間嫌いなのね」とソーニャ・ファイヤーアーベントは言った。「あなたと同じよ」

「帰ってきたじゃないか」とタボール・ズューデンは言った。「触ってくれてもいいんだよ」

「そうしてるじゃないの」彼女は彼の手を握っていた。

二人は黙って、もみの木やドイツ・トウヒや白樺や、いろいろな潅木に覆われた敷地に並ぶ、おびただしい数の墓を眺めていた。二五万人の死者がここに眠っている。

　マルティン・ホイヤーの墓もある。灰色の小さな墓石。タボールとソーニャが親友のもとに再びやってきた今日の空と色と同じ色。ホイヤーはクレセンツィア・ヴォールゲムートの隣に永眠の地を見出したのだ。旅の道連れとしては申し分のないお供だと、二人ともそう思った。クレセンツィアは乾物屋の未亡人だった。これで食いっぱぐれの心配はない。

「やあ」とタボールは言って墓の前に立った。小さなバラが植えてある。きっと来年には花を咲かせるだろう。黒茶色の土の上にはプラスティック製の花瓶に生けた白いユリも置かれていた。ソーニャは庭師に、白いマーガレットと紫のカルトジオナデシコを植えてくれと頼んだのだが、庭師はこの墓場の土では育たないだろうと言った。ソーニャと議論しても無駄だということを知らずに。しかたなく庭師は、わずかな刑事の給料を窓から捨てるつもりなら、お好きなようにと言って、注文通りに植えてくれた。

「こんにちは、マルティン」とソーニャは言った。

「そっちの責任者にちょっと言ってちょうだいな、この天気はひどくない？　って。ミュンヘンだって、たまには太陽が欲しいと思わない？」

二人は黙った。カラスがカアカア鳴いている。遠くでは砂利道を歩く音がする。そしてもっと遠くからは、ガルミッシュ（ミュンヘンから南西六〇キロメートルほどに広がる森林地帯）のアウトバーンを走る自動車の轟音が聞こえる。

「メディアの騒ぎはやっと落ち着いたようだ」とズューデンが墓に向かって言った。「俺をヒーローに仕立てようと企てたんだが。何しろ、俺みたいな狂人じみた危ない刑事が復帰した直後のことだから……」

「その上無能なデカ」とソーニャが付け加えた。手をコートのポケットに突っ込んだ。寒くなったからだが、それは天気のせいだけではなかった。

「メディアの連中、家の前で待ち伏せして、俺の写真を撮って、面と向かって質問攻めにした。もちろんノーコメントさ。彼らは撮りたいだけの写真を撮って、三日もしたら一丁あがりさ。関心も薄れてしまった。チャーリーは相当やられたよ。友人の新聞記者たちからもかなり突っ込まれたようだ。思わず同情するところだった。思わずな」

「署でも、チャーリーがやり込められるのを、いい気味だと思ってる連中がいるの」とソーニャが言った。今日はあまり長居するつもりはなかった。他の墓地と違って、ここは日が落ちるのが早いのだ。まるでカラスたちから放たれる黒い光が墓の上に射し込むかのように。

「それでも全体の空気は良くなってるさ」とズューデンが言った。「大概の同僚たちは、俺の現場復帰をなんとか受け入れてくれている。ラファエル事件の総括集会で改めてみんなに言ったんだ。アンツのアパートメントの張り込みの杜撰さはなってないってね。車に座りっぱなしで入口を見張っていたってなんの役にも立たない。建物にどこか変わったところがないか、前もって調べるくらいしたらどうだ。ガレージの入口が反対側にあるのをすっかり見逃した。てっきり裏の建物の入口だと思って。メディアに勘づかれなかったのは幸運と思え！　そう言ってやった」

「そこまで知られちゃ、たまらないわよね」とソーニャが言った。「ねえマルティン、あなたも最初は一緒だったじゃないの……」言葉を詰まらせ、そのまま押し黙ってしまった。墓前に立つと、突然彼の自殺が、ゴミのコンテナの中の彼の死体が、開いたままのその目が、血と泥が、眼前に浮かんだのだ。

　ズューデンは彼女と腕を組んだ。「母親はラファエルを連れてアマー湖畔の知り合いのところに身を寄せていたんだが、正確な場所は言わなかった。レポーターたちが家の周りを四六時中うろついていたけど、彼女は中に入れなかったし、俺も入れてもらえなかった。だから、少年とはあれ以来話をしてないんだ。でもきっと話すよ、約束したんだ。どうしておじいちゃんが幸せにしているかってこと、あの子に話してあげなきゃならない。俺にわかるはずないじゃないか、そんなこと。おい、教えてくれよ！」

「行きましょ」とソーニャが言った。「ここを離れたいわ。お腹もすいたし」

「聞いたか、今の？」とズューデンは墓石に向かって言った。「食い意地が張ってるのさ、ソーニャは。ラファエルのことは、そのうちに何かいい考えが浮かぶだろう。母親に電話して訊いてみたんだ。旦那さん、息子が帰ってきて喜んでるかって。喜んでるとは答えた。もちろんそう答えるさ。もう我々にできることはない。子供の育て方に口を挟む権利はないからな。家庭内のことだから。それにアンツとオーバーフェルナーも責められない。ラファエルはあそこに居たかったんだから。医者の検査でも、何も問題はない。ありがたいことにね。だから二人は無罪放免だ。少年を誘拐したわけじゃない。それに犯意ある誘拐に関する刑法は、一八歳未満の少女についてだけで、少年については規定なしだ。監禁罪にも当たらない。ラファエルは閉じ込められていたわけじゃない、いつでも出て行ってよかったんだ。二人はあの子を脅したり強制したりしていない。面倒を見てやっただけだ。かわいそうに、あの二人、職を失ったよ。市が解雇したんだ。どう思う、これ？　SPD《社会民主党》（ミュンヘン市の政権政党）万歳！」

　ソーニャは彼の腕を引っ張った。彼はさよなら、と手を振って言った。「さあ、お前はこれから新しい身の上なんだ。俺の知ってる男や女や犬なんかに出会ったら、俺からよろしく言ってくれ。それからクレセンツィアに手を出すんじゃないぞ！　バイバイ」

「あなたがいなくなってから、誰も私のことパンク娘って言わなくなったわ」とソーニャが墓に向かって言った。

「そのあだ名を言われるたびに腹立ててたよな」

「でも今はもう腹は立たない」彼女は墓に投げキスをした。そして二人は墓を後にした。

So Goodnight wherever you are sleeping,
And I hope that if you dream you dream of me ...
（おやすみなさい、あなたがどこで寝てようと
夢を見るなら、私の夢を見てね……）

ソーニャはブルーのランチアをフュルステンリーダー通りに駐めてあった。ここからは二キロメートルの距離だ。

「例のハンブルクの魚屋はどうしてる？　たまには訪ねてくるの？」とズューデンが訊いた。二人は肩を並べて歩いて行った。それぞれ違うことを考えながら。

「いいえ」とソーニャが言った。「それに、彼、魚屋じゃないわ。不動産屋よ」

「立派な職業に変わりはない」

「で、あなたの路面電車の運転士は？　彼女とはいつ会うの？」

「ウーテから手紙が来てね。どうして私から連絡がないのかって」

「で、どうして？」

「私は、君の方に決めたんだ」

「本当に？」

... Wherever you are sleeping,
And I hope that if you dream you dream of me ...
（あなたがどこで寝てようと
夢を見るなら、私の夢を見てね……）

ランチアのすぐ前、三センチのところに一台のランド・ローバーが駐めてあり、すぐ後ろには、四センチ離れて、シュタルンベルク・ナンバーのゴルフＧＴＩが一台駐まっていた。ソーニャは自分の車をバックさせたが、ゴツンと音がしたので、今度は前進させた。またゴツンという音。ハンドルをぐるぐる回しながら、彼女は罵った。ゴツン、ゴツンと後ろに前に、五回ほど繰り返して、やっとうまくいった。バンパーは、後ろも前もとりあえずは付いたままだ。

「ブラボー！」とズューデンが言ってシートベルトを締めた。

「あなた、車買ったら？」と彼女が言った。アクセル

を踏んでフュルステンリーダー通りを疾走した。

アウトバーンの入口の前で右に曲がり、アーチ橋を越えて立体交差の下の道を横切ってから、ワルトフリートホーフ通りに向かって競技場沿いを突っ走った。そこから市内まではもういくらもない。交差点で彼女は急ブレーキをかけ、ハンドルを右に切ってからエンジンを止めた。

「さて、これから私たちの大好きな質問よ。どこで食べる?」と彼女は言いながら、体を後ろに反って、決然と「そうだ」と言ってから、サイドガラスの外を眺めた。

「私がいない間にどこか新しい店がオープンしたかな?」とズューデンが訊いた。ソーニャに劣らず彼はこのゲームを知っている。だが、彼女と違うのは、ズューデンはこのゲームに飽きないということだ。

「あのお店、あなたの帰りを待っていると思う? レンバッハ広場に新しいお店ができたの。その名も『レンバッハ』。大きな倉庫をケーファァーって若者が改装したんだって」

「『ケーファー《カブトムシ》』はもう十分だよ」

タボール流ギャグは、しばしの沈黙でやり過ごすのが慣わしだ。

「『アウグスティナー』」とようやく彼が言った。

「初めてよね、あなた自身のオススメ」と、こちらも一呼吸置いてからソーニャが言った。

二人は再びお互いにそっぽを向いて、外を眺めた。

やがて彼が口を開いた。「どこへでも行くよ、君が行きたいところなら」

彼女はしばし思案してから、「ずるいトリック。そうやって私に決めさせようって魂胆でしょ」と言った。

「ご明察」と彼は言った。そして二人とも、再び味気ない窓外の風景を眺めた。

「医者はなんて言ったの?」と彼女が訊いた。

何気なくそう訊いてみただけだ。

「大丈夫だってさ。肩もほぼ完治した。一メートル七八センチの男性にしては、八八キログラムの体重は重すぎるとも言ってたな」

「同感よ」

「アジア料理はどうだい?」と彼は訊いた。話す順番なのでそう言ってみただけだ。「タイ料理、中華……」

「不味くていいなら、『レンバッハ』に行きましょ」

「トルコ料理!」とズューデンが言った。

「ゲーテ通りに新しくベトナムレストランができたのよ。眼科のすぐ横」とソーニャが返した。

「結構だね。春雨の中に目ん玉が入ってるかもな」と彼が言った。

「そこにしましょうよ！」彼女はエンジンをかけた。

「反対？」

「いや」と彼は言い、ソーニャの方に体を屈めてその顔をそっと撫でた。彼女は頭を彼の肩にもたせかけた。空腹は悲しみに変わっていた。

Now I lie awake and it's no fun,
Tossing and Turning, I'd call you if it wern't so very late,
But telefones don't bring me close to you.
I Recall the times we stayed up late ...

(目が覚めていて、つまらない
あれこれ迷ったけど、あなたに電話することにしたの
あまり遅くなければいいけれど
でも、電話では、あなたのそばにいられない
懐かしいわ、遅くまで起きていたあの頃が……)

体をぴったり寄せあって、二人はベッドに横になっている。バフィーの歌声が聞こえる。ズューデンは腕をのばしてプレーヤーの音量を上げた。ブルーの木綿のカバーの中で二人は、子供のように恥じらいながら、裸になって手を取りあっている。半開きの窓からは、人の声が自転車のベルや自動車のクラクションに混じって聞こえてくる。九月一二日土曜日の夜だ。二人は美味しい夕食をたっぷりとった。オレンジ・スライスをのせた鴨肉、鶏肉と野菜、ピリ辛のスープ、そして暑気払いに、冷やした春巻きだ。それから二人はダイゼンホーフェン通り一一番地の緑の館の中にあるズューデンのアパートに行き、たがいの服を脱がし合い、一時間ばかりかけて愛し合った。二人の興奮は、始まったときと同じように、同時に終わった。そして今、また同じ想いが甦えり、二人の心を捉えて離さなかった。

「明日ラファエルのところに行って、話してくるよ」とズューデンが言った。

「母親が会うのを許さなかったら？」

「大丈夫だよ」

外では誰かが口笛を吹いて、もう一人が同じように口笛で答えている。

「帰ってきたこと、後悔してる?」とソーニャが訊いた。

「森への渇望はない。アスフールには会いたいけど、彼なら私なしでもやっていけるさ」

「彼のこと話して」

「今度いつかね」

　中庭での口笛の決闘はますます耳障りになってきた。ズューデンはベッドから体を乗り出して、手のとどく範囲においてあったビールのボトルをつかんだ。一口飲んでソーニャに手渡した。

「ご利益がありますように《メーゲ・エス・ニュッツェン》!」と彼女は言って、額でボトルをコツンと叩いた。

「ご利益がありますように《メーゲ・エス・ニュッツェン》!」とズューデンも言って、壁に目をやった。

　ソーニャはボトルをベッドの横に置いてから、胸を撫でた。

「もうワンラウンド?」

「これからすぐにかい?」

「もちろん今すぐによ」

　ズューデンはカバーをかぶり直してベッドから降り、窓を閉めた。もう四三歳とはいえ、興奮した声を人に聞かせたいとは思わない。

… Wide awake but still dreaming,
There was nothing on this earth could make me tired,
But memories don't make it easier.
So Goodnight, wherever you are sleeping …
(目はすっかり覚めているのにまだ夢を見てる
地上に飽きることなんか何もなかった
でも思い出はいくらあっても、心は軽くならない
だから、お休みなさい、どこであなたが眠ってようと……)

　ヒップの大きさでは女に負けるが、その代わり、腹の出っ張りは男の方がはるかにしのいでいる。二人で鏡の前に立って、自分たちの姿を見たとき、最初に目を逸らしたのは男の方だった。シャンペンの飲み過ぎで気分が悪くなったような顔だった。

「私、ダメだった?」とエヴェリン・ゾルゲが訊きながら、自分の首筋に新たなシワを見つけてゾッとした。

「そんなことないよ、わかってるだろ」とパウル・ヴェーバーが言った。バケツをリビングに置きっぱなしにしてきたようだが、それが、どうだったかよくわか

らなくなってしまって、彼は落ち着かなかった。

「何探してるの？」彼女は指を首に這わせながら、鏡に向かって前かがみになった。ときどき四二歳の自分がもう五二歳になったように思うことがある。たぶん、看護婦として毎日ように人の死と病気に囲まれているせいで、女としての色香が褪せ、肌も衰えてしまったのだろう。

「何も探しちゃいないさ。またベッドに入るよ」と彼はおろおろして言った。

「いいわ、そうなさい。よく休んで」

「仕事がきつかったわけでもないんだが」と彼は言って、落ち着きなく彼女を見た。「どうしたんだい？」

「あたし、老けて見える？」と彼女は訊きながら、顔や首を触るのをやめなかった。

「老けてなんかいないよ。老けたのは僕の方さ」煮え切らない様子でベッドから起き上がったが、このまままた横になったらまずいかな、と突然思った。まるで自宅にいるように、仕事が終わってひと休みでもするように。五年前に妻を亡くして以来、女性と寝たことはなかった。今夜はプレミア・ショー。忘れかけた演出の撮り直しのようなものだ。


ふと見ると、エヴェリンが体を寄せてきている。彼をじっと見つめている。

「どうかした？」と彼は訊いた。

「本当に必殺の砲弾みたいね、このお腹」と笑って言った。

「ビールが落ち着く場所さ」と彼は言って、平手で裸のお腹を叩いた。長年のダイエットは失敗だったが、まだ諦めたわけじゃない。六一歳でなぜ減量がうまくいかないのか、どうしても納得がいかない。

「もう一度寝るんじゃなかったの？」

「ああ、その……」

「じゃあ、ベッドを温めておいてね。すぐ戻るから」

そう言って彼女は寝室から出て行った。彼女の残した甘い香水の匂い、彼の好きな匂いだ。ソーニャ・ファイヤーアーベントと初めてこの部屋に来たとき、あの夜、二人がエヴェリンを叩き起こしたとき、彼女はこの白いガウンをその裸体のうえにまとっていた。その後で彼はベッドの中でためらうことなく一本抜いた。そして翌日もそれを思い出しては、体が疼《うず》いた。それから二人は、毎日のようにデートをした。夕食を共にし、バーのカウンターでコニャックを飲み、頬にキスをし、そして寝た。最初はリビングのカウチで。それからベッドで。シャンペンを飲み、キスをした。亡き妻エルフリーデとはしなかったことだ。

「何を考えてるの?」と彼女が訊いた。ベッドに潜り込んできて、自分の足を、火照ったように温かい彼の足に絡ませて温めた。

「何も」と彼は答えた。

「奥さんのこと?」

彼は答えなかった。彼女は頭を彼の胸に置いた。

「奥さん、いなくて寂しい? とても?」

どう答えればいいのだろう? 二七年間の結婚生活だった。妻はいつもそばにいて、毎日、たとえほんの束の間であっても、妻の姿を見ない日はなかった。二七年間は一体何日になるのだろう? ヤモメの頭じゃとても計算できないくらいの日数だ。

「明日は日曜日ね」エヴェリンの言葉にふと我にかえり、彼はホッとした。「明日もこんなにひどい天気だったら、何かして遊びましょうよ。ね、どう?」

「何して遊ぶ?」

「かくれんぼよ! あたしを探すのよ。あなた刑事でしょ」

彼女は頭を持ち上げ、彼の目を見て唇にキスをした。「あなた血圧、大丈夫?」と彼女が訊いた。「顔がまた真っ赤よ」

「赤いのはもともとだよ」と彼は言った。

彼女は首を振って、また横になった。

「カードゲームしようか? それともトリビアル・パスート。知ってる? ボード・ゲームよ」

「ああ。でもどれがいいかわからないよ」

「奥さんとはよく遊んだ? ゲームして遊んだ?」

彼は黙っていた。沈黙があまりにも長いので、彼女は彼の顔を見つめた。彼は目をつぶった。

「どうしたの? パウル」

「僕はね、ずっと……」と言いかけて咳き込んだので、初めから言い直した。「僕はそうしたかったのだけど……彼女は……。日曜日に暇があったら何かして遊ぼうって言ったら、妻はいつも、『たぶん明日ね……明日ひょっとしたら……』って言うだけだった。だから僕たちはゲームなんかしたこと、ほとんどないんだ。カードなんかは特に。彼女はなんというか……、負けず嫌いなんだ。僕もそうだし」

エヴェリンは、彼が目を開けるのを待った。そして、その目を真剣に見た。

「一緒に遠くへ行きたいわ。キーム湖（ミュンヘン市から南東五〇キロメートルほどの湖）。あなたのふるさとでしょ」と彼女が言った。

「田舎は嫌いだよ」

「そんなのどうでもいいわ。あたしが行きたいの」

「エヴェリン、あのね……」訊きたいことがあったのだが、バカバカしくて憚《はばか》られた。

「え？」

「訊きたいことがあるんだが……」

「いいわ、ピルを飲むわ」

「そうじゃないんだ、その……」まっすぐに座ろうとしたがシーツの上で手が滑って、頭をベッドのフレームにぶつけてしまった。

「痛かった？」子供にするように、彼女は彼の頭をさすった。

「刑事さんて、痛がったりしないんでしょ？」

「まあね」と彼は言った。彼女は自分の手を彼の手の上ですり合わせた。なんだか子供っぽくてバカバカしいとは思いながら、ようやく体を起こした。「僕たち……」

「え？」彼女は彼の前に座り、彼の両脚の間に両膝を入れて、指を彼の足から太ももに向かって這わせた。

「もし……もし僕が若ければ……ずっと若い男だったらだよ、そしたら……そしたら、君に訊ねるかもしれない。これから二人で一緒にやっていこうかと……」ついに言ってしまった。だが、気が楽になったと悟られないように、ため息なんかしないように、ここは踏ん張らなければならなかった。

「行くって、どこへ？」間髪入れずに彼女が訊いた。

「そういう意味じゃなくて……」なんてバカなことを言い出してしまったのだろう。

「わかってるわよ。あたしたちがもういいカップルじゃないかっていうんでしょう？」

　彼は用心しながら肯いた。

「ねえパウル、教えてあげましょうか？」と言いながら、その手は彼の萎えたペニスをつかんだ。彼はぶるっと身震いしたが、彼女はそれをしっかりと握ったままだ。「あたしたちはね、今は一九九〇年代の終わりに生きてるの。新しい世紀が始まればね、一緒に寝たからって、すぐに結婚する必要はなくなるの」

「僕だって結婚しようとは思っちゃいないんだ」と彼は言った――ああ、できればこの場で透明人間になってしまいたいと思った。なんてバカなことを言ってしまったんだ。

「一緒にいればいいのよ。そのうち、またそれぞれ自分の道を歩くわ。それが今どきの生き方」

彼は眼下を見つめ、自分のペニスを握っている手を見つめて、あらためて興奮してきた。

「あたしたち、夫婦の方がいい?」と彼女が訊いた。

「かもな」と彼は言ったが、それで話をおじゃんにしてしまったのかどうか、彼にはわからなかった。

「うん、かもね」と彼女もおうむ返しに言った。「どうなるかしら。でも、とりあえずは、玉二つぶんの力を見せてよ。イリヤ・ロゴフ(強壮剤の商品名)」

「歳のわりに子供っぽくて可愛いよ、君は」

「肝心なのは、可愛いってことの方」と彼女は言った。

彼は身震いするほどの喜びを感じた。できればベッドの上を飛び跳ねて枕投げをしたかった。だが彼は今、エヴェリンの手の中の奴隷であった。だから逃れられないのだ。彼女は彼の上に跨って、彼は体を伸ばした。緊張しつつも、同時に解放されて。滴り落ちる汗が女の胸の間に輝く一条の筋を描き、そして女が、揺れ動く蝋燭の火に照らされ、彼の上に跨って上体をまっすぐにしている間に、彼はある若い女の顔を見た。妻の顔だった。

そのとき彼は、もう妻以外の女とは一緒になれないとわかった。風に吹かれて生きるこの人生こそ、自分への日々の贈り物なのだ。そのことを受け入れるしかない、そう彼は悟った。


五発目のビンタを食らったとき、彼は殴り返した。だが腕は空を切るばかりで、相手には当たらず、足がもつれて躓《つまず》いてしまった。床には割れたビアグラスや、果物ナイフや、靴が散乱している。椅子が倒れて、窓の下には半分飲みかけの缶からコーラがこぼれ落ちて水たまりができていた。煌々と照明のきいた部屋。汗の匂いと、キッチンから流れてくる黒焦げになったミルクの匂いがした。そこで、二人の取っ組み合いの喧嘩が繰り広げられたのだ。そして敗者はフランク・オーバーフェルナーの方だった。

「お前があんなバカなまねさえしなかったら、俺たち、クビになんかなってなかったんだぞ!」とアウグスト・アンツが何度も叫びながら、相棒のシャツの襟をつかんで体を揺すった。

「やめろよ！　やめろったら、このバカ！」

　グストルは壁を蹴った。漆喰がうつろな音を立てて剥がれ落ちた。

「どうしてもわからねえんだよ、なんでお前が坊主を逃がしちまったか。なんでだよ？　どうしてもわからねえ。おい、教えてくれ！」この部屋にはもう、彼の怒りをぶつけるものは何も残っていなかった。あとはクソみたいな戸棚とクソみたいな窓だけだ……。

「もう終わったことだ」オーバーフェルナーはそう言って、座った方がいいか、立ったまま、怯んだ様子を相手に見せない方がいいか、迷った。

　俺よりグストルを知ってる者はいやしない。こいつが荒れたときには何をやらかすかわからないし、どんなわけのわからないことを言い出すか知れたもんじゃない。そんな奴を知ってるのは俺ぐらいのもんだ。普段は自分を抑えることができる男だ。だけど、一旦爆発すると、まさかこの男が！って思うほど荒れまくるんだ。

　オーバーフェルナーは立っていることにした。

「坊主に何かあったら、お前のせいだぞ、お前の！」とグストルは吠えた、ドア枠を拳で叩いた。

「やめろよ！　怪我するぞ！」とオーバーフェルナーが言った。

「うるせえ、この裏切り者！」

「裏切り者なんかじゃねえよ、俺は！」

　大股で二歩近づいてグストルは襲いかかってきた。オーバーフェルナーは手を顔の前にかざしたが、無駄だった。拳が、手の壁をまるで紙切れのように、彼の顎をガツンととらえた。それからグストルは、動きの速さについていけない相手を床に投げつけ、両脚を広げてその上に仁王立ちした。恐ろしくてワナワナ震えながら、オーバーフェルナーは声を上げることもできなかった。口から血が出ている。まるで顔が歪んでしまったように感じた。

「お前が悪いんだ。初めからやり直しじゃないか！　お前のせいで、お前みたいなバカ犬のせいで！　このまま職なしってわけか？　立て！　立てよ！」

　グストルがその場に立ったままだったので、オーバーフェルナーは体を少し後ろにずらさなければならなかった。それから両脚を縮めて、ゆっくりと用心深く立ち上がった。二人は鼻が触れるほど、くっつくように向き合った。

「なんか言うことがあるか?」とグルトルが訊いた。

石灰岩のように灰色の顔だった。

オーバーフェルナーは首を横に振った。

「そうか」とグストルが言った。「今日から俺たちはもう何の関係もない。これから俺は……」

「どうしてだよ? 俺たち友達じゃねえか、グストル。俺は……俺は、お前の言った通りにしただけだぜ。わかってるだろ。デカには喋っちゃいねえよ。あいつら、俺の口を割らせようとしたけど、俺は喋らなかった。嘘じゃねえよ」

口から血が流れ落ちた。手の甲で慌てて拭った。

「じゃあ、歯ブラシを俺の部屋に忘れていったのは誰だ? 靴下も? 俺だっていうのか? 俺じゃないぜ!」

オーバーフェルナーは瞬きをした。グストルの目が座ったままなので、狼狽したからだ。「それは急いでたからだよ。それに坊主だって気をつけりゃよかったんだ……」

「何? 坊主が何だって?」グストルの叫び声があまりに大きくて、オーバーフェルナーは体をのけ反らして、グストルがぶん投げた靴の一つに躓いてしまった。オーバーフェルナーは体を支えるためにテーブルに手を伸ばした。かろうじてテーブルの端っこに届いたものの、そのまま床に倒れた。テーブルは横倒しになり、彼の頭の上に着地した。それを見たグストルはニヤッと笑った。その様子を見たオーバーフェルナーは、胸にたまった憤懣を、口中の痛みと一緒にしばし忘れた。

「あの坊主は本当に上手くやったんだ」とグストルが言い、コーデュロイのズボンのベルトをつかんで上に引っ張り上げ、両方の親指をベルトの内側に突っ込んだ。「頭のいい子だよ、ラファエルって子は。将来が楽しみだ。お前みたいな間抜けとは違ってな。賭けてもいいぜ。あの子は臆病者じゃない。それをお前が逃がしたんだ!」

彼は時計を見た。午前四時二一分だった。

「もう行くのかよ?」とオーバーフェルナーが訊いた。たった一人の気持ちが通じる人間が、永遠にいなくなってしまうのかと思った途端に、恐ろしい不安に襲われた。

「もうここに用はない! この裏切り者」

「待て! 待ってくれ、グストル!」オーバーフェルナーはガタガタと音を立てて立ち上がり、あまりの痛さに両方のこめかみを手で押さえながら、グストルの後を追いかけて、よろけながら廊下へ出た。グストルは上着を着ようとしているところだった。「ここにいてくれよ、こんな時間に。何を……どうしたらいいんだ？　これから」

グストルは上着のボタンを締めてから、手のひらで自分の顔をひとなでした。

「家に帰ってぐっすり眠ることにする。後のことはそれからだ。お前が何をしようと俺には関係ない。好きにしろ」

「そんなわけにいくかよ……」オーバーフェルナーはすがるように友人の腕を取り、力いっぱいにつかんだ。「俺——俺にはどうすることもできなかったんだ。あいつらだよ、新聞だよ、悪いのは。俺たちが坊主を誘拐しただなんて書きやがった。めちゃくちゃだよ！」

「お前が悪いんだ」とグストルが言った。「手を離せ、このうすのろ！」

「俺のせいじゃないって。それに……それに坊主をかくまったのはいいことじゃなかったぜ。親がいるんだし。たとえ坊主を殴る親でもな。俺たちは、親じゃないんだぜ。だから、あの子を匿っておくなんて、やっちゃいけねえことだ……」

「お前に何がわかるってんだ？　いい加減にその手を離せ！」

オーバーフェルナーは手を離して、哀願するように相棒の顔を見つめた。

そのとき玄関のベルが鳴った。短く、はっきりしない音だった。

グストルもギクッとした。

二人はそのまま動かなかった。何も聞こえない。

「お前、見て来い、この怖がりが！」とグストルが言った。

オーバーフェルナーは怯んでしまって動けなかった。もう一度ベルが鳴った。一回目より、もっとかすかに。

「じゃ、俺が見てくるよ」とグストルが言って、ドアをガバと開けた。

日曜の朝一〇時ごろ、フォルカー・トーンは幸せな気分だった。息子のセバスチャンは青く光る剣を振り回して、リビングというジャングルを荒らし回っている。娘のクラウディーネは自分を相手に、いつ果てるともないおしゃべりをしている。これでいいのだ。主任警部は、日曜の朝、妻のヴェラと二人の子供とともに、明るい色のテーブルクロスを敷いた朝食のテーブルに座る前に、毎度のことのように若い頃の自分を思い出すのだった。早くも二〇歳の頃、家庭を持ちたい、子供好きな女性と結婚したいと、どんなに思ったことか。そして、刑事としてこの世の不条理にまみれて疲れ切った心を、汚《けが》れのない質問や遊びですべて一瞬にして癒してくれるような、そんな子供が欲しかった。九歳の娘が話す物語はいったいどこから生まれてくるのか、彼には今もって一つの謎であり、彼女の語りが一瞬途切れるとき、彼は真面目に心配してしまうのだった。五歳になる息子が、大きくなったらエクスカリバーになるんだと言うとき、彼は微笑んで息子の幼い夢を受けとめる。ただし、エクスカリバーはアーサー王の剣のことで、それを持っている王様のことではないと、もう一〇〇回も言って聞かせてもわかってもらえないのは、しかたのないこととして。それよりも、セバスチャンは周りの同い年の子供の誰よりも、エクスカリバーの発音がうまいのだ。父親としてはその方が嬉しい。

署の他の誰よりも、トーンには素晴らしい家庭生活がある。それを誇りに思っている。同僚の中には、とりわけ女性の同僚には、彼が幸せな家庭生活を送れるのも、ひとえに妻がインテリア・デザイナーの仕事を辞めて、専業主婦として子育てに専念したからだという者もいることは確かだ。確かにその通りかもしれない。しかし、それはヴェラ自身が決めたことであって、トーンが彼女に強いたことではない。あのとき妻が仕事を続けたいと言っていたらどうなっていただろうか、今となってはわからないし、考えても詮ないことだ。ともかく彼らは一つの家族となったのであり、今も二人の関係は、まだ頂点を極めたようには見えない。

「寝るのが遅かったんだね」と彼が言った。子供たちは既にベッドから起き出て外へ走って行っていた。皿には半熟の黄身が残っていて、パン皿には食べかけのトーストがそのままで、おまけにビタミンが豊富なフルーツ・サラダは、珍しいことに、クラウディーネとセバスチャンの完全なる意見の一致のもとで、見事に無視されている。

「夜中の一時にあの子たちと*NYPD Blue*（ニューヨークが舞台のアメリカの刑事ドラマ）の続きをもう一度観たのよ」とヴェラが言った。

「あのシリーズに釘付けなのよ、私。知ってるでしょ」彼女は楽しそうに、りんごと、洋なしと、キーウィをシャーレの中でほじくった。

「正直言って僕は、あれ好きになれないな。死刑のある国が素晴らしいだなんて」

「え？」彼女はガラス製のシャーレを置いて、驚いた顔つきで夫の顔を眺めた。

「例えば、イランなんて国が素晴らしいだなんて、誰も思わないよ」と彼が言った。「あそこにも死刑があるしね。それに、縛り首にされるときに、みんな、大きな声を出して叫ぶっていうしさ」

「死刑と*NYPD Blue*に何の関係があるの？」とヴェラが訊いた。

「何もないよ」とトーンが言った。「だけど、なにかと言えば人権人権と口にするアメリカじゃ、有罪になればいまだに電気椅子送りだろ。僕はあれはよくないと思うんだ」

「警察官としてのポリティカル・コレクトネスっていうわけ？　あなたの言うことは」

　結婚生活一〇年目にしてなお、彼女の微笑みには魅了される。

「君が考えるほど、僕はノンポリじゃないぜ」と彼が言った。

「それはわかってるわ。投票はいつもＳＰＤ《社会民主党》よね、あなた」

「わかったわかった、もうよそう」

「他にましな政党がないから、やっぱりＳＰＤにしか投票しないなんて、それでいいのかしら？」彼女はまだお腹が空いていたが、フルーツ・サラダの後にチーズを食べる気にはなれなかった。いや、食べようか？　そうしよう！　チーズを薄く切り取って口に入れた。

　地下室から子供たちの黄色い声が聞こえてきた。子供部屋があるのだ。ライム地区にしては簡素だが、住みやすい一軒家に住んでいる。庭付きで、隣近所もいい人たちで、近所に警察官が住んでいるので安心だと思っている。

　リビングからドアを開けるとテラスに出られる。トーンは朝起きると、そこから外を眺めるのだ。大きなブナの樹にブランコがぶら下がっている。野ざらしの木製テーブルには、この夏は一度か二度ほど座ったきりだ。雨続きの日々が続いたから。

「例の少年のこと、ラファエルだったかしら、何か聞いてる?」とヴェラが訊いたので、彼は妻の方に向き直った。

「いや、何も。事件は終了した」

「でも、父親がその子を殴るって、あなた言ってたでしょ? それが家出の原因の一つでもあるって」

「うん。でも帰ってきたんだよ。だから我々の仕事は終わったんだ」

「そう」と彼女は言って立ち上がり、お皿を重ね合わせた。

「あなたたちの仕事は犯人を探すことで、被害者のケアーってわけではないものね」

「ああ、僕も手伝うよ」と彼は言って、一緒に食器をキッチンに運んだ。

二人は黙って片付けをした。それが終わったとき、突然セバスチャンが、刃先が青光りする剣を手にドア口に現れ、キャッキャっと声をあげた。「さあ戦闘開始だ!」そう喚くと、剣を流しの方に向けて叩いてから、勝利を確信してキッチンから出て行った。

「それであなたの同僚は? タボール・ズューデンよ。彼とはよりが戻ったの?」

「みんなそれぞれ自分の仕事をこなしている。あいつも二度とこの前みたいな形で、姿をくらますようなことはしないだろう。僕の方が譲歩したんだ。我々の課で揉め事はない方がいいからね。もう二度と同じことはやらせないさ」

「譲るって、悪いことじゃないわ」とヴェラが言って、彼をキッチンから押し出した。「動物園にする? それともIMAX?」

彼としては、新鮮な空気を吸いながらのんびりと散歩して、楽しくポップコーンを食べたい。檻の中の動物たちも見たいと思った。だから、ヘラブルンの動物園にしようと言った、のだが……

一時間後、彼らはIMAXで竜巻の映画を観ていた。

会衆を代表しての神父の祈りに耳を傾けたことはなかった。子供の頃からそうだった。集中して聴こうといくら努力してもむだだった。とはいえ、その頃はミサの侍者を勤めていたし、自分が思っていることを神様が全部聴いてくださっていることは信じて疑わなかった。それでも、どうやってもダメだった。彼は自分の世界に沈潜し、学校時代の級友のことや、女の子たちのこと、彼女たちの細い素脚のこと、欲しかったもののことなどに思いを馳せた。お金も時間もない両親では、そうした希望は叶えられることはなかったが。

やっと神父の祈りが終わった。どんな祈りだったのか、カール・フンケルは一言も憶えていない。この日曜日、シュヴァービングにあるヨーゼフ教会の午前のミサには多くの人々が訪れていた。信者たちはいつものように賛美歌を歌った。フンケルは歌わなかった。彼は後ろのベンチの端に座っていた。手を合わせて、心静かに、自分が信じる万物の創り主に向かって語るべき言葉を探していた。何も思い浮かばなかった。

朝目覚めたときすでに、ある虚ろなものを感じた。こんな気分はずいぶん久しぶりのことだ。打ちのめされたわけでもなく、悲しいわけでもなく、ただ虚ろなのだ。空っぽになって、なんの感覚もなく。コーヒーを淹れて、それから教会へ行った。尖った神経のままで、あまり気乗りはしなかったが。

今日の彼には、祈りの言葉も賛美歌も、心の奥深くに響くものはなかった。いつものミサで得ることができた、あの祝福に満ちた確信を受け入れることができなかった。神さまは天におられる、そして自分もやがて天国に住まうのだという確信。今日自分を慰めてくれるもの、勇気を与えてくれるものは何もない。できることといえば、この左眼の前の暗闇を思うことだけだ。そう思えば思うほど、あわや自己憐憫に己がねじ伏せられそうになった。

フンケルの心を捉えていたのは、元には戻れないこの傷を負わせた男のことではない。それよりも、自分には世の光を見るための眼が片方しかないのだ、という事実であった。もう何千回も繰り返したことなのに、今日はなぜか、この想いが、ことのほかこたえるのだった。黒いアイパッチの表面を指でこすりながら、この眼玉をぐさりと射したナイフに触れたような気がして、男を掴まえて身を守る代わりに、あのときと同じように、今度も反射的に腕を後ろに回してしまいそうな気がした。あの瞬間、自分にはあの男の行為を阻む意思がなかったのではないか。この目から光が奪われてしまうという不運を、自ら許したのではなかったのか。そんな風に思えてきたのだ。

彼は前方に目をやり、神父が聖体拝領の儀式を始める様子を眺めた。手に取ったパンはキリストの肉体となり、ワインはその血となる。その奇跡を、会衆の一人一人がキリストの死とともに受け入れた。

医者たちは、むしろ幸運だった、死んでいてもおかしくなかった、と彼に言った。この見えなくなった眼がその幸運というわけだ。来る日も来る日も、彼は鏡の中の自分の姿を憎んだ。自分の職業を憎み、そして彼を傷つけた男、麻薬中毒のその密売人を憎み続けた。このジャンキーにこの目を刺すように命じたのは、神様、あなただったのですか？　あなたよりほかに誰が？　あなたのお与えになった徴《しるし》を受け入れます。たとえ、その意味が未だにこの私には理解できなくとも。理解できるよう、私を助けてください。片方の眼だけでも見ることができるように、どうか手をお貸しください。心の中が、暗くて見えないのです！

　ひざまずいて鐘の音を聴いた。オルガンの演奏が始まり、会衆はベンチから立ち上がり、ホスチャ《聖餅》をいただくために、前方の祭壇に向かって歩を運んだ。彼は行かなかった。二年前から告解はやめている。いずれ告解をする日が来るのかどうか、彼にはわからなかった。

　オルガンの演奏が終わった。次の演奏が始まろうとする間に、電話が鳴った。会衆の中からぶつぶつと憤懣の声があがった。フンケルの隣の老女は黙示録的な視線で彼を罰した。私の携帯だ！

　椅子から飛び上がるように立ってコートのポケットに手を突っ込んだ。見つからない。反対側のポケットの中で携帯を切った。なぜ電源を切っておかなかったのだろう？　咎人のように教会から逃げ出して、喘ぎながら広場に立ち尽くした。

　鳩たちが一斉に飛び立った。落ち着きを取り戻すためにその場を行ったり来たりした。心臓がドキドキして、門の方を何度も振り返った。今にも、そこから出てきた群集に、石打ちの刑に処せられるのではないかと思いながら……

　ようやく携帯の電源を入れて、留守録を聴いた。ある宿直の警官が残したメッセージを聞いて、彼は何が何だかわけが分からなくなった。ラファエル・フォーゲルが再びいなくなった！　手紙を残して。母親が泣きながら、息子の字に間違いないと証言した。

　もう家には帰らない。おじいちゃんのところへ行く。パパとママが悪いんだ。

　カール・フンケルに支えられて、彼女はアパートの中をよろけながら歩いたが、言うことを聞かず、なかなか腰を下ろそうとしなかった。キルステン・フォーゲルは、引き出しに薬を何粒か見つけて、さっと飲み込んだ。途端に世界は一つの遠い星に変わり、彼女はその周りを夢遊病者のように動き回った。誰かが彼女の手を引いて声をかける。

「どうぞ座ってください」とフンケルが言った。

「ラファエルは地下室にいます。鉄道模型で遊んでいるところ」と彼女は小声で言った。警官たちは地下室を探したが、どこにも少年の姿はなかった。もちろんいるはずがない。

「警部、電話です」若い警官がフンケルに携帯を手渡した。

「もしもし」とフンケルは答えて、耳を当てた。携帯を若い警官に返して、改めてキルステンをソファーに座らせようとしたが無駄だったので、両手で彼女の体を掴んだ。

「死亡事件があったそうだ」と彼は警官たちに伝えた。全員話をやめて彼の周りに集まった。「フランク・オーバーフェルナーが自宅で死体で発見された。見たところ、刺し殺されたのは間違いないらしい」

「それで、逃げた男がラファエルの父親だった、というのは確かですか?」とタボール・ズューデンが訊いた。

「ええ確かです」黒のケープと鍔《つば》広の帽子をかぶったオーダ・ホットロップが言った。

二人は、アルラム通りにあるオーバーフェルナーの部屋の前の階段室に立って話していた。

「あの男に殺されたんですよ。かわいそうに、オーバーフェルナーさんは誰にも何もしてやしませんよ。長い付き合いですからねえ」と言って、その雌鳥のような巨体で通路を塞いでいたので、鑑識官たちは通ることができなかった。

「手にナイフは持っていましたか?」とズューデンが訊いた。

「持っていたような」

「イエス、ノー、どっちです?」

「持っていたかも」

13　不吉な数字

「あなた、縁起は担ぎます？　刑事さん」とオーダ・ホットロップ夫人が訊いた。

「いや」とタボール・ズューデンは言った。

「あたしは担ぎますの！　一三って、不吉な数字でしょ。古代ギリシャじゃ、一三日の種まきはダメだったっていうじゃありませんか」

「それは知らなかった。本当に犯人が逃げるところを見たんですね？」

「今日は一三日でしょ。今日ですよ、オーバーフェルナーさんが殺されたのは。偶然だと思います？」

「この世に偶然なんかないです」

「ほらね。あなたって、立派な縁起担ぎよ！」

14　一人きりの食事

犯行の再構成作業の最中、辻褄の合わない証言やたれ込みが少なからず持ち込まれた。そこで、殺人課主任警部のロルフ・シュテルン五二歳は、さっそく得意のセリフを披露するにおよんだ。

「知っての通り、懐疑こそは犯罪捜査のエンジンだ」

本日、日曜日午前に開かれた第一回の会議に臨んで、彼はそう切り出した。「それでだ、これは冷血な計画殺人ではないのではないか、と私としては疑っている。検死医によれば、害者は失血死だ。喉の切り傷は深いが、致命傷ではなかった。何らかの理由で、害者は救けを呼ぶことができなかったのだ」と言って、手巻きの煙草をくわえた。煙草はもう三〇年ほど前から手巻きだ。左の耳に金のピアス、革のキャップと、同じく飽きもせずにグリーンのパーカー。正真正銘の古き良き六八年世代のいでたちだ。彼はその世代なのだから、不思議ではないが。殺人課筆頭主任警部にして殺人課の総責任者就任の辞令授与式に臨んで、彼はタキシード姿で現れた。バイエルン州内務大臣は、微笑みでそれを受け止めた。「学生服より見栄えははるかにいいぞ！　その調子だ！」

「害者が救けを求めるのをやめたその理由はなんだと思うかね？」と彼は集まった八人の警察官たちに問いかけた。彼らは順に答えた。「酔っ払っていて、適切な行動を取れなかったのかもしれません」

「適切な行動とは、なんだね？」

「電話をかけることです」

「害者と電話の距離は？」とシュテルンが訊いた。

「電話は廊下です。害者はリビングで倒れていました。部屋中に血痕がありますが、廊下にはないです。害者が電話の場所に行こうとした形跡はありません。倒れてそのままだったように見えます。もちろん推測にすぎませんが……」

「それで結構」とシュテルンが言った。「自分の直感を信じるんだ！」

「我々のこれまでの知見や、検死医の所見、それに現場で我々が見たことを総合しますと、害者は救けを呼ぶ気がなかったように思えます。床に倒れて、そのまま死んだのです」

「かなり思い切った意見だな」ともう一人の警官が言

っていた。

「君の考えは？」とシュテルンが訊いた。

「失踪した少年の父親を現場近くで見たという証人がいます。とりあえず最初に疑ってかかるべき具体的な人物ですね。たぶん、この……トーマス・フォーゲルが害者を刺したあと、とどめを刺したのじゃないかと……」

「どうやって？」

「ナイフで脅したり、あるいは害者が息絶えるまで、そのまま待っていたとか。傷が深かったのは確かですしね。ともかく抵抗はできなかったはずです」

「フォーゲルがフランク・オーバーフェルナーを殺害する動機はなんだろう？」とシュテルンが訊いた。

「怨恨です。息子のラファエルが彼のところに匿われていて、だからたぶん、このオーバーフェルナーが息子に危害を加えたり、虐待したり、嘘の証言をするように脅したのではないかと思ったのではないでしょうか。トーマス・フォーゲルは衝動的で攻撃的な男です」

「なるほど」とシュテルンが言った。「まもなく捕まるとは思うが」

「彼は姿をくらましました。事件への関与の疑いが濃くなりますね」

「事実関係のチェックリストをもう一度付き合わせてみよう」とシュテルンが言った。

「めぼしいこと、明白なもの、そしてありそうなことから始めよう。ある男が自分のアパートで取っ組み合いの喧嘩に巻き込まれた。それは乱雑に荒れた部屋の様子からはっきりしている。凶器はナイフだ。男は重傷を負っていて、それから何をした？　何もしていない。手足を縛られていたわけでもない。廊下に血痕はなし。電話回線は生きているから、使おうと思えば使えた。リビングのドアは開いたままで、前もって閉じられていたわけではない。もちろん鍵はかかっていない。ドアに血痕はない。庄面のほこりの状態から見て、ドアはずっと以前から開いたままだったと思われる。男はカウチにつかまって、おそらく死にものぐるいだったろう。だがその後は、またしても何もしていない。救けを呼ぶこともしなかった。なぜだ？　なぜ叫び声もあげない？　首の深い傷のせいで、声が出せなかった？　たぶん。まだわからんが。ともかく彼はリビングに居続けた。それまでに明らかに重傷を負っていて、……」

床を這いずり回っていたはずだ。電話の方へは向かわずに。目撃したというその女性だが、ズューデンにはどう証言したのだね？　トーマス・フォーゲルの衣服に血がついていたのを見たって証言したのか？」

「いえ」と捜査官の一人が言って、タイプされた紙を高くかかげた。「彼女は、フォーゲルの姿を自分の家から見ただけだそうです。急いでいる様子だったと、この点は確信を持って証言しています。朝七時ちょっと前です」

「そもそもトーマス・フォーゲルは、どうやって部屋に忍び込んだのだろう？」とロルフ・シュテルンが訊いた。一瞬煙草をもう一本巻こうかと思いつつ、やめた。集中力がにぶる恐れがあると思ったからだ。

「それはまだわかりません」

「リビングにはどうやって？」

「それもまだわかっていません。正面の玄関のスナップ錠が壊れていて、ときどき動かなくなるんです。近所のある女性がそう言っていましたし、我々も現場で確かめました。ですから、誰かが中から開けてやらないと入れません。オーバーフェルナー以外にいないでしょうね」


シュテルンは椅子から立ち上がり、背中を伸ばして壁の時計に素早く目をやった。一二時一七分。フォーゲルの捜索に出ている者からはいまだ連絡がない。

「つまりだ。オーバーフェルナーは、フォーゲルを部屋に入れて、それから口論が始まった。たぶんラファエルのことだろう。フォーゲルとしては何があったのか知りたかった。オーバーフェルナーは事情を説明するが、フォーゲルはそれを信じない。そこでナイフの登場だ。おそらくキッチンナイフだろう。引き出しが荒っぽく開けられているし、明らかにナイフが一本抜き取られている。凶器はしかし消えたままだ。取っ組み合いがエスカレートしていって、オーバーフェルナーが傷を負う。どっと床に倒れる。床を這い回るが、救けは呼ばない。少なくとも声を聞いたものは誰もいない。フォーゲルはいなくなる。逃げるところを隣の女性に目撃される。この時点でオーバーフェルナーは、まだ生きていたはずだ。リビングにいたままで、カウチにつかまって、窓を開けて救けを求めることはしていない。体を引きずってでも電話のある方へ行こうとはしていないし、階段室の誰かに見えるように、玄関ドアまでたどりつこうともしていない。とにかく何もせずに、死んだ。二時間後に隣の女性がノックをした。フォーゲルを見たという女性だ。ドアは開かない。心配になって管理人を呼んで、合鍵で部屋のドアを開けてもらった。事件の成り行きは概略こういうことだが、なにか意見は？」

「不思議な事件です」とある捜査官が言った。

「確かにとても不思議だ」とまたある者が言った。

「階段室にも血痕は見つかりませんでした。そんなことありえますかね？」と三人目が言った。

「フォーゲルがナイフでオーバーフェルナーを刺したのなら、血に触れていないわけはない」とシュテルンが言った。「ひょっとしたら風呂場で洗い流したのかもしれないが、鑑識の結果待ちだ」

「おっしゃる通りだとしたら、殺人の線はなくなりますね。フォーゲルはオーバーフェルナーを殺す目的でやってきたわけではなく、彼に説教をして、詰問するつもりだったということになります」

「凶器が実際に、オーバーフェルナーのキッチンのナイフだとしたら、そうなる」とシュテルンが言った。

「検死医は、肉を切るための鋭利なキッチンナイフの可能性があると言っています」

「そうだ」とシュテルンが言った。「実際、それで肉が切られたんだ」

何人かがニヤッと笑い、他のものは背を後ろにもたれて、頭の後ろで腕を組んで体を伸ばした。事件が複雑すぎて、事実の分析以上に捜査官の想像力が求められるときに、シュテルンは必ず、ブレーン・ストーミングのための会議を開くことにしている。そろそろ休憩の時間だ。

殺人課主任警部は黒い煙草の葉を白い巻紙できっちりと巻き込んだ。

捜査官の一人が窓を開けた。

「死んだオーバーフェルナーと、再びいなくなった少年との間に、関連があると思う？」とこの班でただ一人の女性刑事のナディーネ・バッハが訊いた。

「たぶん」とシュテルンがもぐもぐ言って、巻紙の糊代を舐めた。

「父親が見つかれば、わかるよ」

彼は煙草に火をつけた。その様子をナディーネは眺めていた。

「完璧な巻き方」と彼女は言った。「自分の好きなことでは名人ね、ルディ」ルディ・ドゥチュケ（六〇年代学生運動家、社会

（学者、政治運動家、暗殺未遂。一一年後に死亡）と偉大なる六〇年代をもじったあだ名でそう呼んだ。署内でその名前で彼を呼ぶことは、彼女以外の誰にも許されてはいない。

「小さなことでも見逃さない点で、私は時々偉大な能力を発揮するんだ」とシュテルンが言った。殺人課の刑事としての経験から、二つの事件に密接な関係があることには微塵の疑いも持っていない。その解決のためには、お決まりの慎重かつ定石を踏んだ捜査以上のものが求められることも。

今は、それが彼を落ち着かなくさせているのだが。

八軒目の飲み屋のカウンターでようやく、彼らは目当ての男を見つけた。ぼうぼうの髪の毛が肩まで垂れている。きちきちの白いシャツは体にべったり貼りついている。左足をしきりに前後に揺らし、頭は前後左右に動かしている。何のリズムに合わせているのかはわからないが、ともかくそれは店で流れているポップスのリズムではない。トーマス・フォーゲルは、ちょうど三杯目のウォッカトニックを注文したところだったが、アルンウルフ通りをはさんで中央駅の向かい側にあるこの薄暗いナイトバーのただ一人の客であった。

おそらく彼の血中のアルコールの踊るリズムに合わせているのだろう。

「フォーゲルさんですね？　ヨーゼフ・ブラーガ上級警部です。これは同僚のズヴェン・ゲールケ。フォーゲルさんですね？」

丸顔できちきちのワンピースを着た女主人のタマラが、フォーゲルの前にウォッカトニックを置いて、二人の警察官をうさん臭そうに睨んだ。「おたくたちも何か？」

「いや」とゲールケが言った。背が高いので、タマラの顔を見るには、体を低くしなければならなかった。

フォーゲルが振り返るまで、何一〇秒か経過した。

「そうだけど」と彼は言った。

「ご同行願いたい。二、三お訊きしたいことがあるので」

「ああいいよ」ろれつが回らず、グラスに手を伸ばしたが、手をぶつけてグラスを倒してしまった。ウォッカトニックが、カウンターに腕を伸ばしていたタマラの袖にかかってしまった。

「ごめんよ」とフォーゲルが言った。

「もう、酷いわね！　気をつけてよ！」腕を振ってお湯を出し、タオルを下に持っていき、ワンピースの袖を拭いた。

「さあ、行きましょう」とゲールケが言った。

「あんたの口髭は俺のよりずっとイカしてるな」とフォーゲルが言い、その目は、署では知らぬ者のないシュナウザー（ヒゲの長いドイツ犬）の、くるりとひねり上がった先端から離れなかった。

「今朝からずっとあなたを探していたんですよ。さあ、待たせないでください！」とブラーガが言って、彼の腕を掴んだ。

「離せ！」とフォーゲルが大声をあげ、腕を振りほどいてぷいと横を向いた。「俺は何もしちゃいない。だからあんたらに用はない！」

「あなたが何かしたなんて、誰も言っていませんよ」とゲールケが言った。その間、ブラーガは身を屈めて、フォーゲルがカウンターの椅子の背にかけてあった上着を手で探った。「証人として同行願えればいいんです。単なる証人ですよ、フォーゲルさん」

「何やってんだ、そこの？」と叫んで、ワンピースの袖をたくし上げてウォッカトニックのシミをスポンジで洗っていたタマラの方に腕を伸ばした。「もう一杯くれ！　さっきはゴメンよ、タマラ。おい、おまえ！何やってんだよ？」とブラーガを指さして言った。ブラーガはフォーゲルの隣に移動してきた。

「さあ、我々と一緒に来るんだ、フォーゲルさん、いいですね？」

「くそったれ！」

椅子からゆっくり立ち上がり、ぐらつきながら上着を取って肩にかけ、後ろから見えない縄で引っ張られるようにドアを抜けて通りに出た。

ブラーガは急いで後を追いかけた。

「この三カ月飲んでなかったのよ、あの人」とタマラが言った。「今日からまた飲み出したの。あんたたちのせいかしら？」

「私のせいじゃない」とゲールケは言って同時に店を出た。三杯のウォッカトニック代はどうせ払ってもらえないことは、タマラにはわかっていた。そこで、とりあえず景気づけに自分も一杯飲むことにした。表ではブラーガがフォーゲルをヘッドロックでおさえて、車の中に押し込んだ。車は中央駅を迂回し、南口を左に折れ、警察署の中庭で止まった。

警官は二人してフォーゲルの腕をつかみ、エレベーターに乗せ、四階の廊下を通って、これから事情聴取が行われるはずの部屋に連れて行った。淹れ立てのコーヒーがフォーゲルの前に置かれた。デスクに着いたのは、ブラーガ、ゲールケ、シュテルン、ナディーネ・バッハ、そしてカール・フンケルだ。彼は直前にラファエル失踪事件特別捜査班を新たに設置したばかりで、誰が見ても、これまでの刑事としてのキャリアで初めて、もうこれ以上は無理だという様子だった。顔の色艶が悪く、落ち着きがなく、イライラしている様子を隠すすべもない。そんな彼を、ナディーネ・バッハはこれまで一度も見たことがなかった。

「大丈夫？　何とか？」

彼はうん、と肯いてはみたが、鉛筆を指のあいだで激しく回しすぎて、鉛筆がすりぬけて床に落ちてしまった。拾い上げようとして体を屈めたとき、デスクの端に頭を打った。痛そうに苦笑いをした彼に、ナディーネは、ひとこと励ましの言葉をかけようとしたが、時間がきてしまった。

「あなたに申し上げておきたいのだが」とロルフ・シュテルンが、トーマス・フォーゲルの充血した目を見て言った。「あなたにはここに、犯罪事件の証人として来てもらっています。容疑者というわけではありません。違いはわかりますね？」

フォーゲルはため息をひとつついた。アルコール臭い息がデスク越しに、否応なく流れてきた。

「いずれにしろ、もちろん真実を述べる義務はあります。おわかりですね、フォーゲルさん？」

「俺は何にも知らねえよ。わかったか？　あの二人が、嫌だという俺をここに引っ張ってきたんだ。後で泣きを見るからな、覚えとけ！　新聞に暴露してやる。そしたらどうなるか、楽しみだぜ、ヘッ！」

「フォーゲルさん、フランク・オーバーフェルナーという男をご存知ですか？」

うなだれて、唸り声をあげていたが、突然顔を上げて前を見た。ガラスのような目をぐるぐる回してから、肯いた。「俺の息子を誘拐した豚野郎だ！　知ってるさ、あの豚野郎。あいつが息子を誘拐したんだ。自業自得だ……」

「どういう意味ですか、自業自得とは？」とシュテルンが訊いた。今回の聴取には例外的にマイクは二台置くことにした。一台は酔ったトーマス・フォーゲルの目の前、もう一台はシュテルンとフンケルの近くだ。

そうやって再生時に質問と答えをはっきりと聞き分けるための措置だ。

「ジ・ゴ・ウ・ジ・ト・ク」とフォーゲルが言い、スエードのジャケットのポケットに両手を突っ込んだ。

「オーバーフェルナー氏を個人的にご存知ですか？」

「何か飲み物をくれ、すぐに！　でないと弁護士を呼ぶぞ。これは不法だよ、あんたらがここでやってることは、法律違反だ！」両手をポケットに突っ込んだまま腕をふりまわして、上体を激しく前後に動かした。

「コーヒーをお飲みなさい」とフンケルが言った。酔いが回ったこの男にまともな証言能力があるかどうか、と思うと、よけいに額に汗が滲んでくる。二時間半ほど前から、報道官のフーゴ・バウムからしきりに催促が来ている。記者たちが、ラファエル・ヴォーゲルがまたいなくなったのは本当か、もし本当なら、どうしてそんなことが起こり得たのか、知りたがっている、と。もっともな質問だ。どうして起こりえたのか？　そして彼は何をなすべきか？　家出した子供たちで自殺の恐れがある者については、まず、公開捜査は行わない。子供を追いつめないためであり、一般市民に呼びかけると、不安に駆られて突発的に自殺してしまうことがあり得るからだ。このやりかたは功を奏してきた。九割がたは自分から帰ってくるか、警察によって発見されてきた。不安と孤独に襲われながらも、ともかく生きて帰ってくる。

だが、ラファエル・フォーゲルの事件では、どのやり方をとるべきか？　記者たちに報道しないように頼むか？　頼んでも無理だろう。ほかの事件ではそういうこともあるにはあったが。しかし、ラファエルの場合は、すでに一度いなくなっているし、ある新聞が書いたように、ズューデンという見者の助けがなければ見つからなかったかもしれないのだ。こんなケースで、記者たちが箝口令に従うとはとても思えない。ただでさえ警察の能力を全面的に疑ってかかっており、この事件は彼らにとって、見逃すにはあまりにもセンセーショナルなものになってしまっていた。

そんなときに、よりによって、ラファエルが庇護を求めた男を、そしてラファエルを誘拐したとされている男を、ラファエルの父親が刺したなんてことが明るみに出れば、どんな騒ぎになるか、火を見るよりも明らかだ。さらに、レポーターや心理学者や児童保護連盟の会員たちの中にも、少年の証言内容の信ぴょう性に疑いを持っている者が少なからずいて、彼らは警察による事件終結宣言が早すぎたと思っているのだ。

何てことだ、やれやれ……フンケルはその間、手元の紙切れに急カーブのグラフを書きなぐっていたことに気づいた。心電図モニターに映った不整脈のような線を。

「私の質問がわからないのですか？」とシュテルンが言った。

「なに？」とフォーゲルが言った。

「フランク・オーバーフェルナーと個人的に知り合いですか、と訊いているんです」

「知るもんか、あんな豚野郎」

「あなたをですね、今朝、フランク・オーバーフェルナーの部屋の前で見た人がいるんですよ、あなたをです、フォーゲルさん！」事情聴取の早い段階で、こういうある種決定的なコメントをするのは、確かに聴取のやり方としてはあまり褒められたものでないことは、シュテルン自身にもわかってはいるのだ。しかし、目の前の酔っ払いの乱暴なセリフにこれ以上付き合うつもりはないし、同僚であり友人でもあるフンケルが、かなりのプレッシャーにさらされていることもはっきり見て取れる。

「クソ喰らえ！」とフォーゲルが言った。

「クソなんか喰らっている場合ではないんです！」とシュテルンが言った。「あなたは今朝フランク・オーバーフェルナーのところにいましたね。彼を訪ねていったでしょ。彼に何の用があって行ったのですか？」

「もう一度言うから、書き留めるんだ。俺はあんな奴は知らない！　新聞で知っただけだ。さあ、弁護士を呼んでくれ！」

「弁護士はいりませんよ」とシュテルンが言った。「証人としてここにいるんですから」

「何の証人だ？」とフォーゲルは声を荒げて、椅子の背に体をあずけた。

「まあ、コーヒーを飲んで、フォーゲルさん！」とフンケルがもう一度言った。

「コーヒーは飲まねえ。お前らデカのもんなら、なおさらだ。もう帰らせてもらう」そう言って立ち上がり、踵を椅子にぶつけてドアの方に向かった。ヨーゼフ・ブラーガが彼の上着をつかんで元の位置に戻した。フォーゲルは椅子にドスンと腰を下して、自分の顔を見ている警官を無表情に凝視した。

「逃げるんじゃない、フォーゲル！」とブラーガが言った。そのとき、相棒のゲールケはニヤッと笑うのをこらえきれなかった。「貴重な日曜の午前の時間を、お前みたいな救いようのないろくでなしのために台無しにしたくない。せっかく捕まえたお前を、おめおめと逃がすもんか。わかったか！」

ブラーガが彼をお前呼ばわりした部分は、録音テープの編集段階で、敬称に替えておいた方がよい。フンケルは内心強くそう思った。

「離せ！」とフォーゲルが言い、ブラーガの腕から逃れようともがいた。怒り散らしながら、体をバタバタさせたので、思わずブラーガは手を離して、すんでのところで椅子もろともひっくり返りそうになった。

「こん畜生！」

「つまり、あなたは今朝フランク・オーバーフェルナーのところにはいかなかった」とシュテルンが言った。

フォーゲルは反応しなかった。左足でギッコンバッタンしながら床を睨んだ。

シュテルンは立ち上がってドアを開けた。「こちらへどうぞ！」と廊下の方に向かって言った。そこに立ったまま、大柄で黒い幅広のマントをまとった女性を招き入れた。頭には黒の鍔広の帽子をのせ、黒いマスカラと黒いアイシャドーを塗っていた。

「こちらはオーダ・ホットロップさんです。オーバーフェルナー氏のお隣の方です」とシュテルンが言った。オーダは会釈した。フォーゲルは口をあんぐりさせて彼女を見つめた。

「このご婦人をご存知ですか？」とシュテルンが訊いた。

「全然」とフォーゲルが言った。

「ホットロップさん、あなたはどうですか？　この男性を見たことは？」

「今朝、私たちのアパートメントで見かけましたよ。逃げていくところを……」

「バカ言え！」とフォーゲルが唸った。

「そんな言い方、私に向かってそんなこと言う権利ないでしょ、あなた、……この人殺し！　あなたがオーバーフェルナーさんを殺したのよ、あなたが……」

「ホットロップさん」とシュテルンが言った。この大柄な女性の隣に立っていると、自分が何だか見えない存在になってしまったような気がした。「確かですか、あなたがお宅から見たのがこの男だったというのは？

彼の顔をちゃんと見てください」

婦人はその場から動かなかった。独特の匂いが彼女の体から流れ出ていた。おそらく、そのマントの匂いだろう、とナディーネ・バッハは推測した。オーダの登場する姿にその場にいた警官たちは少なからず驚いたが、彼女も例外ではなかった。「この男です。間違いありませんわ。この男以外に誰が……」

「ちょっと、お母さんよ！」とフォーゲルが喚いた。「どこからこんなもん連れてきたんだよ？『モンスター・ファミリー』（米人気テレビシリーズ）からじゃないのか？」嫌味たっぷりに口を曲げながら、ふたたび椅子に体をあずけて、両脚を前に伸ばした。「俺の靴でも磨きな。それが終わったら失せろ！」

「あなたを訴えてやる。あなた、あなたがオーバーフェルナーさんを刺したんです。この目で確かに見たんですもの……」

「いい加減にしろ！」彼は椅子から飛び上がって、彼女に飛びかかった。ロルフ・シュテルンにとって幸いなことに、アルコールのせいで、フォーゲルはまともに動けなかったので、すぐに彼を掴まえることができた。ふたたびブラーガが助っ人にやってきて、フォーゲルの肩をつかんで、椅子に押し込み、ひっくり返らないようにと、その体を抑えたままにした。

「どうも」とシュテルンがオーダ・ホットロップに謝った。

「こんな男、怖くなんかないわ」と彼女は言い、廊下に出た。「まだ何かお訊きになりたいこと、ありまして？　刑事さん」

「今のところはありません。わざわざお越しいただいて、ありがとうございます。部下にお宅まで車で送らせますので」

「結構です。自分の車で帰りますから」

「そうですか、では」とシュテルンは言って、取調室に戻り、ドアを閉じた。ブラーガはフォーゲルから手を離して、彼の後ろに立っていた。

「あなたは今朝、フランク・オーバーフェルナーのアパートに行きましたね」とシュテルンが言って、腰を下ろした。

「そうだよ、それがどうした？」とフォーゲルが言った。

「何の用で行ったのですか？」

「あんたに関係ないだろ？」

「たぶん弁護士を呼んだほうがいいでしょう、フォーゲルさん」とシュテルンが言った。「これからあなたは証人ではなく、容疑者だ、ということです。あなたには弁護士を呼ぶ権利があります。黙秘権もあります。わかりますね？」

「耳は聞こえてるよ」その表情から、彼の中で何かがしきりに動いているのが見てとれた。脳の中の霧がしだいに晴れてきたようだ。カール・フンケルはその変化を、淡い期待とともに認めた。

「それから、容疑の対象は……」シュテルンはひと呼吸おいたが、フォーゲルは静かに聞いていた。親指の爪で歯茎を掻きながら、必死に考えを巡らせている様子だ。「あなたの容疑は、庭師フランク・オーバーフェルナーを今朝五時から七時の間に刺し殺したことだ。何か言うことは？」

フォーゲルはガバと頭を上げて言った。「当たり前だろ！　奴が死んだかどうか、俺の知ったことじゃねえ。奴は俺の息子を虐待したんだ。それにあんたら、警察は知らんぷりを決め込んだ。誘拐犯の捜査がめちゃくちゃで、俺の息子を早く見つけられなかった。あのオーバーフェルナーに息子が虐待されたり、殴られたり、監禁されたりしたことを、俺のラファエルがだよ、それをあんたらは認めようとしなかった。もし自分で逃げ出さなかったら、俺のラファエルはきっと今ごろ死んじまってたぜ。あんたらにそれを防ぐことができたとでも思うのか？　できたはずないんだ。くそったれ！」彼は激しく咳をして、息を深く吸い込み、前かがみになって再び激しく咳をした。シュテルンは、フォーゲルがあやうくその場で嘔吐するのではないかと思った。

「フランク・オーバーフェルナーを刺し殺しましたか？」とシュテルンが訊いた。

フォーゲルは苦笑いをしながら肯いた。にやっと笑って、肯いた。唇を舐めながら両脚を広げて、ナディーネ・バッハの顔を、ある表情を浮かべてじっと見た。彼女はいまだかつてこのかた、男性のこんな表情にお目にかかったことがなかった。南極にもし顔というものがあるとしたら、こういう顔かもしれない、と彼女は想像した。

「あなたは、フランク・オーバーフェルナー氏を刺し殺しましたか、フォーゲルさん？」とシュテルンが繰り返した。

フォーゲルは黙ったままだ。警官たちは彼をじっと見た。フンケルは左腕を膝の上に置いて、そっと時計を見た。一三時二三分。

「電話をしたい」とフォーゲルが言った。

「誰に？」とシュテルンが訊いた。

「俺の息子にだ。何してるか、知りたいんだよ」

シュテルンとフンケルは互いに視線を投げかけた。

「息子さんはどこに？」とフンケルが訊いた。

「どこにいるって？　家に決まってるだろ！　息子には言ってある。家にいるように、ってな」

「どうして？」

「俺があいつの父親だからだよ。それに、あの子は俺の言うことを聞く。だから、電話はどこだ？」

「先に弁護士に電話するんじゃないんですか？」とシュテルンが訊いた。

「息子が先だ。弁護士はそれからでいい。俺に弁護士なんかいないとでも思ってるのか？　弁護士はいるさ。びっくりするなよ！　電話はどこだ？」

電話は出窓に置いてある。ナディーネ・バッハは後ろを振り返って、手を上に伸ばし、フォーゲルに受話器を渡した。

彼は受話器を取って、「そこで何してるんだよ、お前ら。俺は一人で電話したいんだよ！」と喚いた。

「それはダメだ」とシュテルンが言った。

「面倒なことになるぜ、ドクター先生よ！」とフォーゲルが言って、中指で妻の電話番号を押した。


そのフェルトはラファエルの匂いがした。彼女はそれを胸に押し付けた。ああよかった。ホッとしたその気分も一瞬の間だけだが。そのとき外からの冷たい風に彼女は打ち震え、泣きべそをかきそうになった。少なくともこのシェリフがそばにいて自分をこの男とこの女から守ってくれている。男と女は、いくら頼んでも、五〇回も、それ以上も、出て行ってくれと頼んでも、この部屋に居座ったままだ。なんて図々しい人たちだろう。目の前が曇っていて二人の顔がよく見えない。さっき引き出しで見つけた鎮痛剤が効いてきたのだ。ああ、よかった、と彼女はぼんやりと思った。いい気分。墓場で、この薬の入った筒型の小さな薬入れをこの女性警官から取り上げられたのだった。なんて酷い仕打ち。それに、あろうことかその女がこの部屋にいるのだ。午前中ずっと。そのまま居座っている。

出て行こうとしない……

「フォーゲルさん、紅茶でもお入れしましょうか？」

子供用ベッドの前の椅子に座ったソーニャ・ファイヤーアーベントが訊いた。ベッドにはキルステン・フォーゲルが、ラファエルのエルク（ヘラジカ）の縫いぐるみを抱いてうずくまっている。シャギー・カットのこげ茶色の髪で、布でできた角が根生姜みたいな、大きな縫いぐるみだ。エルクは、ラファエルが小さいころ、大好きだった動物だ。他の警官たちが引き上げた後、居残ったソーニャ・ファイヤーアーベントとタボール・ズューデンに、彼女はそう話して聞かせた。ズューデンは窓辺に立ったまま、終わることのない沈黙に耐えていた。

「お茶を入れますわ」とソーニャが言った。

「いえ、結構」とキルステンが小声で言って、彼女のシェリフであるエルクを、震える自分の体に強く抱きしめた。彼女は色あせた黄色のレギンスを履き、スヌーピーがプリントされたトレーナーを着ていた。夫に襲われて殴られたときに身につけていたものだ。そのことはすっかり忘れていたのに、今ふと思い出した。なぜ思い出したのだろう。あのおぞましい場面が眼前に再現されるのが辛かった。

　明るい色の円環状の照明が、シュワルツェネッガーのポスターの上を、煌々と照している。そのとき、自分を一人にしてくれそうもない二人が誰なのか、ようやく気づいた。

「ラファエルはどこにいるんです？」と彼女が訊いたとき、ズューデンは彼女の方に身を屈めて言った。

「捜索に協力してください」これが二回目だった。そして彼女は、一回目と同じように相手の顔をただじっと見つめるだけだった。「そばに行っても構いませんか？　お隣に」

　答えはなかった。ただ、これまでは訊かれても首を振るだけだった彼女は、ハンス・ガルボが、約束したのに今日は訪ねてこなかったと、自分から言い出したのだ。それから、ラファエルがいなくなったと、今さらのように口にした。

　キルステンの胃液を取り出すために、彼女を病院に運ぶべきかどうか、二人は考えたのだが、電話で助言を求めた医師は、その必要はなく二、三時間もすれば鎮痛剤の効果も落ち着いてくるだろう、という意見だった。何時間ですって？　キルステンはアパート中を気だるそうにふらつきながら廊下に歩いて行って、棚からこの古いエルクを取り出し、それにキスをしてから、ラファエルのベッドにそれを抱えて座った。孤独で頼りなげな子供のように両脚を曲げて。彼女もまた孤独だった。ひとりぼっちだった。ソーニャ・ファイヤーアーベントは、彼女の姿を見るたびに、この女が置かれた環境の酷さに胸が痛み、怒りがこみあげてくるのだった。ひ弱い上にお金もなく、自分と子供への責任を果たすべき夫が不在であるために、彼女はこの惨状から抜け出ることができないのだ。

　ソーニャはタボール・ズューデンに顎で合図をして、キッチンに入って行った。紅茶を入れるためではない。新たな勇気をかき集めるためだ。しかし、どうすればそれができるのか、わからなかった。

　用心しながらズューデンは、キルステンの隣にそっと座り、彼女の様子を眺めた。そのとき初めて彼女は、彼から目をそらさなかった。

「緑の目をしてるのね、あなた」と彼女はかすかに聞こえる程度に言った。「あの人と同じ」とソーニャのことを言った。

「我々は警察官なんですよ」と彼が言った。

「でも緑の制服は着ていないのね」と彼女が言って、エルクを強く抱きしめた。

「ええ」とズューデンが言った。「あまり見栄えがしないと思うので」

「制服を着たこと、ないんですか？」

「いやありますよ、警官になりたてのころはね。パトロールに出るときなんか。そのときはもちろん制服でした。でも、もう着ないですむようになったときは、嬉しかったです」

「制服はお嫌い？」

「ええ」

「あたしも」

　二人は見つめ合った。そして彼は、広げた手をベッドに置いた。

「あなた、お名前は？」と彼女が訊いた。名前を忘れてしまったのだ。

「タボール・ズューデン」

「ズューデン……」と彼女は言って、面白がる様子で、「ふーん……《南》」と言った。唇をぎゅっと締めた。「あたしもズューデンって名前がいいな。いつもあったかくしていられるじゃない」

彼はエルクの縫いぐるみを、何の抵抗もしない彼女の手から引き取り、ベッドの端に置いて、自分の両腕を広げた。どうしたのかと訝しげな表情で彼を見つめる彼女を前に、彼は何もしなかった。ただ両腕を広げてそこに座っていた。彼女は震えながら五本の指で左手の内側を掻いている。そして再び彼の顔を見つめた。彼は変わらぬ姿勢で、両腕を大きく開いて座っている。一言も喋らず、何もせず、じっと座り、じっとこちらを見つめている。

それから、彼女はどっと崩折れた。

体が自然に左に傾いて、彼の腕の中に倒れ落ちた。そして彼女の目から涙が滝のように溢れ出た。彼女は露わな震える岩だった。冷たく、荒涼としたこの部屋、子供のいないこの部屋の中で、拠り所をなくした一つの岩であった。ズューデンは彼女を抱きよせ、背中をさすった。

力強く暖かいこの男の体が、まるで磁石のように、悲しみを自分の中から取り出してくれるかのように、彼女には感じられた。最初にラファエルがいなくなったとき、一人にされてしまったあたしは、この行き場のない愛情と二人きりで過ごしてきた。そんなどうしようもなく麻痺してしまった状態から動けなくなった自分を、この男が解き放ってくれたような気がした。

「あたし……あの、あなたに話しておかないといけないと思って……」と彼女は囁いた。しゃくりあげながら顔を彼の首にうずめた。

ソーニャが引き返してきてベッドの前に膝をついた。キルステンが差しのべた冷たい手を握った。

「あたし……あたし、あの子を救けてあげられなかった……」しばらく声を出さずに泣いた。それからズューデンの髪を撫でながら頭を持ち上げた。泣きはらしたその顔を見て、ソーニャはゾッとした。仕事あるいはプライベートを問わず、これまで出会った女性は数知れない。しかし、キルステン・フォーゲルは、例のタイプの女性の一人であることは間違いない。惚れた男に騙されたあげくに逃げられても、絶望しながらなお男が忘れられない。男がそばにいることに意味がある、たとえそれが馬鹿げた意味でも、幸せになれるかもしれないから。そんな女の一人なのだ。

「誰のことを救けられなかったのですか?」とソーニャ・ファイヤーアーベントが訊いたとき、キルステンは手を引っ込めて少し後ずさった。ズューデンのシャツは湿っていて、髪の毛はびっしょり濡れていた。彼はキルステンの背中をさすりながら、ニッコリと笑いかけた。男にそういうふうに笑いかけられれば、彼女は嬉しくなる。彼女の方からも笑い返した。ほんの短く、だが見逃しようもなく。

「夫は」と彼女は言った。その声は少し大きくなっていた。「ラファエルを殴ったんです。あの子を救けてあげられなかった。持ってきたあの棒で、あの人に殺されるのではないかと、怖くて仕方がなかったんです。あの……トランクに入れて……」

「それはいつのこと？」とソーニャが訊いた。

「それは……ラファエルが帰ってきたとき、あなたたちがあの子を連れ戻してくれた、あの夜。そう、あの夜に主人がやってきて、あの子を殴ったんです。あの子のベッドで彼は息子を殴った……」手の内側を掻きながら、キルステンは膝をぎゅっと締めた。「ラファエルは血を出して……それから…それから、泣き喚いた。あの子は負けん気が強い子なのに、あたしはとても臆病で。ナイフを持ってきてトーマスを刺していればよかった。そうするべきだったけど、あたし、あまりに怖くて動けなかった。怖くて固まってしまって。ラファエルはもう帰って来ないわ。そりゃそうでしょうよ。あんなに怖くて乱暴な父親とこんなに臆病な母親のもとに、誰が帰るものですか。そうに違いないわ……」

「あなた、臆病なんかじゃないわ、キルステンさん」とソーニャ・ファイヤーアーベントが言った。

「さん付けはやめて。キルステン、と呼び捨てでいいのよ。その方があたしも気が楽だわ」とキルステンが囁いた。

「いいわ、キルステン。ソーニャよ」

「よろしく、ソーニャ」と彼女は素早く言った。

「ラファエルは重症だった？　病院には連れて行ったの？」

「いいえ。あたし、医者には行かないの。あたしのことをどう思われるかわからないし。あの子の傷はあたしが手当てをして、治してあげたわ。だから……」彼女はズューデンを見つめて、すぐにまた目をそらした。

「だから、あなたたちを中に入れたくなかったのよ。ラファエルがあんなに怪我をしているのを見られたらと思うと」

「残念だけど、そういうことですね」とズューデンが言った。「ご主人はラファエルをそのあともう一度殴りましたか？」

彼女は首を横に振った。

「ここに帰ってきたことは？」

彼女は肯いた。「毎日やってきました。ラファエルはベッドに横になっていて……」

「どうして私たちに連絡しなかったの？」とソーニャが言ったが、キルステンは肩をすくめるだけだった。

「どうして……それでどうにかなったとでも？　あたしの家族のことだし、警察なんかに用はないわ、自分でできる、自分で何とかするわ！」

「でも、ラファエルはまた良くなったんですね」とズューデンが言った。

「ええ。二、三日前から起き出して、歩いたりもしました。楽しそうでした。私もとても安心しました。一緒にテレビゲームをしたり。それで、パパが様子を見にやって来ると、あの子も喜んでいました。二人でテレビゲームなんかもやって、楽しんでいました。父と子がそろってテレビの前に座ってる。素敵だった。あたしは食事を作ったけど、トーマスは何か急いでやらないといけないことがあると言って、出て行ったわ。仕方がないから、ラファエルと二人でパスタを食べたの。二人だけで。ハンスはいなかった。トラックの運転で。あたしたち、たった二人の食事」

話すのをやめて壁のほうへ目をやり、両手を組み合わせた。

電話が鳴った。しかしキルステンに驚きの表情はなかった。ベッドに座ったまま、目の前の白い壁に祈っていた。

「もしもし」とソーニャ・ファイヤーアーベントが受話器に向かって言った。

「息子と代わってくれ。早く！」

「フォーゲルさん？　どこからかけているんですか？」

「お前は誰だ？　俺のアパートで何してるんだ？　失せろ！」

「主任警部ソーニャ・ファイヤーアーベントです。今どちらですか？　フォーゲルさん」

「あんたの仲間のところだよ、お嬢さんよ。だから早く俺の女房と代われ！」

「ダメです」とソーニャが言った。

「それじゃ息子だ！」

「あなたの息子さんはここにはいません、フォーゲルさん。どこにいるか、知らないのですか？」

「あんた気は確かか？　そこで何してるんだ？　俺のアパートで。さあ、俺の息子を出すんだ……」

「ラファエルはここにはいないんですよ、フォーゲルさん。たぶん、あなたが息子さんを半殺しにしたので、逃げ出したんですよ」

「あんた頭は大丈夫か？　誰が言ったんだ、そんなこと？　キルステンを出してくれ、早く！　おい、何すんだよ？」

「ソーニャか？」とロルフ・シュテルンがフォーゲルの手から受話器を取って言った。「私だ。何かわかったか？」

「ええ」とソーニャが言った。「でも、それで少年が早く見つかるかどうか、それはわからないけれど。そちらは？　フォーゲルは吐いたの？」

「いや」とシュテルンが言った。「ともかく、相手の男が死んで、喜んではいるよ」

「彼をぶち込んでちょうだい。どんな方法を使ってでも」とソーニャ・ファイヤーアーベントは言った。


車の後部座席から、彼は広場を眺めた。タクシーが何台か停まっていて、若者たちが袋いっぱいのフライド・ポテトを手に持ってぶらついていた。そのうしろには石で囲った出入口があり、通り抜けはできなかった。彼らはわざわざ迂回路を走らねばならなかった。

彼は腹が減っていた。猛烈な空腹に加えて、寒くて仕方なかった。一時間前から車内に座りっきりで、車外に出ることは許されなかった。ドアの鍵はかかっていなかったが、グストルは外に出ることを禁じた。彼はグストルが怖かった。だが、行きたいところへ連れて行ってくれるのは、グストルだけだ。目的の場所に着きさえすれば、どのみち逃げ出すつもりだし、グストルともさよならだ。本当のことは言ってないし、グストルには関係のないことだ。自分だけ、僕の命にだけ関わることだ。僕の命をどうしようと、それは僕の問題だ。

彼は再びリアガラスから外を覗いた。軽食堂から肉を挟んだパンを手に出てくる人々が見える。ミュンヘンにもこういうのがあった。ドネル・ケバブって言うんだ。友達のアラースが一度そんな店につれて行ってくれたことがある。ドネル・ケバブをご馳走してくれた。白ソースをズボンにこぼしてしまって、ママに叱られたっけ。アラースは、パンに何が入っているか説明してくれたけど、それが何だったのか、もう忘れてしまった。二人がいたのは中央駅側の店だった。トルコ人の客ばかりで、お茶を飲んで、大きな声で話してた。あんな光景を見たのは、初めてだった。アラースはお金なんか払わなかった。おじさんのお店だったからだ。ラファエルはお返しのつもりで、アラースを地下室の大鉄道ジオラマに連れて行ってあげた。おじいちゃんと自分以外は、誰も入っちゃいけないところだったけど。ラファエルがドネルのお店で驚いたように、アラースもジオラマにものすごく感激していた。これでおあいこというわけだ。

車のドアがガバと開き、美味しそうな香りが車内に入ってきた。

「ごめんよ、待たせたな。ほら、これを食べな」

アウグスト・アンツはラファエルに、紙で包んだドネル・ケバブを渡した。少年はそれを両手で受け取った。

「さあて、アブラカダブラ!」片方の手でアンツは、大皿に載せたフライド・ポテトを取り出した。「ケチャップはなしだ。あれは体に良くない。砂糖がいっぱい入っているからな」

自分用にも彼はドネル・ケバブを一つ買ってきていて、ドアを閉めながら、もう片方の手に危なっかしそうに抱えていた。

ラファエルは後部座席に座って、パンに挟んだ肉を指でほじくり出した。

「新しい車が手に入るぞ、ラファエル。こんなオンボロよりはるかにいい車だ。それで先へ進もう。どうだ、ええ?」

返事がないのでルームミラーを見た。ラファエルは目をそらした。

「嬉しくないのか?」と彼は訊いた。

「嬉しいよ」とラファエルは言って、グストルが差し出したお皿のフライド・ポテトを一本取った。「もっと食べろよ、取れるだけ取れよ」

「いいよ、ありがとう」とラファエルが言った。

「こんなに時間がかかっちまって、本当にごめんよ」とグストルが言った。「誰にも見つからないように用心しなきゃならなかった。俺もお前もな。油断できないんだ。だから用心してるのさ、俺の言ってること信

「約束だよ！」

「わかった、約束だ」


じるだろ？」

「わかんない」とラファエルは言って、紙包みから中身がこぼれ落ちないように気をつけた。しかし、ドネル・ケバブにソースは入っていなかった。

「いいドライブだったろう、ええ？　五時間も音楽を聴きながらガラガラに空いたアウトバーンだぞ。すげえよな、違うか？」

　ラファエルは黙ったままだ。二人は黙って食べ続けた。

　路面電車が前を通りすぎた。毛むくじゃらの大柄な犬を連れた若者たちが通行人に物乞いをしている。そして通りの上を新聞紙が風に吹かれて飛び散っていく。

「そろそろ行くの？」とラファエルが訊いて、食べ残した半分のドネル・ケバブを前に差し出した。

「もういらないのか？」

　ラファエルは首を横に振った。「すぐに行くの？」

「いや、まだ待たないとな」

「どうして？」とグストルを怒った表情で睨んだ。

「夜にならないと車が手に入らないんだよ。それまではダメなんだ。新しいのを手に入れるのだって、一苦労だったんだぜ。夜になったら出発だ。約束だ」

15 ズューデン《南》、ノルデン《北》へ行く

日曜日はどのニュースも、九歳の少年ラファエル・フォーゲル、再び失踪——しかも三週間のうちに——で持ちきりであった。しかも、今回は自殺の可能性があるかもしれないという見解が、警察からの発表として取りざたされた。合わせて、殺害された墓地の庭師フランク・オーバーフェルナーの事件についても詳細な報道があり、依然として少年の失踪との関わりが疑われており、彼を刺し殺した犯人が少年の父親である可能性が出てきたという。往年のオペラ歌手オーダ・ホットロップが記者に語ったところによれば、この日は祟《たた》りのある日であり、土星と金星が忌まわしい位置関係を示していて、それは特定の人間に良くない、それこそ破滅的な影響を及ぼすという。ちなみに、彼女はオーバーフェルナーとは旧知の仲であり、彼が少年誘拐犯だなどというのは、とんでもない間違いで、常日頃から彼は近隣の子供たちには親切で優しい人間であったと言っている。反対に、トーマス・フォーゲルについては、邪悪な人間であり、極めて危険で、人殺しの面相をしている、と言った。

ソーニャ・ファイヤーアーベントはカーラジオを消して信号の手前で停車した。

「どうかしたの?」と彼女が訊いた。

タボール・ズューデンは後部座席に座っていた。誰かと同乗中に話しかけられたくないときは、たいていそうしていた。二人がパージングにあるキルステン・フォーゲルのアパートを後にしてからずっと、彼は黙って窓の外を眺めていた。

まもなく警察署の中庭に停車して、正面玄関のドアに向かっているとき、彼女はズューデンの手を取った。なぜそうしたのか、自分でもわからなかったのだが。

階段室でフォルカー・トーンとすれちがった。あるファイルをカール・フンケルに届けるところだった。シルクのネッカチーフが、糊の効いたシャツの襟から控えめにはみ出ていた。

「ずいぶん待たせるもんだな!」とトーンが言った。「すぐに君たちと話をしたい。ファイルを全部もう一度チェックする必要がある。どこかに、少年の居場所についてのヒントがあるはずだ。ところで、アウグスト・アンツ、奴も消えた。とにかく家にはいない。誰

も彼を見たものはいない。車もなくなっている」

「二人は一緒だ」とズューデンが言った。

「一緒だと?」とトーンが言った。「アンツとラファエルが? そういう手がかりはないぞ。そうじゃなくて、おそらく奴は友人のオーバーフェルナーの死となんらかの関わりがあって、それで姿を消したんだ。ひょっとしたら奴は、どこかで呑んだくれているだけかもしれん。サンデー・ブランチとかで……」

「私は、アンツとラファエルは一緒だと確信している」とズューデンが言った。

「二度も続けてか? バカな! 少年があいつに何の用があるんだ? 自殺するつもりだというのがもし本当だとしたら、奴の役回りはなんだね? 勝手な憶測はやめるんだな、タボール。そうやってかき回すのはやめてくれ。五分後に会おう」

トーンはふたりの脇を通って上の階へ急いだ。

ソーニャはズューデンを見た、何が言いたいのだと問いたげに。彼は眉を上げた。

「二人が一緒だって、どういうこと?」二人のそばを、ニンニクの匂いをさせながら急いですれ違って行った同僚に会釈しながら、彼女がそう訊いた。

「あの男がそばにいるかぎり、ラファエルが自殺することはないよ」とズューデンが言いながら、革のジャケットのファスナーを引っ張り上げた。そのときソーニャは、細い皮紐にぶらさがった鷲のマーク付きのお守りを見た。彼の毛深い胸に現れた小さなものを見て、彼女ははるか遠くの別のところへ思いをはせた。

「なぜ、どうして?」と訊きながら、コートのボタンを閉めた。

「アンツなら、きっと止めてくれると思っているから。実際、あの男ならそうするだろう。まあ、これも推測に過ぎないが」

取調室の中から大きな声が聞こえてきた。誰かがデスクをガンガン叩いている。取り調べは白熱しているようだ。ズューデンはドアを開けた。部屋の空気はこもっていて窓ガラスは曇っていた。トーマス・フォーゲルが拳でデスクを叩いてロルフ・シュテルンに噛みついていた。シュテルンはじっと聴いている。ブラーガとゲールケのほかに部屋にはもう一人の男性がいる。カール・フンケルとナディーネ・バッハはもういなかった。ズューデンとソーニャ・ファイヤーアーベントが中に入ってくると、皆は挨拶がわりに肯いた。

「俺に罪をおっかぶせようったって、ダメだぜ。誰にもそんなことはさせない。絶対に！」

「やあ、どうも」とタボール・ズューデンが言った。

　フォーゲルは声の主を見て、再び拳を上げた。

「それだけじゃない……」と彼は始めた。

「こんにちは」と安物のスーツを着てフォーゲルの隣に立っていた、警官ではない男が言った。「弁護士のフラチェクです。フォーゲルさんの弁護を頼まれています」

「タボール・ズューデン主任警部です」

「同じく主任警部ソーニャ・ファイヤーアーベントです」

　その名前を聞いてフォーゲルはハッとした。ソーニャの方を振り向き、いまいましげに口をひん曲げた。

「またあんたか！　いいか、今度は気をつけろ……」

「そういう言い方はやめるように、あなたの依頼人に言ってくださいませんか」とソーニャ・ファイヤーアーベントは言った。

「いいか、おい……」とフォーゲルが言った。「お前が俺の女房にしたことはなあ……」

「ちょっと、トーマス。やめるんだ！」とフラチェクが言った。「とりあえず事件をここで片付けようじゃないか」

「くそくらえ！」フォーゲルは人差し指で女刑事を指差した。突然彼女はむしょうに目の前のこの男を、ぶん殴ってやりたくなった。顔面に一発。二つの目が、まるでクズでも見るように自分を睨んでいる、その顔の真ん中をガツンと。とにかくこいつをぶん殴って、後ろを振り向き、この場を去る。後ろでまた喚いたら、もう一度振り向いて近づき、もう一発喰らわす。そして再び立ち去る。こっちが言うことを彼が飲み込むまで、何度でも殴ってやりたい。ソーニャはそう切望した。

　荒々しい動作で彼女はショルダーバッグを肩から外して壁に掛けた。もう一言しゃべったら女房にも子供にも手を触れさせないから……。任務中に自分が抑えられなくなるのは滅多にないことなのだが、今は寸前のところだ。何かで気を紛らわす必要がある。

「水を一杯もらえるかしら？」と彼女は訊いた。

「何杯でもどうぞ」とブラーガが優しく言って、新しいミネラルウォーターのボトルを開け、グラスに水を注いで彼女に差し出した。彼女は一気にそれを飲み干し、彼は再び水を注いでやった。

「ありがとう」と彼女は言った。

「刑事さん」とフラチェクがシュテルンに向かって言った。「私の依頼人は、一体どんな罪に問われているのか、言ってくれませんか。できればこの場で誤解を解くので、終わりにしませんか」

「あなたの依頼人には、フランク・オーバーフェルナー殺害の容疑がかかっています。私が言っていることが聞こえないのですか?」とシュテルンが言った。

「俺は何にも関係ないよ、先生」とフォーゲルが言った。「俺の言うことを聴きな、いいか？　もう一度言うが、ゆっくり言うから……」彼はデスクに置いてあるマイクを手に取り、手元に近づけてデスクの端まで持っていった。「俺・は、こ・ん・な・ク・ソ・野・郎・な・ん・か・殺・し・ち・ゃ・い・ね・え……」

「彼のアパートにいたじゃないですか、フォーゲルさん。この場で嘘をついてはいけない！」とシュテルンが言った。

　フォーゲルはすぐにもそれに反応しようとしたが、いったん考え直して、タボール・ズューデンの方を振り向いた。「おい、あんた、椅子を探してきて座ったらどうだ。そこに突っ立たれたんじゃ、神経にさわる。よろしく頼むぜ」

　ズューデンは腕組みをしたままその場を動かなかった。

「俺が頼んでるんだぜ、刑事さんよ」とフォーゲルが言った。「あんたに、何てえのかその、せっつかれるようで嫌なんだよ。誤解するなよ。俺はあんたのことは知らねえ。だけどあんた、俺に何かせっつく感じなんだよ。居ごこち悪いんだよ。そういうの。こう見えても繊細なんだよ、そういうことに関しちゃ……」

「いい加減にしろ！」とシュテルンが言った。事前の知らせもなく部屋に入ってきて、今は何か不吉な秘密でも抱えて悩んでいる様子で、じっと黙ってそこに突っ立っている人間のことも、彼には気にくわなかった。だがそれは、あくまでその人間のやり方だ。各人各様と思えば文句も言えない。それに今は一刻も無駄にはできない。「さあ、どうやってあのアパートに入り込んだのか、いい加減に言ってもらおう！」

　フラチェクは、依頼人を励ますように、その肩を叩いた。依頼人であるだけでなく、フォーゲルは彼にとっては上客の一人でもあるのだ。この弁護士はいくつかのレストランや居酒屋を経営していて、そのうちの一つ『ハッピー・バー』は、フォーゲルが今日の昼に最後のウォッカトニックを飲んだ店だ。

「俺はそんな野郎は殺しちゃいない。以上！」とフォーゲルが言って、マイクを勢いよく殴った。マイクはデスクから落ちた。シュテルンは、何事もなかったかのように、マイクを拾い上げてデスクに戻した。

「しかし、あなたはあのアパートにいたんだ！」

「そうだよ、中にいたよ。なんでか教えてやろうか？」

「そうしてくれるとありがたい」

「ドアが開いてたからだよ」

ソーニャ・ファイヤーアーベントは下唇を噛んだ。それから、フォーゲルが彼女を正面から見られるように、デスクの長辺に座った。フォーゲルはいきおい彼女を睨んだ。

「どうしてドアが開いてたんだ？」とシュテルンが訊いた。

「ゴージャスだぜ、その髪型」とフォーゲルがソーニャに言った。

「どうしてドアが開いてたんだね？　フォーゲルさん」

「日曜だからだよ。神様が愛する子羊たちのところへやって来るからさ」

「お願いだ、トーマス！」とフラチェクが言った。考えてみれば、かれこれ二年か三年前になる。この男が、法律上のことで相談に乗ってくれとやってきたのは。今回も、弁護を引き受けるのは断ったのだが、トーマスはなかなか引き下がらなかった。他に知り合いの弁護士がいないということだったので、仕方なく引き受けたのだ。

「知らねえな。なんであのクソみたいなドアが開いてたのか。俺が中へ入ったら、床に、カウチの前で、あのバカが倒れてた。血だらけで、カーペットが血まみれだった。俺はドアのところまで行って、奴の様子を見たんだ。そこに倒れて、死んでたよ。それだけだ。こいつは罰を受けたんだ、そう思ったよ。それで俺は出て行った。十分かい、これで？」

「いいや」とシュテルンが言った。

「俺に言えることはこれだけだ」

「この調子で続けるつもりなら、すぐにでも逮捕状を申請すると依頼人に言ってあげてください」とシュテルンが言った。片方の目でズューデンの姿をとらえていた。何やら落ち着かない様子だ。何か言いたいことがあるなら、言えばいいじゃないか。

「刑事さんに言うんだ。アルラム通りのアパートに行く前にどこにいたんだ？」

「それが、こいつに何の関係があるんだ？　まあいいや。最初は外でぶらぶらしてたんだよ。俺の彼女の踊りを見て、そうだな、三時ごろまでかな。それからゼクト（スパークリング・ワイン）を二本空けてから、『ブルー・バー』で飲んだんだよ。その後もどっかで飲んだ。それから、あいつに一発喰らわしてやろうと思ったんだ。俺の息子を虐待した奴だ。電話帳で奴の住所を調べたんだ。それだけだ。それから奴のところへ行った」

「どうやって行ったんだ？」

「車でだよ。他にあるか？　タクシーに乗る金なんかない。失業中だからな。飲む金は置いとかなきゃな」

「目の前にミネラルウォーターとコーヒーがあるぞ」とシュテルンが言った。フォーゲルは顔を歪めた。酔いが冷めてくるにつれて、質問には過敏に反応した。

シュテルンは何百というこれまでの経験から、取り調べは十分な休憩を挟まなければ、効果を発揮しないということを知っている。これまでのところ、この取り調べはまあまあうまく行っている。酔ってはいても、フォーゲルはこちらの質問には応じている。時間を浪費するだけのバカバカしいゲームは別にして。

「つまりフランク・オーバーフェルナーは、あなたがドアが開いたままの彼のアパートメントに行ったときには、既に死んでいた、こうあなたは言いたいんだね」

「そのとおり」とフォーゲルが言った。「そういうわけさ。ドアは開いていたんじゃなくて、半開きになってたんだ。半開きだ。誰かがちゃんと閉めるのを忘れたんだよ」

「誰が？」

「犯人。だと思うよ。違うか？」弁護士の方を見た。弁護士は肯いた。なぜ、ずっと立ったままでいるのか、フラチェクは自分でもよくわからなかった。昨晩ウイスキーを飲みすぎたのかな？　まあ、裁判に勝つには少々多すぎたことは確かだ。

「それから、車でどこへ？」

「『シラー・カフェ』だ。ウォッカトニックで朝飯だ。何か文句でも？　先生」

「フランク・オーバーフェルナーの家にどうやって入ったんだね」

「ドアを開けて入ったんだよ。鍵はかかってなかった。鍵はぶっ飛んでた。やけにもてなしのいい家だよ。今度はそん中の綺麗どころに挨拶でもしに行こうかなあ」ニヤッと笑ったが、ほんの一瞬、目をつぶった。

「それで、あなたはリビングのドアのところに立っただけで、部屋には入って行かなかったんだね？」とシュテルンが訊いた。彼をますます落ち着かなくさせたのは、フォーゲルの言うことが、あながち間違ってはいないのではないかという疑念のためだ。

「言ったじゃないか！　あのクソ野郎は倒れてたんだよ。血まみれで。それでおしまいだ。一巻の終わりだよ。そのとおりなんだよ。それから俺は出て行った」

「ドアは閉めたのか？」

「何したって？」

「玄関のドアだ。出るときにそれを閉めたのかと訊いている」

「憶えてない。どっちでもいいじゃねえか！」

ドアは閉められていた。でなければ、隣の例の婦人は管理人を呼ぶ必要はなかったはずだ。

「よく考えるんだ、フォーゲルさん！」

「そうだなあ、閉めたと思うよ。無意識に。そうだよ。もう行っていいか？」

「なぜ警察に連絡しなかったんだ？」

「何でだい？　俺の問題か？」

「わかるだろ、これはあなたの問題なんだ」とシュテルンが言って、自分のグラスに水を注いだ。タバコなしでは長くもちそうにない。

「見ての通りです。私の依頼人はこの殺人とは関わりないですよ」とフラチェクが言い、フォーゲルは肯いた。

「私には見えませんね。見者ではないのでね。私は刑事でして……」

いささか笑えるセリフだし、言った本人としては、ズューデンのリアクションを期待したのだが、見たところ、そのズューデンご本人からは何の反応もなく、根が生えたようにそこに立ったまま、フォーゲルをじっと見ていた。あるいはこの男を透視していた。「ちょっと休憩しましょう。フラチェクさん、依頼人ともう一度話し合ってください。それから本当のことを聞きたいですね。何が本当に起こったのかを知りたいんです。それで、もし依頼人がこの事件と関係がないとなれば、今度は、被害者を助けなかったことについて責任を問うべきかどうかの検討に入ります……」

「おい、おい！」とフォーゲルが言って、脅すように腕を振り上げた。

「彼と話してください、フラチェクさん。これが彼にとっていかに重大なことかを話して聞かせてやっていただきたい！　あなたの依頼人にこれ以上振り回されたくないのですよ！」

「わかりました。シュテルン刑事」とフラチェクが言った。相手の名前をやっと思い出すことができてホッとした。

「一五分間の休憩だ」とシュテルンは言って、前かがみになってカセットレコーダーを止めた。

「もう一つ訊きたいのだが、フォーゲルさん」

タボール・ズューデンだった。全員の目が彼に注がれた。

「普段から奥さんに手をあげたり、九歳になる息子さんを殴りつけて、何日間もベッドから起きられないようにしたというのは、本当かね」

フォーゲルは口を半分開けたまま、ズューデンを見た。それから肩越しに後ろにいる弁護士を見た。

「こいつに俺の家族のことが何か関係あるのか、え？」

振り向きざまに、何かが起こった。トーマス・フォーゲルのみならず部屋の中の誰もが、数時間後にも、なおよく理解できないでいたことが起こったのだ。

ズューデンが、胸の前に組んでいた腕を下に降ろしてから、背中をまっすぐにして深く一息したあと、フォーゲルの両肩をつかんで、高く持ち上げた。両脚をぶらぶらさせながら、困惑した目つきでこちらを睨んでいるその目を覗き込んで、それから床にズドンと落とした。ターギングの電器店で二人の男をやっつけたときと同じやり方だ。フォーゲルは硬いリノリウムの床に尻餅をついて、二、三秒間座ったままだった。それから横に倒れて、そのまま動かなくなった。

ズューデンは両手を革のジャケットで拭ってから、そのまま無言で部屋から出て行った。

しばらくして小さくメソメソ泣く声が聞こえてきた。トーマス・フォーゲルが腕と脚を縮こめて横たわっている出窓の下の隅からだった。居合わせた者を急に現実に引き戻す声だ。自分たちがたった今見たものが何なのかを、思い出させる声だ。ひとりの刑事の敗北を告げる泣き声だ。

「まだ何か言うことはあるか?」

タボール・ズューデンには、言うことは何もなかった。カール・フンケルにも、フォルカー・トーンにも、ソーニャ・ファイヤーアーベントにも。

「新聞がまた大きく書き立てるぜ、見者君よ」とトーンが言った。「あの弁護士はこの件を警察の作為による大事件として大げさに騒ぎ立てるに違いない。請け合ってもいい!」彼は、デスクの上に拳銃のホルスターと警察証と並べて置いてあるズューデンのバッジを眺めた。「君にはとても失望したよ、タボール。みんな、がっかりしてる。だから、君をここから追い出す前に、是非とも聞かせてもらいたい。どうしてあんな真似をしでかしたのか。なぜなんだ? タボール」

「確かに私のやったことだ。後悔はしていない」とズューデンは言った。

「タブ! 目を覚ますんだ!」とフンケルが言った。「今は一時的に停職扱いだが、何でもいい、思いつきでもいいから、釈明をしない限り、二度とここに足を踏み入れることはできないぞ。金輪際だ! だから、あの男に謝るんだ。頼むからそうしてくれ! タブ。さいわい数ケ所に打撲傷を負った程度で済んだようだ。あんなに酔っ払ってなくて抵抗でもされていたら、一体何が起こったか知れたもんじゃない! 謝罪するんだ、すぐに。下へ行って、ついカッとなってしまった、過労で、とかなんとか言って。要は謝ればいいんだよ。お前が出て行ったあと、あの悪徳弁護士は早速新聞に言いふらしたんだ。だから、あいつの目の前でフォーゲルに謝罪してくれ」

「断る」

フンケルは頭を振って、途方にくれたソーニャ・ファイヤーアーベントに眼差しを送り、パイプにタバコを詰め始めた。

「行くんだ、今すぐに。タボール! 書面で釈明しろ。三日以内にだ。医者に診てもらえ、精神科医にだぞ。ソーニャの言うことをよく聞くんだ。それから、ぐっすり眠ることだ! 行ってよし」そう言ってパイプに没頭した。

トーンが立ち上がった。「あんたのことを過信していたよ、タボール。真っ当な道を歩み出したのかと思ったが、私の間違いだった。チームワークは無理だな。何をしでかすか予測がつかない。一匹狼だ。そういう人間はここではいらない。もう二度と警察の仕事に就くことはないだろう」間をとりながらタボールを見やり、咳払いをしてから続けた。「元気でな、タボール。いい医者にかかるんだ。一人じゃ無理だろうから、医者に救けてもらうんだ」手を差し出そうかどうか迷ったあげく、そうしないことに決めて、部屋から出ていった。

「家まで送るわ」とソーニャが言った。

「歩いて行くよ」とタボールが言った。

「ソーニャの言うとおりにしろよ!」とフンケルが言った。

ズューデンは両手を上着のポケットに突っ込んだまま、フンケルの事務所を後にした。廊下を歩き階段を降りて表通りへ出た。そこには、既に数人の記者たちが彼を待ちかまえていた。

「容疑者を殴ったというのは本当ですか?」

「免職されたんですか? ズューデン警部」

「どうしてそんなことをしたんです?」

「説明はないんですか?」

記者たちはしばらくついてきて、しきりに質問を浴びせたが、間もなく、返事がもらえないとわかって、あきらめた。ズューデンはゾンネン通りの方に曲がり、一キロメートル近く行ったあと、ゼンドリング門広場を横切り、フラウエンホーフ通りを突っ切って、ギージングの方向に向かった。

アパートのある緑の館の前で、彼は立ち止まり、喘ぎながら両腕を空に向かって伸ばした。それから門の鍵を開けて、階段を四階まで一気に駆け上がり、部屋の玄関ドアの錠を下ろしてから、革のジャケットを廊下のコート掛けに放り投げ、リビングの床に座った。そのまま動かずに、あるダンスに身を任せた。それはゆっくりと、とてもゆっくりと、彼を例の無表情な妖精たちから解き放ってくれるのだ。心の中で猛烈に疼いている名状し難い苦痛を、今は亡き親友のマルティンが、そう名づけた妖精たちから。

玄関のチャイムが鳴っても、彼はドアを開けないし、電話が鳴っても、出なかった。家を出て舗装された路地を通って表通りに出たとき、ブルーの車が前方からやって来て彼の前で止まった。夕闇の中でヘッドライトが彼を照らし出した。

運転席から明るい光の中で見る彼は、のっそりした巨人のようだった。

彼は、それが誰の車なのか気がついたように近づいてきて助手席のドアを開け、身を屈めずにしばし待った。それから車内に乗り込んでドアを閉めた。

「ありがとう」とソーニャが言った。

「僕のところに電話したかい？　玄関のチャイムも？」とズューデンは訊いた。

「いいえ」

後部座席に手をのばして二種類の夕刊紙を彼の膝に投げた。「明日の朝刊はあなたが大見出しね」

一面には彼の写真がデカデカと載っている。そして見出しは、『刑事、暴発――聴取中に証人を殴る！見者は終わった。無実の男性に乱暴――暴力刑事から誰が市民を守るのか？』

「ターギングの話をどこから知ったのかしら？」とソーニャが訊いた。

ズューデンは新聞を後部座席に放り投げた。「トーマス・フォーゲルはどうしてる？　釈放されたのか？」

「もちろんよ。この街を出てはいけないという条件で。それだけ。何の証拠もないのよ。もし彼がオーバーフェルナーを刺し殺したのだとしたら、衣服に血痕があるはずだけど、それがなかった。パージングの住居や恋人の住居も捜索したけど、何も出てこなかった。引っ越しはしていないって彼は言っていて、たぶんその通りでしょ。弁護士があなたを訴えたわ。傷害で。二人の医師の所見を提出したの。大きな怪我を逃れたのは単なる幸運であって、あなたの暴力でもっとひどいことになっていた可能性があるって」

彼女は彼の手を取って撫でた。それから唇にキスした。彼は弱々しく答えた。

「キスして！」彼は彼女の希望に応じた。彼女はキスを続けた。彼がこれ以上息ができなくなるまで。

二人は互いを見つめあった。街路に灯る薄暗い光の中の緑の目と目を。

「よかったわ」と彼女が言った。

「それはどうも」と彼は言って、唇を舐めた。

「キスのことじゃなくて。キスなら私だって……。そうじゃなくて、あの男に対してよ。おかげでスッキリしたわよ。立派よ、あなた。そう、あなたのこと、誇りに思ってるわ」

「あのとき突然、あいつの声が聞こえなくなったんだ」と彼は真面目な顔つきで言った。

「そうなの？　いいわね。報告書にそう書くつもり？」

「何をどう書いたらいいか、まだわからない。ずっとここで待ってたのか？」

「一時間ほど。きっと来ると思って。あなたならね。何か食べに行きましょうか？」

「いや」と彼は言って、ドアを開けた。「ちょっとあの鉄道を見たいんだよ。君が話してた、あれ。鉄道模型だよ。ラファエルのお祖父さんが作って、二人がいつも遊んでいたっていう」

「私の思い違いでなければだけど、あなた、もう任務から解かれたのよ。暴力刑事さん」

「僕はあの少年を見つけ出したいんだ、ソーニャ。あの子が心配なんだ」

　彼は車から出てドアをバタンと閉めた。ソーニャは彼女のランチアを中庭の駐車場の空いている場所に駐めた。それから二人は、集合住宅の狭い通路を通ってシュリールゼー通りに出た。

　通りには車がほとんど走っておらず、反対側のギージング駅の前にあるバスの停留所に二台のブルーの路線バスが停まっていた。

「あのね、タボール」と彼女が言った。「少年は見つけ出すわ。できるだけの数の警官を動員しているし、赤外線カメラ付きのヘリも飛ばしている。それに州刑事局も要員を提供してくれているし、彼はきっと見つかるわよ」

「おいで！」彼は彼女の手を取り、幅の広い通りを走って横切った。ゲオルク・フォーゲルがかつて住んでいた、オレンジ色のバルコニーがある家の前で、三人の少年が何か悪だくみでもするようにタバコを吸っていた。二人の大人の男女が近づいてくると、いやいやその場を去っていった。

「君らは、アウグスト・アンツを探し出したのか？」とズューデンが訊いた。

「いいえ。ちょっとした事故があったの。みんなは、彼が自分の車で出発したと踏んだのよ。車がどこにも見つからなかったから。見かけた人から連絡があると見込んで、車種とナンバーをラジオ局に伝えた。ところが、半時間前に赤いオペルが見つかった。動物園近くの側道に駐められていたの。アンツのアパートから遠くないところよ。オーバーフェルナーも車を持っていたことがわかって、それが消えていたの。そんな形跡がある。グレーのポロよ。そこで、アウグスト・アンツはそのポロに乗って行った、というのが私たちの推測。オペルが故障したときにしょっちゅうオーバーフェルナーから車を借りていたということがわかったの。アンツはポロの合鍵を持っていた。あなた、アンツとラファエルが一緒に逃げたって、本当に思ってるの？」

「あの子は彼を信頼している。それにアンツは少年を愛している」

「ということはつまり、彼とアンツが、たぶんラファエルも一緒だったでしょう、二人の男の間で、おそらくラファエルをめぐって、争いごとが持ち上がった。オーバーフェルナーとしては、ラファエルのことでまたもや揉めごとになるのを避けたかったのは、想像できる。だって、あの子のために仕事を失ったんだもの」

「紙に書いてあった。おじいちゃんのところへ行くんだって。それじゃ、どこへ行くだろう？」とズューデンが訊いた。

「鉄道模型を見て、手がかりが見つかると思っているの？」とソーニャが訊いた。「どこにでもある普通の模型だけど」

「自分の目で見てみたいだけさ」と彼は言った。

「なるほど、見者のあなたとしては当然よね。でも、私のバッジがないと、それは無理よ。管理人が疑り深いの」

「その信頼のバッジを私に貸してくれればいいじゃないか」とズューデンが言った。

「そうよね。その代わりに、チャーリーにこのバッジを取り上げられることになるわね。これは違法。あなたは停職処分になったの。証人への暴力沙汰で訴えられていて、業務管理上の訴追が待っている身なのよ」

「僕は少年を見つけ出したいんだ」と彼が言った。

「あなた一人でできることではないわ。地下室で何か見つけたら、私とか他の同僚にちゃんと報告するのよ。ひとり旅をするわけじゃないんだから、タボール。子供の命がかかっているのよ。一緒に協力しなきゃ、あの子の命は救えない。わかってるの？」

またもや、返事はなかった。どうしても、この頑固な男にうんと言わせることができない。それが彼女には悔しく腹立たしかった。

灰色の風景の中に、グレーのVW《フォルクスワーゲン》ポロが駐めてあった。鉄橋のすぐそばにある、くたびれたガレージからそう遠くないところだ。斜面がコンクリートで固められていて、落書きで覆われている。夜風に吹かれて空き缶が歩道の上を転がっている。一〇分ごとに人の足音が聞こえては、暗闇に消えてゆく、薄汚い場所だ。人の住む家はほとんどなく、あるのは、窓に板を釘で打ち付けた廃屋や、古くなった工場や、何年も前から人が住まなくなった殺風景な低層の建物だけだ。

ポロが駐めてある近くのガレージには明かりがついていなかった。街灯の黄色い光が、ゲートのひしゃげたトタンの看板を照らしている。立入禁止！　ガレージの横に建て増した低層の下家があり、中は事務所になっていた。見たところ、そこは長い間使われていないようだ。窓ガラスは汚れていて、半分が窓になっている木のドアは全面がスプレーの落書きで塗りつぶされている。間違ってもこんなところに迷い込んでくる人間はいない。

「僕、こわいよ」とラファエルが言った。助手席でグストルが、仲間の車の中で見つけたキャメルの毛布にくるまって身を屈めていた。

「静かにするんだ！　仲間がすぐにやってくるから、そしたら出発だ」とグストルが言った。そうやって自分の気持ちを奮い立たせた。相手はもう三〇分も遅れている。ただでさえ、傷だらけのオーバーフェルナーの姿や、カーペットに滴り落ちた大量の血や、無言の叫び声が、彼の頭から離れないのだ。その光景に肝をつぶして、自分は彼を放置したまま逃げ出し、その場からずらかった。親友がくたばるのをそのままにして。坊主はその一部始終を見る羽目になった。だから今、こんなに怖がっている。二人とも怖いのだ。俺だってお前と同じように怖くてしかたがないんだ。だが、グストルはそれを声にしては言わない。自分にとって唯一で最後の友人になったこの少年を、これ以上怖がらせたくないからだ。

「ズルしたでしょ、おじさん。ぼく、見てたんだ！」

「ズルなんかしてないよ！　ズルなんかしないで遊んでたんだよ。運が良かっただけだ！」彼は少年の頭をなでた。「これからの旅が楽しみだ。あそこは俺も初めてだしな」

「フランクおじさんは死んだの？」とラファエルが訊いた。体を縮こめて毛布を耳のところまでかぶった。

「いや、そんなことないよ。死んでなんかいない……」ごめんよ、フランキー・ボーイ。なんであんなナイフなんか持ってきたんだよ？　この大バカ野郎。なんで俺たちゃ、三人じゃないんだ？

「血が出てたじゃない」小さな声が毛布の穴の奥から聞こえた。

「てめえが悪いんだよ。俺をナイフで脅しやがって。俺だって自分の身をかばうしかないじゃないか。お前だって見てたじゃないか。さあ、ラファエル、こっちへ来い。俺のそばの方があったかいぞ」

　ラファエルは毛布に潜り込み、それ以上口をきくのをやめた。今になって、昨日の夜グストルを探しに街をうろついたことを後悔した。何か他のことをしていればよかったのに。でも何をすればよかったのだろう？　目的の場所にたどり着くために、彼にはグストルが必要だ。ずうっと前から行きたいと思っていたところ、おじいちゃんはまだ行ったことがないところへ。そこに着きさえすれば、もうグストルに用はない。どのみちおじさんは、僕のこと、何も知らないんだもの。ただのバカな子供だと思ってるんだ。でも、僕はバカじゃない。自分が何をしたいかちゃんとわかってる。たとえ九歳の子供でも。ママは僕がいなくなって、とても寂しくて、それで死んでしまえばいいんだ。そしてパパも。二人とも死んでしまって、土の中に消えてしまえばいいんだ。ゲオルクおじいちゃんは土の中にはいない。絶対に。みんな墓場で穴を掘っておじいちゃんの遺体を埋めたけど、おじいちゃんはそんなところにはいないんだ。全然別のどこかにいる。もうすぐおじいちゃんは僕のそばにやってくるんだ。強く望めば、必ず夢は叶うんだから。だから、おじいちゃんに会えるのがすごく楽しみだ。そしたら、もう二度と離ればなれにはならない。ずっと一緒にいるんだ。

「おい、来いよ。俺のそばに！」

　ラファエルはしかたなくグストルの方に体を寄せた。そうすれば言葉を交わさなくてすむと思ったのだ。

「フランクは絶対に死んじゃいない」とグストルは言って少年を自分の体に引き寄せた。「血は出てたけど、よくなるよ。あいつ、お前を警察に連れて行こうとしたんだぜ！　そうして欲しかったか？」ラファエルが突然ドア口に現れたとき、嬉しくなってあいつと俺は一緒に乾杯したんだ。フランキー・ボーイのやつ、すっかり酔っぱらっちまって、自分でもどうしていいかわからなくなって、怖くなって、ナイフなんか取り出してきた。あいつからそれを奪えばよかったんだが、なんでそうしなかったんだろう？　何でまた喧嘩なんか始めたんだろう。何でだ？「たいした喧嘩じゃなかったんだよ」

「じゃ、どうして僕たち逃げなくちゃならなかったの？」

「そりゃ……」どうして？　どうしてだ？「そうしなきゃ警察が来て、お前をママんとこに連れて行っちまうからさ。嫌だったんだろ？　違うか？」

　その言葉を少年は無視した。グストルには何もわかっていない。ともかく車を持っている。だから絶対に目的地につける。そしたら僕一人でできる。僕は賢いんだ。警察よりも、グストルよりも。おじさんは僕のパパの役目ができると思っているかもしれないけど、僕は孤児《みなしご》じゃないんだ。前からそうしたかったんだ。誰にも命令されずに自分のやりたいようにやるって。おじいちゃんのところへ行くんだ。もう三週間か四週間も前から僕のことを、心待ちに待ってくれているんだ。僕がおじいちゃんに会いたくてしかたがないのと同じように。

「海が楽しみかい？」とグストルが訊いて、彼の頬を撫でた。

「うん」とラファエルは言った。

「俺もさ」待ちきれなくて、ジリジリしてきた。だが仲間が自分をすっぽかしでもしたら、まずいことになる。そうなったら、場合によっては坊主をどこかに隠さなきゃならない。でなきゃ、こいつを一人で行かせるか。しかし、それはできない。この子は最高にいい子だ。本当は目撃者なんだ、しかも危険な目撃者だ。でも俺はこの子が好きだ。それにこの子は俺を裏切ったりはしない。それはわかっている。あの大バカ野郎、あのフランキー・ボーイの野郎！　自業自得だよ。そうさ、そうなんだ。ああなっちまったのは全部お前が悪いんだよ。まだ死んだと決まったわけじゃない、くそ！　だけど、まだ生きているなんて、グストルには考えられない。喉にグサッと刺さっちまった。あの様子じゃ、もうお陀仏に違いない。それをあの子は全部見てたんだ。酷いもんだ。そんなもの子供に見せるもんじゃない。見ちまったものは一生忘れることができないだろう。あの子が夜中に起きて逃げたら……、今度はそれこそ本当に逃げちまったら……。その方がいいのかもしれない。坊主の親父、坊主を散々殴ってたあいつがフランキーの代わりに死んでりゃ、あのバカの代わりに、もっと良かったのに。まあしょうがない。それが運命だ。どうしようもない。なるようにしかならねえんだから。そうだよな。坊主のことはちゃんと気をつけよう。俺の坊主だ。誰にも手を出させるもんか。誓って！

ガレージの前に一台の車が停まった。ヘッドライトが消えて、男がひとり、車を降りた。グストルは安堵して大きく息をした。

管理人に、一階で待っていてくれと言ったのだが、彼はウンと言わなかった。頑固なスイスの護衛兵のように地下室のドア口に立って二人の刑事、といっても主にタボール・ズューデンの一挙手一投足を観察していた。彼は鉄道模型の線路の前を行ったり来たりして、体を屈めたり頭を低くして色々なものを、人や家のミニアチュアなどをつぶさに見てまわった。

「何か目当てのものがあるんで？　刑事さん」と管理人のシュッツが訊いた。

「電車はどこにあるのかな？」と彼は訊いた。

「ああ、おたくの女刑事さんと一緒に来た刑事さんもさっき、同じ質問をしてたな」じっと立っていたシュッツが姿勢を崩して、鉄道模型に一歩近づき、黄色いドアがついた建屋の屋根を持ち上げた。「ここですよ。倉庫です。屋根を取り払うのは、厳に禁じられています！」屋根を元に戻して疑わしそうにズューデンを見た。

「この鉄橋が渡してある海だけど、どこの海か、わかるかな？」とズューデンが訊いた。

シュッツは、まるで初めて見るように、模型の方に目をやった。「どこかの海だな。フォーゲルさんは、実際の風景の模型を作ったとは言っていなかったけど。全て完全に想像上の風景だって」

「それじゃ、灯台のある赤い岩は？」

「どれもこれも、想像ですよ」

「どうしてそんなに確信があるんですか？」とソーニャ・ファイヤーアーベントが訊いた。

「もし実際の風景を真似て作ったんなら、フォーゲルさんが私にそう言ったはずですよ。趣味のことは喜んで話してくれたんですよ。あの人は、話といえばいつも模型の話ばかりだったな」

ズューデンは膝をつき、その海の周りのあらゆる詳細な点をチェックした。ソーニャからもらったラファエル事件の報告書の中のある女性の言葉が記憶に残っていた。どこかの島のことを彼女は言っていた。彼はその島のことは写真で見たことがある。ラファエルも事情聴取のときに、その島のことを言っていた。

「行こうか」と彼は言って立ち上がった。

「何か見つかった？」とソーニャが訊いた。

「まだわからない」

ソーニャが車を駐めておいた中庭の駐車場で、ズューデンは恋人を抱きしめた。そして彼女は彼に強く抱きついた。

「何を見たのか言って」と彼女が小声で言った。

「君と同じものさ」

「あなたの方がそれ以上見えたはずよ。二人のうちで、見者はあなたなんだから」

「違うよ！」体を彼女から離して、「やめてくれ！僕には何も見えないんだ。僕は何も特別な人間じゃない。頼むからそんな呼び方はやめてくれ。みんな、僕が太極拳をやるとか何とか、新聞が好き勝手に書いていることを想像するようだけど、僕はただ踊るだけだ。太鼓を叩くのだって、それで何か魔法でもやろうと思っているわけじゃなくて、気晴らしになるし、他に楽器ができないからさ」

「なぜそんなことを言うの？　自分をごまかすのはなぜ？　なぜ自分をそんなに謙遜するのよ。どうして自分自身を欺くのかしら？」

彼は後ろを振り向いて、目の前の家の黒い壁を見つめた。元は緑色であったその壁を。

ソーニャは彼の後ろから彼の体に両腕を回した。

「マルチンが死んだのは、あなたのせいじゃない。あなたに責任はないの」

彼は自分に迫ってくるその壁を見なくて済むように、両手で顔を覆った。

「彼が自分で、自分の意思で決めたことなのよ」と彼女は言って、そう硬く信じようと努力した。「私たちの誰にも彼を救けることはできなかった。もう手の届かないところへ行ってしまっていたのよ。私たちから離れて行った。自分の頭を撃ち抜くずっと前から」

一軒の家の窓が開いた。自転車がガタゴトと音を立てて近づいてきた。ラジオの音楽が鳴り出してまた止んだ。そして再び小糠雨が降りだした。

「今はひとりになりたい」ズューデンが言った。顔から手を下ろして、壁が吐く冷たい息の匂いを嗅いだ。

「しかたがないわね」とソーニャは言って、彼から腕を放した。

悲しい表情で彼女は車に乗った。ズューデンは車が中庭から出て行くまで待った。さよならの合図もなしに。

部屋に帰り、電話番号案内にかけてゼンドリングの番号を教えてもらい、その番号を押した。短く話した後、タクシーを呼んだ。部屋を出る前に、廊下で壁に耳を押し付け、開いた両手を白い漆喰に当てて耳を澄ませた。ひょっとしたら、と彼は思った、まだこの夏の闇から逃れる道はあるかもしれないと。

電話で事前に伝えておいたとはいえ、実際に彼の姿を目の前にして、彼女は不意打ちを食らったように驚いた。できることなら、刑事の質問は入口のところで受けたかったが、それでは失礼だと思ったのだ。リビングに招き入れられたが、その前に大慌てでテーブルが片付けられたのを、彼は一目で見て取った。空っぽで整然とした部屋のブルーのソファーに行き、そこに腰を下ろした。

「まさかコニャックを飲みにいらしたんじゃないでしょうね。ズューデンさん」とエヴェリン・ゾルゲが訊いた。すっきりとしたピンク色のワンピースを着て、髪は頭の上でまとめられていた。

「いや、けっこう」と彼は言った。「こんなに夜遅くにお邪魔して申し訳ない。電話でお訊ねしたことですが、思い当たる節は？」

「ええ」と彼女は言って、ドアの方に目をやり——ズューデンにはそれがどういう意味かわからなかったが——椅子に腰をかけた。「考えてみれば、他にも思い当たることがあるんです。もうすっかり忘れていたことだけど。ゲオルクが、私に何か見せたいって、二、三度言っていました。ご存知でしょ、彼の鉄道模型ですよ。彼の家に来て欲しい、特別なものを見せてあげるからって。でも、ついに見せてもらえなかった。二人とも忙しくって。おたくの同僚の方から彼のことを聞かれたときにも、そのことを思い出せなかったなんてねえ。不思議だわ。あなたが思い出させてくれたんですよ、ズューデンさん。不思議だわ」

「彼があなたに見て欲しかったのはひょっとして、赤い岩の上に灯台がある、どこかの海ではなかったでしょうか?」

「今刑事さんが言ったのは、きっとヘルゴラントのことだわ。子供の頃にアレルギーの治療のためによく訪れたことがあるって、彼に話したことがあるんです」

「そのことを、私の同僚のメモで読んだんです。あなたは彼女にそう話しましたよね」とズューデンは言いながら、隣の部屋から、がちゃんという微かな音を聞いた。エヴェリンには何も聞こえなかった様子だ。

「そうです」と彼女は言った。「ゲオルクにヘルゴラントのこと、一体何度話したか、回数はそれほど多くはなかったけれど、でも熱心に話したはずです。あそこにはもう一度ぜひ行きたかったんですもの」

「ゲオルク・フォーゲルと一緒に?」

「ええ、もちろん。それに彼の孫と。きっと気に入ったでしょうね。青い海、赤い岩、白い砂浜。島全体は緑で、稜線は赤、砂は白。それがヘルゴラントの色。そんな宣伝文句、ご存知でしょ」

「あなたの恋人が、鉄道模型の中にヘルゴラントに似せた島を作ったことは、間違いないと思っています」とズューデンが言った。ふと彼は、先ほどから聞こえるこのアパートの中の音から、ある微笑ましげなことに好奇心が湧いてくるのを感じた。

「つまりそれはどういう意味かしら?」とエヴェリンが訊いた。

「どこを探せばいいかが、わかったような気がします。電話をお借りできますか?」

「どうぞ」思わず、びっくりしたように頭を上げ、それから再びドアの方を見た。「ええ、だから……あの、……まあ、なんてこと! トイレはふさがっていて」

ははあ、見つけたぞ、と彼は思ったが、なぜそれで微笑ましい気分になったのか、よくわからなかった。

「どなたかお客さんでも? それは失礼。大丈夫です。すぐに失礼しますので」

彼は立ち上がって微笑みを噛み殺した。ドアの鍵が開いて、誰かがフロアをこちらへやってくるのが見えた。

パウル・ヴェーバーだ。ニッカボッカ姿で、靴下は脱いだまま、丈の長いブルーのアンダーシャツといういでたちであった。寝坊をしたように見えた。あるいは二日酔いかもしれない。

「やあ、タボール。まずいなあ……」

「私から隠れてたのか?」とズューデンが訊いて、笑い出した。あまりに大げさに面白がって笑うので、二人ともあっけにとられて彼を見ていた。笑い声はそれほど大きくて大っぴらで、人をからかうニュアンスは全くなかったのだ。

「刑事さんたちって、とっても勇敢な男たちばかりだと思ってたんだけど。まあ、そうでもないのね」とエヴェリンは、その笑いに割って入るように言った。ヴェーバーにウインクして、食器戸棚からグラスを三つとコニャックのボトルを取り出した。

「なんてこった」とヴェーバーは言って額の汗を拭った。耳は真っ赤になっていて所在なく、シャツの下のボールのように丸々とした自分の腹を掻いた。

　ズューデンは笑うのをやめた。「人知れぬ恋人同士だったのか、君たち二人は」と彼は言った。

「まあな……」とヴェーバが言った。と、思い出したように、「君は確か停職中だったんじゃ?」

「そうさ」とズューデンが言った。「しかし、自宅軟禁てわけでもない」

「やれやれ」とヴェーバーは言って、エヴェリンが先ほどまで座っていた椅子に腰をかけた。

「さあ乾杯、ご両人」と言って彼女は、コニャックを注いだグラスを二人に手渡した。

「ご利益がありますように《メーゲ・エス・ニュッツェン》!」とズューデンが言った。エヴェリンは言葉に詰まったが、何も訊かなかった。

　三人はグラスに口をつけた。

「一体エヴェリンに何を聞きに来たんだ?」とヴェーバーが訊いた。「あの鉄道模型をもう一度見に行ったんだってなあ。一体何のために?」

「まだ見たことがなかったんだ」

「ふーん」ヴェーバーは空けたグラスを手に持っていた。

「何か俺に言いたいことでもあるのか。その、俺が捜査本部に伝えた方がいいようなこと。手がかりでも見つかったのか?」

　ズューデンは大きな丸いグラスから鼻に上ってくるコニャックの香りを味わった。深く息を吸い込んでもう一口飲み込んだ。

「いや」と彼は言った。「ただの思いつきだよ」

エヴェリン・ゾルゲは横から彼を眺めながら、疑いを拭いきれなかった。この刑事は親しい同僚に恥ずかしげもなく嘘をついたのではないか、と。

車は、たった今オーバーホールされたかのように、アウトバーンを轟音を立てて走った。一九七八年製で、あらゆるところに溶接やハンダ付けが施されているのはしかたがない。

「すげえ車だろ、ええ?」とアウグスト・アンツが言った。

「まあね」と、後部座席に座って、対向車線をすれ違う車の数を数えていたラファエルが言った。

「メルセデスに乗ったことはあるか?」

「もちろんさ」

「これで、もっと早く目的地につけるぞ。誰にも追い越させない。なあ、待った甲斐があったろう。ガレージに置いてきたポンコツは誰にも見つからない。俺たちゃうまくやったぜ、ラファエル」

少年は毛布をかぶり、本土から島に渡された長くて幅の広い橋のことを思い浮かべた。そこには、船乗りが迷わないように灯台の明かりが見える。おじいちゃんが話してくれたから間違いのないことだった。僕も道に迷ったりしないよ。そう彼は考えながら、間もなく深い眠りについた。もう怖い夢は見なかった。

電話口の少年は黙った。

「ラファエルは君たちに何か言っていたかね?」と刑事が聞いた。

「僕たちに会いたいって」とアラースがすぐに答えた。彼の母親は、息子が、受話器を耳にしっかりと当てながら、神経質に両足をぶらぶらさせるのを見ていた。

「なるほど、君たちに会いたいって。わかるよ。それで他には?」

沈黙。

「たぶん、ラファエルは旅に出たかったと思う。そのためにお金が必要だった。ある島に行きたいと思っていたんだ。そのことを君たちに話したかい?」

「ううん」

「なぜお金が必要か、そのことは君たちには話さなかったんだね」

「そう」

「なあ、アラース。私はね、意地悪な刑事なんだよ。

君が本当のことを話してくれないなら、ママに知られたくないことを私が話してしまってもいいかい？」

「何だよ、知られたくないことって？」と少年はしらばっくれて訊いた。

「君が女の子にキスをして、ちょっかいを出すってことさ」あてずっぽうだったし、意地悪な言いがかりだった。

「酷いよ、意地悪だ」とアラースが言った。

今度はズューデンが黙る番だった。

「あいつが言ったのは……」と言いよどみながら、「ラファエルは……船に乗るためにお金が必要だって……僕、わからないよ、何のことか。お願いだからママには言わないで……」キッチンにいる母親の姿を見て、背中を向けた。「それ以上は知らない」と彼は囁いた。

「本当だよ」

「ありがとう、助かったよ、アラース」とズューデンは言った。電話はすでに切れていた。

飛行機は怖かったので、列車に乗ることにした。目的地まではゆうに丸一日かかるだろう。

列車の中の電話からソーニャにかけたとき、彼女はまる一分間も叫び声をあげて悪態をついたあげくに、受話器を置いた。

仮に事前に話したとして、果たして彼女はそれで納得しただろうか？　彼には答えがわかっていた。

しかし、この少年の命を救うことを、今は亡きマルティンに約束したのだった。そして、窓際の席に座って、目の前を次々に過ぎ去っていく風景を眺めていると、燃えるような映像がタボール・ズューデンにつきまとって離れなかった。

16　勇敢な鳥たちの岩

「このおしゃべり！　デブ！」彼女は彼と並んで廊下を走った。あらゆる部屋から人声や電話の音が漏れてきた。刑事たちの話し声が錯綜し、グラスが割れる音が聞こえる。トイレの中も人でいっぱいだ。今日は誰もが大忙しがしだった。

「俺は何もしゃべっちゃいないよ！」とパウル・ヴェーバーは自己弁護した。「たまたま駐車場で会ったんだ。そのとき彼に、タボールが電話してきたって言ったんだよ。それだけなんだよ」

　二人は会議室に入った。フォルカー・トーンが招集した会議だ。「ズューデンがこの事件をまだ追ってるって知ってたのか？」ヴェーバーと一緒に入ってきたソーニャ・ファイヤーアーベントに向かって彼はそう怒鳴った。

「知るもんですか！」と彼女も負けずに怒鳴り返した。コートを脱いで椅子に投げた。

「隠し立てしようったってだめだ！」トーンは立ち上がって、恫喝するように彼女に近寄った。「さあ、知っていることを言うんだ！　我々の捜査をめちゃめちゃにしたいのか？　ヴェーバーが話したことは本当なのか？　ズューデンが昨日エヴェリン・ゾルゲに電話してきたっていうのは。本当なのか？　ソーニャ！」

　あまりに間近に迫られて、否応なく彼のアフターシェーブ・ローションの匂いを嗅がされる羽目になり、ソーニャは思わず鼻をつまんだ。ズューデンに対する彼女の憤りは計り知れず、魚の骨のように彼女の体に刺さったままだ。

「そんなにせっつかないでよ！」と彼女は言って、腰を下ろした。一瞬の間彼は虚空を眺めて、それから急に振り向いて、大きく息を吸った。

「仕事とプライベートを分けることだ。今すぐに。それができないんなら、特捜班から出て行け。この事件から外れるんだ、わかったか？　誰にも勝手なことはさせないぞ。タボールだろうが、君だろうが、誰にもだ。私の言ってること、わかるよな？」

「私に怒鳴ってるのなら、相手の顔を見て言ったらどうなの！」と彼女は言った。グラスにミネラルウォーターを注ぎ、一口飲んだ。

　トーンはデスクを回ってやってきて、ひしめき合って座っている部下たちの前を、体を押し込むように通って、壁の前に立った。「ヴェーバーにたまたま会ってなかったら、全く知ることもなかったんだ。タボール・ズューデンは停職中なんだ！」彼の声がだんだん大きくなり、鋭くなった。「彼はここには何の用もない男だ。なのに、君がもし……」とソーニャを指差して続けた。「君がもし、私に隠れて彼とつるんでお遊びができるとでも思ってるのなら、それはとんだ勘違いだ。ここはなあ、上流階級の、おつむの中では毎日くだらないことばかり考えてる、甘やかされたお嬢さんたちの寄宿学校なんかじゃないんだよ……」

面白い例えだわ、とソーニャは思った。上流階級のお嬢さんたちって、そんな世界を知っているわけだ、この男は。

「これは君にも言ってるんだよ、ヴェーバー！　わかったかね？」

「わかってるよ、トーン課長。俺は……」

「だいたい、ズューデンがそのエヴェリン・ゾルゲに電話したって、どうして知ってるんだ？　そこにいたのかね？」

「ああ」とヴェーバーが言った。真っ赤な惑星のような顔をして。

「何だって？」

「座った方がいいんじゃない？」とソーニャが言った。

「ここは小学校かしら？」

「自分の課でどう振る舞うべきか、君は私に指図しようっていうのかね？」

二人はにらみ合った。ソーニャは、今にも飛びかかって、ズューデンに代わってこの男を気絶するまで張り倒してやりたいと思ったが、ボトルの水を一気に飲み干すことで、何とか思いとどまった。

「俺が知っているのはただ……」とヴェーバーが言ってから押し黙った。トーンがソーニャを睨む目がますます険しくなり、彼女の方も彼との決闘を避ける気配を見せないからだった。「あの……」

「聞いてるよ」とトーンは言いながらソーニャから目を離さなかった。それからそっぽを向いた。彼女は軽蔑するように肯いた。「あと一言バカなことを言ったら、ここをすぐに出て行くわ。あなたを殺してやるから、タボール・ズューデン！

「つまり」とヴェーバーが言った。赤と白のストライプのシャツに汗のシミが浮かんでいた。「つまり、ゾルゲ夫人と俺は——二人は付きあってるんで……」

「彼女と関係したっていうのか？」とトーンが雷を落とした。

「それもある」

会議室にいる若い者、中でもロスバウムやゴーベルトなどは、久々に自分たちが知らないこともあるんだな、という顔をした。フライヤ・エップは即座に、テレビシリーズ、『ＮＹＰＤブルー』で、ある警官が証人の女性と恋仲になってしまう場面を思い出した。彼女には、そんな経験はない。

「君が彼女と関係していようといまいと、私にはどうでもいいことだよ」とトーンが言い、シルクのハンカチを指でつまんだ。心の中のショットガンを、ソーニャは目の前のボスに向けてぶっ放した。「つまり、ズューデンが電話してきたときに、君は彼女と一緒だったなんて言ってたんだね、彼は？　正確に言いたまえ。一字一句彼の言った通りに言うんだ。さあ！」

「聞いた限りでは、彼が知りたがったのは、彼女が、その、ゾルゲ夫人が、我々にすでに話したことだが、つまり、どうやってゲオルク・フォーゲルと知り合ったのか、どうして彼に自分の家に……リューネベルガーハイデの家に来て欲しかったのか……」

「何だって奴がそれを知りたがったんだ？　自分でも読んだ書類に書いてあるじゃないか。私に何か隠そうとしてもダメだ。ヴェーバー！　ズューデンがこの課では一種の聖人だってことは、私も知っている。みんなから……」

「もっと重要なことがあるんじゃないかしら？」とソーニャが訊いた。

静寂がいつか破られるべきだとしたら、今がそのときだ。

フォルカー・トーンに何か、自分では説明できないことが起こった。この職業に就いて以来初めて、彼はある虚無感に襲われたのだ。それが彼の気持ちを萎えさせた。この署で過ごした長い年月の中で初めて彼は思った。ただの一介の刑事になりたいと。残業に慣れっこになるのと同じように、権力を持たないことにも平気なただのヒラ刑事に。完璧な家庭生活はなくても、その代わりに仲間がたくさんいて、誰もが似たり寄ったりのぺえぺえだ。そんな連中と、憂さ晴らしに一杯飲みながらの居酒屋での定例会議に通ったりできる生活。フォルカー・トーンはこのときわかったのだ。自分が調和と共鳴を心の底から渇望しているということを。ここで大声あげて口論を繰り広げていることなど、よくよく考えてみれば——実際に彼は一瞬の間でそれを実行したのだが——全くのエネルギーの浪費に思えた。そんなことをするくらいなら、そのエネルギーとやる気を共通の目的の達成のために使う方がどれだけ良いだろう。そのためにみんなここに集まっているのだし、何日も徹夜をしているのだ。

自分の言い方が悪かったと言うべきだろうか？　ときどき自分の子供に対してそうするように。あまりに言うことを聞かないので仕方なく怒鳴りつけたり、叱りつけたりしてしまったときのように、つい言い方がきつくなってしまったと相手に釈明すべきだろうか？しかし、今さら退却するわけにもいかない。

タボール・ズューデンのやり方は徹底して非生産的だし、トーンとしては、自分が率いる部下をこのジコチュー男の悪影響から守ることは自分の義務なのだと思うのだった。彼は両手を擦り合わせた。たった今クリームを塗った後のように。そして顔の表情を緩めた。

「少年の発見と、フランク・オーバーフェルナー殺しの解明に役に立つことなら何でも重要なことだ」と言って、一同を見回した。部下たちの冷ややかな反応に苛立ち、妙な不安を感じているそぶりを見せないように用心しながら。「お願いだ。タボール・ズューデンが何のために君の愛人のところに電話をかけてきたのか、話してくれないか？」

言われてみれば、そのことについて、そんなに正確には考えていなかったことにパウル・ヴェーバーは気づき、確かにトーンの言う通りだと思った。エヴェリン・ゾルゲは自分の愛人だ。彼女のことを心に思い浮かべながら話を続けた。「それ以上はわからない。確かリューネベルガーハイデのことや、それからヘルゴラントについて話していたように思うけど……」

「ヘルゴラント？」

「俺の……あの……、ゾルゲ夫人が、子供の頃、母親としばしばその島を訪ねていたんで。アレルギーの治療のために。ヘルゴラントには花粉が全く飛んでいないって……」

「それは知っている」とトーンが言った。「私はハンブルク生まれで、ヘルゴラントにも行ったことがあるよ」

「それは失礼」とヴェーバーが言った。

「それだけかね?」

「ああ」

「二人が話しているとき、君もそばにいたのか?」

「電話で話しているとき? いや。俺は——俺はバスルームにいた」

「そうすると、君はズューデン本人とは直接話はしていないんだな?」

「ああ」とヴェーバーは言った。嘘をついたのは愛人を思ってのことだった。それとタボール・ズューデンに対する友情から。それに、反抗心もあった。


「運のいいことに、ちょうど一部屋空いてますよ」とハンブルクのサンクトゲオルク地区にある『ペンション・ローザ』の経営者の老婦人が言った。

「一晩だけでいいんです」とタボール・ズューデンは言った。

「わかりました。ここにお名前と住所を書いてくださいな」

三〇分前に彼はインターシティ・エクスプレスでハンブルクに到着したばかりだ。ヘルゴラントに渡るには、朝まで待たねばならない。ハンブルクの紋章付きのフェリーは日に一本、一〇時半にクックスハーフェン港から出る便だけだ。その他のフェリーの乗船場はずっと遠くにあった。ただし、本土とヘルゴラント島を結ぶ航路としては、ハンブルク港からカタマラン船(双胴船)が出ており、他の船に比べて半分の時間で行ける。

ズューデンはカタマラン船の乗船券を買って、桟橋の上を落ち着きなく歩いた。一六時間もの無為の時間をすごすことになったのだ。しかも、ひとえに飛行機が嫌いだというだけの理由で。子供の頃、両親とともにアメリカへ行ったときに二度ほど飛行機に乗ったことがある。それが最後だった。ソーニャは、一度ぐらい国内で短距離の飛行機に乗ってみたら、と何度も彼を説得してはみたが、無駄だった。彼はその都度パニックに陥ってしまった。子供の頃のアメリカへの飛行は特に問題はなかったのだ。気分が悪くなったとか、飛行中に突然怖くなったとか、そんなこともなかった。こんなに頑強で容貌魁偉な男のくせに飛行機ごときを怖がるなんて、というソーニャの皮肉なコメントは何とか聞き流すことにして、もともと数の多くない旅は列車で移動することにしたのだ。クックスハーフェン

＝ノルトホルツからヘルゴラントの砂丘行きの飛行時間は、たったの二〇分だ。そうしようと思えば今日にも行ける。

　だが、それは不可能であった。あんな天井が低く騒音のうるさいプロペラ機に、他の八人の同乗者と一緒に詰め込まれることを考えただけでも、体が震えるほど怖くなってしまう。彼は歩く速度を速めて桟橋の先端まで行き、そのまま引き返してきた。上陸用の橋を渡り、さらに税関用の水路に沿って防潮堤の門の広場を通って鉄道の中央駅まで歩いて行った。

　息を切らしながらも空飛ぶマッチ箱に閉じ込められる恐怖から解放されて、彼はようやく駅の広場にたどり着いた。これから少し何か腹に入れて、その後で、受話器を持ったときに言うべきセリフについて考えようと決めた。


「ハンブルクにいる」と彼は言った。

「あなたの地の精に言ったらいいでしょ」と彼女が言った。

「前もって君に訊いていたら、きっと反対したはずだ」

「何を考えてるの？　それって、ひょっとしてあなたの個人的な仕事ってこと？　あなたの神聖な任務ってわけ？　この少年を探し出すことが」

「もう少し大きな声で話してくれないか？」

「できない。ここは大変なことになってるの。今階段室にいるの。まるで年越しの市場みたいよ。人に聞かれたくないのよ。あなたがミュンヘンにいないって、どこから新聞に知れたのかしら？」

「私からじゃない」

「新聞には、あなたは独自にやってるんだって載ってるわ。そういうこと？」

「警察が自分を探しているって知ったら、あの子はきっと逆上するよ。私にはわかる。君もわかるだろ」

「私にわかるのは、あなたが森の中で私に言ったことよ。憶えてるわよね？　あなたはこう言ったの。君がそばにいてくれるなら復帰する、って。かっこいいセリフだわ。私があなたのそばにいて、でもあなたは私のそばにはいない。そんなの何の意味があるのよ？　あなた、頭は大丈夫？　なぜまた始めるの？　一人でいたいのなら、そうしなさいよ！　あなたの森の小屋へお帰りなさい。土の精とよろしくやることね！　あなたは停職中なのよ、タボール。それにもう二度と刑事の仕事には復帰できないみたいよ。お見事だったわよ、あのセリフだけはね」

「少年がヘルゴラントに向かっていることは間違いないんだ。彼のお祖父さんがついに行けなかった場所だ」

「わかった。じゃあ、これからトーンに会ってそのことを報告するわ。ヘルゴラントの警官たちに連絡して、少年の捜索に当たるように伝える。そんなに大きな島ではないでしょ」

「ヘルゴラントに警察はない」と彼が言った。

「どうしてないの？　そんなに平穏なところなの？」

「あそこじゃ、水上警察があるだけだ」

「それでもいいじゃない。あのね、タボール。ハンブルクにそのままいて、少しゆっくりするのよ。あなたは現職の刑事ではないの。私たちこれからどうなるのかしら。今は考える時間がない。あなたにまた地上に帰ってきてほしいのよ。この件に手出しをしないで欲しいの。当分私に電話をしてこないで。昨日は全然眠れなかった。あなたへの怒りで耳も聞こえないくらい。気絶しそうだったわ。もう最悪よ。だから、これからトーンに話しにいく。あなたからのヒントで、少年がヘルゴラントにいるらしいとわかったって。後のことはそれからよ。いい？　お願いよ、タボール。もう我慢できないのよ。あなたとはもっとうまく、問題なく……そう思ったのに……でも、でも……」

「トーンにヘルゴラントのことは言うな」とズューデンが言った。「私を信じるんだ！　基本のルールが何か、忘れたのか？　家出をして自殺の恐れのある子どもは、公開捜査してはいけない！　リスクが高すぎる。これまで、このルールを守らなかったケースが二つあった。いずれのケースも、子どもはパニックに陥って自殺してしまった。首を吊ったんだ。ソーニャ、忘れたのか、それを？　それなのに、チャーリーはまたぞろ同じ見世物を繰り返そうとしている。それに、少年がまだ生きているかどうかも我々は知らない。警察が動いていることを、あの子はもう知っているのかもしれない。ひょっとしたらもう自殺をしてしまったかもしれない」

「やめて！」

「トーンには、ヘルゴラントのことは言うな」と彼はもう一度言った。

「もう遅いわ。ヴェーバーが話してしまったの」

「嘘だ」

「もう電話を切らなきゃ。そこを離れないで！　チャーリーに言うわ。あなたから連絡が来た――ベルリンから、って。あなたはそこへ引越した。もう一度考え直して、報告書を書くために。いいわね？　気をつけて、タブ……」

「僕のために嘘をつくことはない」と彼は言った。

「そんなこと、大きなお世話よ！」と言って、彼女は携帯電話を切った。

捜査班にかけられた世間からの圧力、特にマスコミからの圧力の凄さは、警察署のどの場所でも見てとれた。きつい調子の言葉だけが飛び交い、至るところでラジオやテレビの報道が流れていて、警察がまるでアマチュア探偵のクラブのように吹聴されていた。

「私に何のご用？」とソーニャは、フンケルの執務室のドアのところで訊いた。

「入れ、さあ早く！」と彼はデスクに座ったまま命令した。

そこにはフォルカー・トーンもいた。ソーニャ・ファイヤーアーベントは下唇を噛んだ。

椅子から立ち上がってアイパッチをひと掻きした彼は、ドアの方に歩いて行き、しばし立ち止まって床を眺めたのち、ドアを閉めてソーニャの方を振り向いた。

「君はみんなの前で私に恥をかかせたいのかね？」

相手に対して、できるだけ侮辱的な態度に出ないように気を遣っているのは、見た目にも明らかであった。

「我々にどれだけダメージを与えたら気が済むんだ？　私にこの職を捨てさせたいのか？　マスコミの連中にアホ扱いさせたいのか？　ドイツ中の笑い者にしたいのか君は？」

「何ですって？」と彼女は言った。その声があまりに小さいので、フンケルは思わず拍子抜けしてしまった。

「少年が失踪したのが八月二三日だ。その日からというもの、ここは狂気に支配されている。なぜだ？　どうしてこんなことになってしまったんだ？」彼はトーンを見つめ、それからソーニャを見つめ、その後は窓の外を見つめた。「何が起こったんだ？　子供が一人いなくなった。我々はその子を探し、そして見つけ出した。そしたら男が一人刺し殺された。少年と関連のある男だ。一人の容疑者を捕まえた。少年の父親だ。

証拠不十分で釈放した。それから少年が二度目の失踪をした。我々の捜索は振り出しに戻った。クソッ！　そのどこが特別なんだ？　少年はすぐには見つからなかった。それが特別なもんか。普通のことじゃないか。違うか？」窓から振り向いてソーニャの隣に立った。一般市「我々は仕事を続ける、公開捜査を維持する。一般市民の協力を促す。全てルール通りだ。それなのに、何で世間は我々を能無し集団のように言うんだ？　知ってるなら教えてくれよ、ソーニャ！」

「動揺しているようだけど、それは自業自得ね」と彼女が言った。

「いい答えだ」とフンクルが言った。「だが、そんなことじゃない、私が聞きたいのは。我々を世間が無能呼ばわりするのは、この中にあるひとりのアホがいて、そいつのせいで我々の仕事全体が世間の笑いのタネになっている。そう思うんだよ、私としては。そうさ、そいつがこの署で一番偉くて決定権を握っているかのように振舞っているからだ。だが、実際はそいつは職務から解かれている。もはや我々の一員ではない奴なんだ」

「タボールがアホだって言いたいの？」

「腐ったニシンみたいなんだよ、ソーニャ。あいつは樽全体を汚染している！」

「今言ったこと、すぐに撤回して！」と彼女は言って彼の胸を押したので、彼は驚いて一歩下がり、書類戸棚につかまった。「撤回して。じゃないと、ただじゃおかないわよ、チャーリー！　即刻撤回してよ！」

「落ち着けよ、ソーニャ！」トーンが割って入った。

「例えにすぎんよ。わかってるだろ、君だって。彼の言いたいことは」

「あなたは黙ってて、私が話してるの！」

「黙れって、この私に言ってるのかね？　聞き間違いじゃないだろうね」

彼女はそれには乗らずに、両手をフンケルの胸に押さえつけた。「少年を見つけ出したのはタボールなのよ。彼がアンツをおとなしくさせたのよ。私はその場にいたわ。それに、自分の息子に暴力を振るって挙句の果てに半殺しにした、あのろくでなしに喝を入れてあげた。それがどうだっていうのよ。もし私だったら今ごろあんな男、病院でミイラみたいに包帯でぐるぐる巻きにしてたわ。それなのに、ズューデンのことを腐った魚だなんて！　酷いわ。あなたどうかしてしまったんじゃない？　内務大臣から突っつかれるもんだから、それで大騒ぎしてるんでしょ。違う？　賭けてもいいわ。あの大臣があなたに始終文句言ってるの、知ってるんだから。あの人の趣味なのよ。でもだからといって、あなたの親友に泥をかぶせようなんて、酷いじゃない。そうじゃない？」

　彼女は手を離してデスクに戻った。喉が渇いていた。怒りで水分が飛んでしまったようだ。

「君も外れるんだ、ソーニャ」とトーンが言った。「自分をコントロールできない人間と一緒に仕事をする気はない。チームの仕事には有害無益だ。特捜班から外れるんだ。他の未解決事件の担当にまわれ。腐るほどあるから。言ってることがわかるね？」

「いいえ！」と彼女は言って、手のひらでデスクを力一杯に叩いたので、ミネラルウォーターのボトルがひっくり返ってデスクのはじまで転がり、床に落ちた。幸いボトルは無事だった。

　体を前に折って彼女は深く息を吸った。目を拭ってから二人の男に向かって振り向いた。

「私を特捜班から外すの？」と彼女はフンケルに訊いた。

「君は外れたんだ」とトーンが言った。

「タボールがどこにいるのか知りたい」とフンケルが言った。「ゾルゲ夫人に電話したというのは、どういうことだ？　それに、ヴェーバーがその女性と関係を持ったって、本当なのか？」

「知らないわ」と彼女は言った。

「この件は特捜班で解明したいと思うんだが」とトーンが言った。

「解明はあとでいい」とフンケルが言った。

「すぐにやったほうがいいと思うが」

「いいだろう」とフンケルが言った。「ソーニャは特捜班に留まれ。必要なメンバーだ。替りはいない」

「それ本気か、チャーリー！　私の権威をまたもや失墜させようというのか？」

「バカな」とフンケルが言った。「ともかく、みんな一旦冷静になることだ」

　トーンは頭を振って人差し指で頬を掻いた。フンケルは屈んでボトルを取り上げてデスクに戻した。

「さっき彼と電話してたのか？」

「ええ」とソーニャが言った。

「どこにいる？」

「彼……」ズューデンのために嘘をつく必要はなかった。もちろんそうだわ。そんなことをする理由なんかないもの。自分のために嘘をつくことはないって言ってくれてよかった。ありがとう、タボール。助かったわ！「彼には考えがあって……」

トーンが彼女を睨んで、唇を舐めた。

「どんな考え？」とフンケルが言った。

「私たち、何か見逃したものがあるかもしれない」

「で、それは？」

「ある鉄道模型の秘密」

トーンが両手で拍手をした。「素晴らしい」と彼は言った。「なんてこった、鉄道模型ときたぜ！一体どういうことだね？電気系統かね？」

「そう」とソーニャが言った。「当たらずとも遠からずってとこよ」


大きな船のデッキでは、彼は怖くて仕方がなかった。乗客でいっぱいの狭いボートの中では、押しつぶされないように体を縮こめていなければならなかった。しかし今や、この岸壁に立っていると、強い風を受けながら、彼は開放感に満たされて元気になり、防護柵まで近づいて行った。足元では赤い岩が急な岸壁になっている。

灰色の海、水平線を雲が覆っている。遠くに幻のような船影が通り過ぎる。ハンブルクや、ブレーメンや、ビューズムや、その他の港からフェリーに乗ってヘルゴラントにやって来た人々は、カメラやビデオでひっきりなしに自分たちの姿を撮っている。

こんな島に来たのは、ラファエルは初めてだ。ビューズムに車を置いて、そこからこの島に渡ったのだ。フェリーの中でずっと不快だった胃の調子が回復するやいなや、元気に島の低いところにある道路を走って渡り、高台に達する階段を駆け上がって、両腕を広げたまま風に向かって走って行った。

グストルはゆっくりと後をついて来た。背を丸めて辛そうに歩いている彼を、ラファエルは気遣うこともなかった。ハウス・エルスターで二人部屋を借り、宿帳にアウグスト・アンツは、少年の祖父と書いた。名前も偽名を使ったが、二階にある彼らの部屋の窓を開けたときには、もうその名前を忘れていた。幸い、ラファエルが覚えていた。ハルデンベルク。ニコラウス・ハルデンベルクだ。アンツがとっさに思いついた名前だが、後になって、そんな名前の知り合いが一人もいないことに気がついて、自分でも驚いていた。

「それじゃあ良い一日を、ハルデンベルクさん」二人が島の見物に出かけるとき、宿の女将であるエルスター夫人がそう挨拶した。

彼らはこの島では囚われ者だ。見物しかやることがない。坊主が、どうしてもこの島に来たい、ほかは嫌だと言い張った。おじいちゃんがここで生まれたんだ、ってラファエルがそう言ったんだ。あんまり悲しそうな顔をして言うものだから、俺にしたってこの子をここに連れてくるしかなかった。もしかしたら、祖父さんの生まれた家が見つかるかもしれない。

体調は決して良くない。フェリーでビールを三本飲んだ上に、船が揺れて気持ちが悪くなった。トイレの前には吐きたい乗客たちの行列ができていて、それを見るだけで吐きそうになった。しかし、なんとか堪《こら》えた。ラファエルの前でみっともない格好はできなかった。

彼はとりあえずのところは何も考えないことにした。しかし、それはできなかった。自分が殺してしまった、間違って殺してしまった親友のことを考えずにはいられなかった。それに、自分の前でまるで子犬のようにうろちょろして、何か楽しいことをしたい様子のこの子のことも考えないわけにいかない。不意に警察が目の前に現れて二人の冒険が終わりになったら、と思ったり、二八〇〇マルクのお金がすっからかんになってしまったらどうしよう。ECカード（欧州共通カード）で少しでも引き出せるかどうかも疑わしい。おそらく口座はとっくの昔に凍結されているはずだ。殺人容疑で警察に指名手配されている無職の庭師の銀行口座なんか。

警察は俺のこと探してるのかな？　そりゃそうだろう。俺以外にいるわけないもんな。フランキーのアパートにいたのは俺だけだし、あの隣の女、たぶん全部見てたはずだ。自分に関係ないことを、しつこく嗅ぎ回ってるんだ。俺とラファエルが走っていくのを見たに違いない。それから警察に垂れ込んだんだ。フランキーの車を使ったのは正解だった。俺のは遠いところに置いてあったからな。

耳元で風が音を立てる。荒涼とした草原で角をはやした羊たちが草を食《は》んでいる。カモメが鳴いている。そして海の匂いがする。

ヘルゴラントは写真でも見たことがなかった。この島のことを聞いたことがあるのは一度だけ。それは昔のドイツ人がザンジバル（東アフリカの島）とヘルゴラントを交換したという話を聞いたときだった。変なことするんだな、と思ったが、すぐにそのことは忘れてしまった。

　それが今、俺はここにいる。九歳の男の子が俺をここに連れてきたんだ。この島では俺はその子のおじいちゃんということになっている。

　悪い気はしない。彼はベンチに腰をかけて波の荒い北海を眺めていた。ラファエルがやってきて隣に座った。

「喉が渇いたよ」とラファエルが言った。

「じゃ、どこかお店に入ろうか。ほら、あそこを見ろ。ずっと遠く。あそこにイギリスがあるんだ」

「何にも見えないよ」

「明日はお日さんが出るかもな。そしたらイギリスが見えるさ」とグストルが言った。エルスター夫人から地図をもらったとき、岸壁はどの方向を向いているのかと彼は訊いた。

「ここがその岸壁だよ」と彼は言った。

　ラファエルは何も言わなかった。海の方を見て顔にかかる髪の毛を振りほどいて、いきなり、「あれがルンメン岩（赤い色をした岩盤の崖）だよ」と言った。

「何で知ってるんだよ？」とグストルが訊いた。

「看板に書いてある。ねえ、ルンメンて何？」

「知らねえよ」

　ルンメン岩の岸壁は急峻で危険で、随所に窪みのある壁龕《へきがん》には黒と白の羽根をした鳥がたくさん留まっていて、眼下の海に大胆に飛び込んで餌を採っている。

　ラファエルも、まさにあの鳥たちのように海に飛び込みたいと思った。

「さあ行こうよ」とラファエルが言った。二人は立ち上がり、彼はグストルの手を取り、前もっておじいちゃんと約束した場所に連れて行った。もうすぐ行くからね、と約束した場所だ。

「彼はきっと電話してくるわ」とソーニャ・ファイヤーアーベントが言って、フンケルが彼女のコーヒーカップにコーヒーをたっぷり注ぐのをじりじりしながら待っていた。秘書のヴェロニカ・バウツが新しくコーヒーを淹れたのだ。

「さっぱりわけがわからん！」トーンはこれまでの三

〇分間に、ヘルゴラントが属するピンネベルク郡の警察署と何度か電話で話した。「我々は一方じゃ、ズューデンが正しくて彼の推測が当たっている可能性があるとは、あくまで可能性に過ぎないとしても、まさか認めるわけにはいかない。だがその一方じゃ、我々は何もしないで手をこまねいているだけだ。せめて飛行機をあそこへ飛ばしてみたらどうだろう。ヘルゴラントに飛行場があるのはわかっている。砂丘にあるんだ」

「飛行機なんか飛ばさせないわ」とソーニャが言った。彼女の前にエヴェリン・ゾルゲとの会話の書き起こしが置いてある。「だって、あなたが言ったじゃない。島の警官が電話で、小さな島だし、水上警察が動いていてすべて掴んでるって言ったって」

「それに、すべては単なる疑念に基づくものだ。曖昧な憶測だよ」とフンケルが言って、パイプを噛んだ。アウグスト・アンツの行方のヒントもなければ、少年の所在についても何一つ掴んでいない。アンツが以前、傷害と窃盗の罪で収監されていたランツベルク刑務所の当時の所員に電話で問い合わせた結果、刑務所で一緒に収監されていてアンツと交友のあった男の名前が判明したくらいがせいぜいのところだった。男の名前はユップ・ケラー。自動車ディーラーで、ケルン在住。同地の警察が彼とコンタクトを取ったところ、アンツからはもう何年も連絡がないとのことだった。アンツが常連だったミュンヘンの居酒屋での聴き取りによれば、ときどきラインラント（ケルンが属するライン川中南部地帯）訛りの男が訪ねてきたらしい。しかし、男の年恰好については誰も覚えていなかった。というわけで、ケラーが実は最近もアンツと会っていたことを証明することはできなかった。死亡したフランク・オーバーフェルナーのシャツから剥ぎ取られた、血のついたボタンの指紋はアンツのものだった。そこから考えられるのは、二人の間で激しい喧嘩になり、その最中にオーバーフェルナーが致命傷を負うに至った、ということだ。そのため、トーマス・フォーゲルの犯行の線はますます薄くなっていった。彼の殺人幇助を証明するのも難しくなってきた。捜査にはこれといった進展もなく、街中この事件で持ちきりだった。

　フンケルは、一体いつになったら目に見える成果が上がるのかと、毎日のように電話で警視総監や、ときには大臣からプレッシャーをかけられるのには、もう辟易していた。

電話が鳴った。フンケルが受話器を取った。

「もしもし、どうも。こんなに早く電話をいただいて、どうも……」相手の言うことを聞き終わってから、受話器を置いた。「クックスハーフェンの船会社からだ。成果なしだ。二人を見た人間は一人も見つからなかったようだ。天候不順にもかかわらず乗船客は多くて、一人一人を見張っているわけにはいかないとさ。そりゃそうだよな」

「チクショー！」とトーンが言った。「まだ連絡のない埠頭はあと何箇所ですか？」

フンケルはリストに目を通した。真ん中に縦線が引いてあり、半分には一一箇所の埠頭名が、あとの半分には一五箇所の名前が記されていて、そのうちのいくつかはチェック済みの線が引かれていた。

「残りは七箇所。船の便があるところではズュルト、アムルム、フズムとビューズム、それに空路はザンクト・ミカエリスドン、ヴァンゲローゲおよびビューズムの各空港だ。我々からのファックスにまだ返事がない」

「飛行機の線はもともとないと思う」とソーニャ・ファイヤーアーベントが言った。

「どうして？」とトーンが訊いた。シルクのチーフを取ってシャツの襟を開けた。珍しいことに、汗をかいている。

「高すぎるわ」とソーニャが言った。気が狂いそうだった。ズューデンに連絡するすべがない。彼からは絶対に連絡してこないことはわかっている。彼女の方から、電話しないように言っておいたのだ。いったい心優しい精霊たちはどこへ行ってしまったのだろう？

「なるほど。じゃどうしたらいい？」とトーンが言って、立ち上がり、もどかしそうにソーニャを見下ろした。

「待つしかないわ」とソーニャが言った。

「嫌だね！」と彼は大きな声で応じた。

「タボールが島に着くのはいつだ？」とフンケルが訊いた。

「明日の昼以降」とソーニャが答えた。

「それより早くは着かないのか？」とトーンがいらいらした調子で訊いた。

「フェリーしか使えないからよ。今日中に出る船はもうないわ。さっき聞いたでしょ！」

「なら、飛行機に乗ればいいじゃないか」とフンケルが言った。
「飛行機恐怖症なの」とソーニャが言った。
トーンが大声で笑った。そして肯いて両手をこすりあわせた。
「飛行機に乗ったことないのか?」とフンケルが言った。「知らなかったな」
「乗る機会なんかなかったじゃない」とソーニャが言った。
「あのインディアン、飛行機が怖いんだ」とトーンが言って、頭を振った。
「島に着き次第、連絡をくれる。それはわかってる」とソーニャが言った。
「そんなに怖気づいてなきゃ、もうとっくに着いているはずだぜ」とトーンが言った。

ひょっとしたら、外は素晴らしい景色なんだろう。ひょっとしたら、アザラシの群れがいる岩場なんてめったに見られないものなんだろう。それに青い奇跡のような海もすごいだろう。ひょっとしたら。彼はそれを口に出しては言えなかった。自分の靴を、黒いピカピカの靴をじっと見つめていた。そしてモスグリーンのカーペットを敷いた床も、掃除機をかけたばかりで清潔だ。ひょっとしたら、缶詰の中の自分以外のオイルサーディンたちはみな、雲や波が織りなす形や躍動を、さぞ楽しんで感動を分かち合っているのだろう。自分以外の者はみなそうだろう。彼は押し黙ったオイルサーディンだ。じっと床に目を据え、両手を組み合わせて。それ以外にすることがない。とにかく少なくとも、クックスハーフェンのノルトホルツがどこにあるのか、すぐそばにいればプロペラがどんな音を立てるかくらいはわかったのだ。これも貴重な新たな経験ではある。彼はごくりと唾を飲み込んだ。すると誰かが彼に話しかけてきた。隣でずっとお喋りに興じ、次から次へとくだらないジョークを飛ばしていた太ったサーディンだった。彼は答えなかった。「失礼」とそのサーディンが言った。しゃれた眼鏡をかけて高価な入れ歯をした男が体をよじって座っている。「あなた、飛行機恐怖症かね?」ズューデンは黙って肯いた——少し嬉しかった。首を上下するくらいはまだできるのだ。「なるほど、わかりますよ」とそのサーディンが言った。「私も以前はそうでしてね。でも今は、中に入ってしまえば運ばれる郵便物みたいなものですよ。あとは神様が守ってくださる。でなくても、どのみち地上には降りるんですから。ね？」ズューデンは何度も肯いた。今回もうまくいった。少し体を起こしたとき、あやうく外の景色が目に入りそうになった。窓が視界に入る前にズューデンは頭をくるりと回し、改めて靴の光沢をチェックした。下はすべて異常なし。

「どうせすぐに着きますよ。ご覧なさいよ、ほら、あそこ。アザラシですよ、見事な潜りですなあ！」それしかやることもないだろうに、アザラシの身なら。ズューデンはそう思った。しばらく、その問題に取り組んだ。アザラシか……。何が見えるのだろう、アザラシには？　海、それは確かだ！　アザラシは海を見る。確かに。アザラシは吠えるだろうか？　たぶん。でなきゃ、海豹《アザラシ》とは言わないだろう。海猫なんていうのもいるのかな？　吠えているアザラシは餌に嚙みつくのか、それとも嚙みつかないのか？　こんな上空からは何も聞こえない。ここではエンジンとプロペラの音しか聞こえない。それともプロペラは自分の頭の中か？　どうして自分は飛行機が怖いのだろう？　だいたい恐怖心なんてあるのだろうか？　両手は汗びっしょりだ。空飛ぶサーディンだと思うと、だんだん気持ちが悪くなってきた。この飛行機は満席だった。当然だ。なにせ大人になって初めての飛行機なのだ。その上満席のプロペラ機でクックスハーフェンからヘルゴラントに飛ぶのだ。もし刑事でなければ、自分はここに座ってはいない。アザラシ。アザラシは骨を食べるのかなあ？　魚の小骨チップスなんか？　あれこれといろんな疑問が頭の中で飛び交った。機長、今なんて言ったのかな。何？

白い機体が砂丘に着陸した。乗客たちは外に出た。タボールが最初に感じたのは、塩を含んだ風の匂いだった。胸いっぱいに吸い込んだ空気は何か天国の空気のようだった。たった今地獄から解放された身としては。

「さあ、一緒にいらっしゃい」と先ほどまでお隣さんだった男性が彼に言った。「フェリーが目的の島まで連れて行ってくれますよ」

ズューデンは旅行鞄を抱えて首をすくめながら、空に浮かぶ大きな灰白色の雲を眺めた。そして、ひとつ大きな叫び声をあげた。乗客たちが驚いて彼の方を振り返った。

小型のフェリーボートは波の上を激しく揺れながら進んでいき、五分後にはヘルゴラントの港に錨を下ろした。ズューデンがフェリーから降りたちょうどそのとき、下船の誘導をしていた若い漁師の一人が、仲間の漁師に、「少年はもう見つかったのかな?」と訊くのが耳に入った。

「いや」ともう一人が言った。「この風だから、たぶん煽られて海に放り出されたんだろう。遺体が見つかればいいんだけど」

17　神さまのいない礼拝

島の西側に位置する赤い岩の下に広がる海岸線は、いくつもの入江によって寸断されていて、険しい道は歩行禁止になっていた。ただし、地元のレンジャーが付き添う場合はその限りではなかった。夏にはレンジャー主催のツアーがあり、参加者はヘルメット着用が義務付けられていた。

タボール・ズューデンは断崖に向かう道でたまたま知り合った二八歳の海洋研究者のイェンスと一緒に、ヘルメットなしで歩いていた。二人は、沿岸全体に広がっている岸壁沿いに歩いて行き、両手を額にかざして、捜索隊がサーチライトを使って海上を巡回している方向を眺めた。

「あれは保護用の壁です」とイェンスが向かい風を受けながら大声で言った。「潮風で岩がこれ以上崩れないようにするためです。ブンター統といって、七千万年前の地層です」

イェンスは百年前からヘルゴラントにある生物学研究所で働いている。話に勢いがつくと止まらなくなるたちだ。「三畳系って、知ってますか？　三畳系は約四千五〇〇万年前のもので、その頃に原始ヘルゴラントができたのです。時は過ぎゆく、ですね。この原始の島は厚さ七〇〇メートルの粘土と泥灰土と砂でできているんです。その後、ヨーロッパの南部でアルプス山脈が出来上がっていったときに、北部では地表の断裂によって一つの山塊が形成され、それがその後何百万年か経過するうちに徐々に縮小していって、今日の島の大きさにまでなったのです。それに比べると、私たちがこの地上でうろちょろしている期間なんか、カモメの糞みたいなものですよ。ちなみに神話によれば、ヘルゴラントはかつて巨大な大陸の一部で、イギリスもその一部だったのですが、その大陸の果てしなく広がるツンドラには、恐竜が住んでいたそうです。恐竜ですよ！　この島で恐竜の化石が発見されたという話もあります。私は直接見ていませんがね。それに、ヘルゴラントはアトランティス大陸の見える一部だと主張する人たちもいます。氷山の一角というわけです。ハハハ」

一隻のボートが向きを変えたが、ズューデンには、それがどの方向に向かったのか、わからなかった。

「何か見つけたんですかねえ?」とイェンスが訊いた。

彼はのっぽで元気な若者で、派手なスキー帽をかぶり、両手はブルーのセーラーズボンのポケットに突っ込んだままだった。

「わからない」とズューデンが言った。「少年は一人だったのかな?」

「聞いたところでは、男の人が一緒だったらしいですが、彼の居所はわかりません。何もかもかなり曖昧なんですよ、みんなの話すことが」

岸壁沿いの道には見物人が押し寄せていて望遠鏡で海上での成り行きを追っている。

「そろそろ引き返さないと」とイェンスが言った。「同僚に見つかったらまずいんです。どのみち、この道は行き止まりですしね」

「なぜ、それを早く言わなかったんだ?」

「下に行きたいっておっしゃったでしょ。そこで僕は、それは禁止されていますと。そしたらあなたが、自分は警察官で、下に降りる必要があるとおっしゃった。そこで僕が言ったのは……」

「私はこの島は初めてなんだ!」

「それで? 気に入りましたか?」

「着いたばかりなんだよ」

「たった今ですか? ああそうですか。飛行機でいらっしゃったんですね。それじゃあ、なおさら船よりもはるかに素晴らしいでしょ、景色が。アザラシの岩場、見ましたか?」

「もちろん」とズューデンが言った。

「お泊まりはどこです?」

「『ハウス・シュリューター』」とズューデンは言って、付け加えた。「高台にある。ただ行き当たりばったりにチャイムを鳴らしただけだ」イェンスが語ってくれたことを思い出していた。この古い島で想像を絶するほど時代を遡った過去に生き、今は化石となって発見される動物たちのことを。すると突然父親のことが思い出された。アメリカのどこかで失踪したということになっている。それが本当のことなのか、彼には分からない。誰にもわからない。

それから、一羽のカモメがゆっくりとすぐ上空を飛んでいくのを目で追っているとき、今度は母親の姿が目に浮かんだ。埋葬のときに、彼女の墓の十字架に自分でかけた写真の母の姿だ。カラー写真の中の彼女は笑っていて、大きな顔で、口も大きかった。子供の頃、彼が寝る前に必ずキスをしてくれて、その口の中に、彼の顔を飲み込んでしまいそうだった。今、唇に母親のキスのような塩の味がする。そして、小さく白くなった彼女が病院のベッドに寝ているのが見える。年老いたカザフ人が死者との別れに歌う歌を、小さな声で歌っている自分自身の声が聞こえた。母親の隣に跪《ひざまづ》き、しゃがれた声で歌ったのだ。まるで遠くに飛んでいったカモメの鳴き声のような声で。そして今上空を眺めると、自分の声が、ヘルゴラントの空に舞い響く白い谺《こだま》のように思えた。

「ほら、あそこ！」とイェンスが大声を上げて海上を指差した。「何か見つかったようですね」

教会の中は突然静かになった。入口で小さな輪になって小声で話し合っていた記者たちも声を潜め、金縛りにあったように前方を見た。キルステン・フォーゲルが、ボーイフレンドのガルボと隣り合わせに座っていたベンチから立ち上がり、祭壇に向かって歩いて行った。聖母のように両手をあごの下で合わせて、目は祭壇脇の細長い鋳鉄製の燭台の蝋燭の明かりをじっと見据えていた。ガルボは彼女の後ろを足音を立てずに歩いてきた。彼女が立ち止まったとき、彼も急に歩を止めて、そのままの姿勢でいた。キルステンは胸に十字を切り、踏段のすぐ前の大理石の床に跪いた。

「神様、あの子が今どこにいようと、どうかあの子をお守りください。怖い目に遭わせないでください。私があの子を救けられないからといって、怒らないように言ってあげてください。神様、私をお赦しください。どうか、どうか……」

どう続けてよいのか、言葉が出てこなかった。目をつぶって一生懸命に考えた。しかし、彼女の中から言葉がなくなってしまったかのように、他に口にする言葉は見つからなかった。

彼女はゆっくりと首を回した。ガルボは硬直状態から抜け出て彼女の方に行った。その眼差しを見、後ろを振り返って、不安そうにやや戸惑いながら記者たちの方を見やり、自分も跪いた。

「頭を上げるんだ、キルステン！」と言いながら、自分の膝が、曲げるには不向きにできていると感じた。だから、これまで礼拝に出たことがなかったのだ。

彼女は彼に何か言おうとして口を開いたが、喋る代わりにしくしく泣き始め、子供のようにため息をついた。その哀願の声がだんだん大きくなって、教会中に響き渡ったので、記者たちの溜まり場は再びざわついた。

跪いたまま、キルステンは踏段の上の大祭壇ににじり寄った。聖画には、堕天使ルシファーを地獄に叩き落とそうとする聖ミカエルが描かれている。彼女の声は金切り声になっていき、未だに言葉を探していたが、体が滑って横に倒れ、慌てて座り直した。再び手を合わせて、指の爪で手のひらをかきむしった。青白くなった頬を涙がこぼれ落ち、その光景を撮ろうとするカメラの音は、もはや耳に入ってこなかった。

祭壇の大きな台座の前に彼女は腹ばいになった。頭を手のなかに埋めて、ガルボが彼女を助け起こそうとするまで、しくしくと泣いた。彼の手を解《ほど》いて自分で立ち上がった彼女は、目をカッと見開いて、数メートルにまで迫って来ていた記者たちを睨みつけた。

「あなたたちは、どうして私の息子を取り返してくれないの？」と彼女は大声で言った。明瞭で決然とした声だった。「あの子がどこにいるか、知ってるんでしょ！　知ってるのよ！　あの子を返して！　今すぐに！　すぐに！」

そして左手の内側をひっきりなしに掻いた。浴びせられるカメラのフラッシュには、何も感じない様子であった。

「もう少し大きな声で話してくれませんか。よく聞こえないんです！」ソーニャは受話器に耳を押し付けた。周りではタイプライターの音がして、同僚たちの電話の声が騒がしかった。

「子供は？」と彼女は訊いてから、受話器を手で塞いだ。「フローリアン、ねえ、フローリアン！」向かいに座っているノルテは、取り憑かれたように報告書をタイプしているところだった。「一瞬でいいから、タイプするの、やめてくれない？　お願い、一瞬だけ。ごめん」それから彼女は受話器から手を離した。「それで、少年はどうなったんですか？　わからないって、なぜ？　島にいる同僚の方と無線で繋がらないんですか？　ああなるほど、はいはい、わかりましたよ！　徹底的に探してくれているのでしょうね！　ズューデン主任警部がそちらのどなたにも連絡してきていないというのは、間違いないですね。いえ、我々にもわからないのです。何ですって？　とにかく連絡がないのですよ。どうしてなのか、私にだってわかりません！　失礼」

彼女はことさら激しい勢いで受話器を置いた。そして冷めたコーヒーを一口飲んだ。

フロリアン・ノルテが彼女を見つめた。

「どうかした？」と彼女が訊いた。「あなたの傑作の続きはどうなったの？」

ノルテは再びオリンピアのタイプライターを叩き始めた。

部屋は警察官でいっぱいで、あてにならない情報が増えるにつれて、ますます彼らのフラストレーションが溜まってきている。朝から晩までひっきりなしに寄せられる数え切れないほどの電話の中で、役立ちそうなものといえば、例えばグレーのＶＷポロを見たという情報くらいだった。ある女性からケルンでその車を見たという電話があり、現在、捜査員が周辺のすべてのガレージをしらみつぶしに調べているところだ。この情報には信憑性があると見込んだからだ。寄せられた電話のほとんどはマスコミに煽られた偽情報で、ただただ児童誘拐犯と残酷な父親と、それにとことん無能な警察に対する私見と私憤をぶちまけたいだけのものだった。

ソーニャのデスクの電話が鳴った。

「失踪者捜索課、ソーニャ・ファイヤーアーベントです」

任務の初日から、ファーストネームも必ず付け加えるようにしていた。「失踪者捜索課、ファイヤーアーベント《仕事仕舞い》」じゃ、おかしいもの。

「ウーテ・フレーリッヒです。ズューデン刑事はいらっしゃる？」

路面電車の女性運転士だ！　恋敵！　ズューデンの秘めた憧れの女、彼の『私と――彼女は――何にもない――関係』の相手だ！　何でここに電話なんかしてくるの？

「ズューデン刑事はいませんが」

「急いで話したいことがあるんです」とフレーリッヒが言った。

「この街にはいないんです。電話が混み合っているので、すみませんが」早くして！　と、相手には聞こえないように付け加えた。

「そんな言い方しなくてもいいでしょ、ファイヤーアーベントさん。あなたからズューデンさんを奪うつもりはありませんわ！　でも、私の手紙に返事が欲しいんです。彼宛に私が書いた手紙に」

「彼はこの街にはいないんですよ」とソーニャは言った。表情が暗くなった。おかげでフローリアン・ノルテは、彼の傑作の作成を中断することを強いられ、ソーニャの方を見てニヤッと笑った。彼女は手を払ってみせ、体を元に戻した。「後でもう一度かけなおしてください、フレーリッヒさん！」

「伝言をお願い……」

「いいえ！」とソーニャ入って受話器を置いた。

あたしったら、ヤキモチなんか焼いて！　ただ腹が立つばかりだった。

「対抗馬かな？」とフローリアン・ノルテが訊いた。ソーニャは拳《こぶし》を振り上げた。ノルテは笑いながら身を屈めた。


　硬直した面持ちで、アウグスト・アンツはカーテンの陰から海岸沿いの遊歩道と海を見下ろしていた。午後七時を少し過ぎていた。空はまだいくぶん明るかった。バカンス客たちが舗装された道をそぞろ歩いている。ここには自転車や車は一台もない。穏やかな夕暮れの始まりだ。遠くに見える砂丘には、灯台の明かりがポツポツと見えはじめていた。

　下から人声が聞こえてきた。部屋を貸している夫婦には二人の子供がいて、その子たちが狭い通りではしゃぎ回って遊んでいるのだ。

　アウグスト・アンツは両手を後ろに組んで、遊歩道に立ち止まってこちらを見ている二人の男をじっと眺めていた。たぶん私服警官だ。もう俺の居所を見つけ出したんだな。


　パーキンソン病患者のための特別な治療施設があるパラケルスス・クリニックでは、人々の話し声は静かで、病院内は消毒液や各種の薬の匂いがする普通の病院とは違い、植物や芳香油の匂いがした。看護婦たちは皆親切で、患者たちの表情も、まるでこの病院での治療を楽しんでいるかのようだ。

　いかに患者に優しい病院とはいえ、病院であることに変わりはなく、イェンスにとっても、どこか陰気な気分にさせられるものだった。彼が入口のホールで待っている間、タボール・ズューデンは病院長に会わせてくれとかけあった。

「ズューデン？」とエーベルハルト・アーレント博士は言って、差し出された名刺を品定めした。「昔、ノルデン《北》という同僚がいましたよ。ノルデン教授。眼科でレーザー技術の専門家でした」と言って名刺を返した。「それで、例の北海で引き上げられた少年のことをお知りになりたいのですな」

「そうです」

「少年は昏睡状態です。救かるかどうか、難しいところです」

「その少年の名前はわかりますか？　先生」

　彼らがいる事務室は狭かったが、趣味の良い家具調度が整っていて、床にはテラコッタ製の大きな花瓶が二つ置かれていた。本棚は無垢の木製で、しっかりした革製の肘掛け椅子が二脚、ガラスの板を敷いた書き物机と、赤い洋服掛けが置かれていた。

「いや」とアーレント博士は言った。「私は少年を運んできた男性たちに訊いたのですが、彼らも少年の名前は知りませんでした。どうも男の人が一人一緒だったようですが」

「少年に会わせてください」

「この島でどういう捜査をなさっているのか、まだ伺っていないのですがねえ。失踪事件ですか？」アーレント博士は引き出しを開けて飴の入った袋を取り出した。「ひとついかがですか？」

「いただきます」とズューデンは言った。口の中も喉も、砂漠のラクダのように乾ききっていた。

「体には絶対に悪いものです」とアーレント博士は言いながら、飴玉を差し出した。「白砂糖ですからね。でも、どうしても抵抗できなくてね。ここに入れて、見えないように隠しているのですが、あまり効果はありません」

　二人してペチャペチャと音を立てて飴玉を舐めた。ズューデンは顔を歪めた。

「お気に召さなかったですか？」とアーレント博士が訊いた。

「ジャムのような味がします」とズューデンは言った。喉の渇きが三倍になった。「ミュンヘンから来た九歳の少年を捜しています。彼はこのヘルゴラントにやって来ると、私は確信しています。というか、もう既にこの島に来ていると思っています」

「旅の目的地としては、少々変わってますな」と医者は言って、ドアを開けた。二人は廊下を歩いて行った。

「ここに親戚でもいるのですか？」

「いえ」

「九歳の少年ですよ、驚きましたね。いったい何があったのかって、そう思いましたよ。遊歩道を散歩している人たちによれば――これは漁師たちの話ですが――、防護柵をよじ登ってから海に飛び込んだらしい。私には、ありそうもない話に思えますがねえ。擦り傷や、捻挫や、それから目のところに切り傷などが多少あるものの、しかし……」

明るく温かな病室の白いベッドに、小さな体が横たわっていた。

「少年が本当にあそこから落下したとしたら、まったく違う姿になっていたでしょう。ピンネベルクから来た警察官が今、身元確認をしています。それに何より、一緒だったという男の人を探しています。フェリーでいらしたので？　ズューデンさん」

「交通手段は……飛行機です」

「じゃあ、アザラシの岩場をご覧になった？」

「もちろん」

アーレント博士は一歩脇によけた。ズューデンはベッドの上に身を屈めた。

誰かはわからないが、この少年にはラファエル・フォーゲルと似通ったところは一つもなかった。


「これからどうするんです？」とイェンスが訊いた。二人は病院から引き上げて港の遊歩道に戻ってきた。派手な看板にロブスター料理と書かれたレストランが軒を並べていた。そのいくつかはアトリエになっていた。

「ちょっと島を一周して、見回ってみるよ」とズューデンは言って、舌の先で飴玉の残りを歯と歯の間から取り出した。

「お一人で？」

「ああ」

「ご一緒して、案内しましょうか？　ここは詳しいですから」

「研究室に帰らなくてもいいのかい？」

「まあそうですが、でも目は二つよりも四つあった方がよく見えますよ。ヴィンネトウ（カール・マイのインディアン冒険小説の主人公）から学びましたよ」とイェンスは言って、近寄ってきた年寄りの漁師に挨拶した。

「二つで十分だ」とズューデンが言った。

足で歩くのが嫌な観光客を、上陸用の橋から数秒間で上の高台に運んでくれるエレベーターに向かうルング・ワイという道のところで二人は別れた。

「幸運を祈ります！」とイェンスが言った。「僕の聞き違いでなければ、刑事さんの名前はズューデンさんですよね」

「そうだ」

「それじゃ、僕たちに共通するものがありますよ。僕の名前はゾンマー《夏》。あのエルケ（エルケ・ゾンマー。カール・マイ原作のインド映画『ヴィンネトウ・シリーズ』に主演した人気女優）と同じです」

「ありがとう。世話になった、イェンス君」

「どういたしまして。ズューデンさんなら、ノルデン《北》ではいつも助けが必要ですからね」

二人が出会ってから初めて、イェンスは手をズボンのポケットから出して前に差し出した。握手した後すぐにポケットに戻して遊歩道沿いにある生物学研究所の方に歩いて行った。

ズューデンは急な階段を高台めがけて上って行った。その間、下の方にある土産物屋や免税店が店仕舞いを始めていた。


公衆電話のあるところに差しかかったときに、ふとソーニャに電話しようかと思った。もしかしたら自分の見込み違いで、少年はこの島には来ていないのかもしれないと思うと、不安で仕方がない。そして、いっそこんな職業はやめてしまおう、どうせ自分には向かないのだ、人の命を守ることなんて。親友の命さえ救えなかったのだ。それより、神様に祈るときのように孤独な自分に閉じこもって、現実の世界など忘れ去って、網にかかった魚のようにひとりでもがいている自分とは、さっさとおさらばしてしまいたい。そう言ってやりたかった。

既に手に持っていた受話器を彼は元に戻した。それから改めて手に取り、再び元に戻した。


「メットヴルスト（生のひき肉で作ったソーセージ）入りのパンはうまいか？」とアウグスト・アンツが訊きながら、部屋の窓辺のテーブルで眠そうに座って、食欲もなさそうにパンを齧っているラファエルを見た。

「お腹空いてないよ」ラファエルの心は遠く離れたところにあった。目の前にいるのはもはやグストルではなく、別の男の姿だった。これからすぐに抱きついたら、もう離れるもんか。

「お前、グースカ寝てたぜ」とグストルが言った。彼はプラスティックの皿に乗せた肉サラダを食べ、ビールを瓶から飲んでいた。時間を無駄にしたくなかったので、前もってスーパーで安物を選んで色々と買い込んできていた。「もう目を覚まさないいんじゃないかと思ったくらいだ」

「もう目は覚めたよ！」

「そういう意味じゃないいんだ。レモネードもう一杯飲むか？」テーブルに置いた三本の缶入りファンタを指差した。

「ううん。警察に追いかけられてるの？」

「えっ？　なんでだよ？　そんなことないよ。俺たちゃ、あいつらより賢いからな」とグストルは言い、遊歩道からこっちを見ていた二人連れの男たちのことを思い出していた。その間、早く坊主が元気を取り戻してくれないかと辛抱強く待っていた。目が覚めてくれた方がありがたい。そうすれば、何かすることもあるだろうし、話をしたりしながら、絶えず不吉なことばかり考えなくてもすむ。

「もし警察に捕まったら、おじさんが悪いんだよ」とラファエルが言って立ち上がり、歯を磨きにバスルームに入っていった。

「なあ、ラファエル。ここなら安心だ。ミュンヘンからここまでやって来たんだ。誰にも呼び止められたりしなかったじゃないか。ケルンの街でも歩いたけど、誰にも気づかれなかった。俺たち、結構玄人はだしだとお前も思わないか？」

ラファエルは口から水を吐き捨て、タオルで口元を拭いた。歯磨きを忘れておじいちゃんに叱られたくなかった。部屋に戻ってベッドに飛び乗り、頭を壁にもたせかけた。「玄人はだしって、なに？」

「それは、上手くやるってことだよ。俺たちみたいに」とグストルは言って、ライターを使って二本目のビールを開けた。

「眠いよ」

「またかよ？」

「テレビつけて」

「ダメだ」とグストルが言った。きっと警察は自分たちの写真を公開しているに違いないと思った。そうなったらおしまいだ。坊主を失うことになるし、俺はムショ行きだ。もう、話ができる友達もいなくなる。窓からレストランの中を覗いたとき、客たちが一緒に座っていろんな話をしている風景を思った。フランキーボーイとはいつも、隙間風の入る安飲み屋で飲んだものだ。だけどそれも一つの人生だった。二人でよく話をした。ときには少し声が大きかったけど。それも、このバカ野郎の飲み込みが悪いせいだった。仕事が終わってやって来ると、いつも自分たち専用のテーブルが空けてあった。たぶん、これからはラファエルとも一緒に専用のテーブルで食事するんだ。ミュンヘンじゃなくて、ドイツでもなく、どこか他の国で。どこでもいいさ、逃げられるところなら。さあ、もうすぐだ。ともかくラファエルと俺はこうして休暇にやってきたんだ。フランキーみたいなバカとじゃ、とても出来ない相談だった。あいつは旅は嫌いだった。部屋ん中でグダグダしてるだけで、その上ケチだった。なんのためだい？　死んだらあっちへ持っていけるものなんてないんだ。ああ、ごめん。そういう意味じゃないんだよ。なあ、ごめんよ。

「どうしてお前のおじいちゃんはヘルゴラントがそんなに好きだったんだ？」と彼は訊いた。頭の中にコウモリのようにぶら下がっていて、頭蓋骨をガリガリと齧るような感じがする、いろいろな妄想みたいなものを振り払うために。

「テレビつけてよ」

「ダメだ」

ラファエルは怒って毛布をかぶり、身動きしなくなった。

「出てこいよ、窒息しちまうぞ」とグストルが言ってビールを飲み干し、三本目を開けた。ビールが入ると別の考えが浮かんできて、気持ちが楽になった。

「もしよかったら」と彼は言い始めた。立ち上がってベッドに腰掛けて二本のボトルを両手にしっかりと持ちながら、「ヘルゴラントからアイスランドへ行かないか。北にある島なんだ。それとも、フィンランドなんかどうだろう。あそこは一年の半分は明るくて、後の半分は暗いんだよ」

「今はどうなの？」とラファエルが毛布の中から訊いた。

「今は明るい時期だ」とグストルが言った。それには自信があった。

「おい、出てこいよ。話すときは顔を見ながらでないと。知らないのか？」

「知らない」とラファエルが言いながら頭を前に出した。薄茶色の髪の毛が汗でベタついていた。

「おじいちゃんはここに来たことがないのに、どうしてこの島が好きだったんだい？」

「バカだな！」とラファエルが言った。素足だった。毛布を振り払って両脚を体に引き寄せた。「僕たち、全部模型で作ったんだよ。赤い岩も、灯台だってさ。それから夢の特別列車ジルバーナーゼが渡る橋もだよ。どこにでも来る列車だよ、もちろんヘルゴラントにもね。おじいちゃんには好きな女の人がいて、その人が昔よくヘルゴラントにやって来たんだって。だから、おじいちゃんはこの島のこと、全部よく知っているんだ。わざわざここに来なくても、頭で思い浮かべられるんだよ。おじさんには無理だろうけど、おじいちゃんにはできるんだ。僕もだよ！　さあ、行かなくちゃ！」

ベッドから飛び起きて素早く靴を履き、家から持ってきた赤いGジャンを着た。

「どこへ行こうってんだよ？　ラファエル。今から、そんなに気楽に出かけようったって、そりゃ無理だぜ！」グストルはビール瓶を床に立てて少年の前に大きく立ちはだかった。「危なすぎるよ。誰かに見つかってみろよ。用心しなきゃな、わかるだろ！」

「警察に捕まることはないって、おじさんが言ったじゃない。そう言ったよ！」

「ああ、確かにそう言ったよ。それに……それに、その通りさ。でもな、目立つじゃないか。お前みたいな小さな子供が一人でこの辺をうろついたりしたら……」

「僕、小さな子供じゃないよ。それに、僕に命令なんかしないでよ。僕のお父さんじゃないくせに！」ジャケットのボタンをかけてから、体を掴んでいるグストルを押しのけて行こうとした。

「ラファエル。お前の好きにするがいいさ。お前のことが好きだから、やっちゃいけないなんて言わない。命令もしないよ。そんなことするもんか。だけど、お前の身に何かあったら俺の責任なんだよ。ミュンヘンから誰にも見られずに出してやったのは俺だぜ。お前を一人にしなかったろ。違うか？　ほらな。いったいどこへ行こうっていうんだ？　もう暗いぞ」

「散歩したいんだ」

「じゃ、俺も一緒に行くよ」

「ダメ」

「どうしてダメなんだ?」

「僕が嫌だから! すぐに……すぐに帰ってくるよ。橋まで行くんだ。二人で通ってきたところだよ。海の音や白い鳥の鳴き声が聞きたいんだ。すぐそこだよ。じきに帰ってくるから。本当だよ……」

「困ったなあ……」とグストルが言った。どうしていいか全くわからなくなった。ラファエルの目つきの何かが彼を不安にしたが、それが何なのかわからなかった。それは、もう子供の目つきというよりも、一人の大人の男のそれだった。誰にも知られてはならない何かを企んでいる、人には見透かせない意図を持ち続けている男の目つきだ。

「お願い」とラファエルは言った。「すぐに帰ってくるよ。そしたら、何かお話をして。おじさん、お話がうまいじゃない」

「本当か?」とグストルが言った。そんなことを言われたのは初めてだ。確かに話は何時間だってできる。毎晩、飲み屋でいろんな話をしたな。それもひっきりなしに。話をする以外に何があるっていうんだ? フランキーボーイのバカは何にも思いつかないもんだから、全部俺が話してやらなきゃならなかった。もちろん俺は話はうまいさ。一生かけて鍛えたからな。それに、そう簡単なことじゃないんだ、ウスノロたちに、なんとかわかるように話をしてやるのは。

「ありがとう」と彼は言った。「嬉しいこと言ってくれるじゃないか。わかったよ。だけど一〇分だけだぞ!」

ラファエルは爪先立ちになって、グストルの口にキスをした。それからさっとドアを開けて外に消えた。

グストルは突っ立ったままドアノブを掴み、一階の門から出て行く少年の姿を見て、突然、宇宙で一人ぼっちにされてしまったように思った。この感覚には覚えがあった。しかし、もう二度と味わいたくないと思った感覚だ。何十年もの間に経験したどんな辛いことよりも、もっと辛い感覚だからだ。それが今再び甦ってきた。別れることの耐えられない辛さ。ちょうど、あのとき突然お袋が、キッチンのテーブルに置き手紙ひとつ置いていなくなってしまったときのように。

急いでドアを閉めて、床に置いてあったビールを取り上げ、一気に飲み干した。その瞬間、彼にはわかった。近い将来に何が起ころうと、これまで生きてきた人生を取り返すわけにはいかない。つまり頭の中のコウモリたちが勝利したということだ。

「あいつがドアを開けて入ってきたら、ぶっ殺してやる！」とトーマス・フォーゲルは叫んだ。エヴァは彼から身を引いた。

「あなた、父親でしょ」彼女は小さな声で口ごもった。「あいつを殴り殺してやる。親不孝な奴と、その母親も一緒だ！」


「で、誰なの、その傷を負った少年は？」とソーニャ・ファイヤーアーベントが訊いた。携帯電話を耳に当てて、警察署の中庭を行ったり来たりしたりしながら。新鮮な空気が吸いたかったのだ。

「たぶん日帰りの観光客の一人だろう。島の人間じゃないことは確かだ。もしそうなら、医者が知っているはずだ」

「正直に言って、タボール。未だにラファエルが島にいると思ってるの？」

「ああ、そう思ってる」

「どうして、もっと早く電話をくれなかったの？　ここがどうなっているか、想像つくでしょう？　さっきも児童保護団体から連絡があって、救済措置の怠慢とかで我々を訴えるっていうのよ。そうと知っていながら父親から守ってやらなかったっていうの。それに、キルステン・フォーゲルの境遇に我々が無関心だということで、児童保護団体が公式に我々を非難したわ。その他もろもろよ。ピンネベルクの警察とは連絡をとったの？」

「いや。病院では誰にも会わなかった。おそらくこの少年の親戚を探しているところじゃないかな……」

「もう一つ」とソーニャは言って、冷たい空気を吸った。いい気持ちだ。「例のグレーのポロを見つけたの、ケルンで。向こうの警察が、あるガレージを開けてみたら見つかったのよ。ただ、アウグスト・アンツが今乗っている車が何なのかがわからないの。船舶会社の聞き込みはこれまでのところ成果なし。たぶん、夜の間に何かわかるとは思うけど。フォルカーがあなたのこと、めちゃくちゃ怒ってるわよ。だから、必ず少年を見つけ出してね」

「アンツが一緒だといいんだが」

島の低いところにある商店街に軒を並べる建物の裏側を、彼は岩があるところまで走って行き、そこから階段を登った。赤いジャケットは人目についたが、この季節は多くの子供たちが島を訪れていて、中には、両親の付き添いもなく通りを歩いている子供も少なからずいた。

階段を登りきったところで、ゆっくりと歩きながら周りを見渡した。ウミガラスの岩に行く近道がどこだったかわからなくなった。薬局や、香水ショップや、レストランなどを通り過ぎて、目の前に明かりのついた電話ボックスがあるのに気がついた。男が一人電話中だった。顔を合わせたくなかったので、右側の人通りのない横道にそれた。

「あの子だよ、あれは!」とズューデンが電話に向かって言った。

「あの子がいたの?」ソーニャは雨に濡れて汚れたパトカーの前に立ったまま、携帯電話を耳に当てていた。

「追いかけて! 後でまた電話をちょうだい」

「わかった!」と彼は言った。受話器を戻して電話ボックスから飛び出した。

「ちょっと待ってください!」

男が三人彼を取り巻き、中の一人が身分証明書を差し出した。「警察です。シュレーダー刑事、ピンネベルク警察のシュレーダー刑事です。ミュンヘンから来られたズューデン刑事ですね?」

「そうだが、そこをどいてくれ。あの少年を捕まえないといけない!」

「我々に同行願います。あなたは現在停職処分中と聞いています。一緒に来てください!」

「私に構うな!」とズューデンは大声で言った。だが、あっという間に彼の手には手錠がかけられていた。

「あなたを連行するよう、命令を受けているのです」とシュレーダーが言った。五〇代半ばの大男だ。「市庁舎に臨時の捜査本部を設けてあります。何ならそこからミュンヘンの警察署に電話をしてくださって結構です」

「あの少年は自殺しようとしているんだ。私の同僚からそう聞かなかったのかね?」

「抵抗は無駄ですよ。あなたの上司のトーン主任警部がファックスで、あなたは停職処分中だと知らせてきました。ですから、あなたには警察官としての権限はありません」

「私がここまでやってきたのは、ラファエルという少年を自殺から救うためなんだ」とズューデンは言って、一人の男を横に押しのけた。残りの二人が彼を後ろから取り押さえて道路を引っ張っていった。「私は子供を見たんだ。あの子も私を見た！」

「我々は誰も見ていませんよ」とシュレーダーが言った。「しっかりしてください、しょうがない人だ！」

彼らは、ラファエルが姿をくらました路地の前を通り過ぎた。そこには、汚れたジーンズと穴のあいたスニーカーの若者グループが所在なくうろついているだけで、ほかに人影はなかった。


西風が雲を上空に追いやった。しかし、ラファエルは目の前の道だけを見つめて歩いた。草原の羊たちにさえ気づかなかった。自分がいる場所がどこなのか、やっとわかって、さっきのようにまた走り出した。髪の毛が顔にくっつくのを手で拭って、崖に向かって速度を上げて走っていった。何もかも、これで片付くんだ。


「あんた、頭がどうかしてるのか！　この間抜けめ！」とズューデンは電話に向かって叫んだ。三人の刑事と市長と保養所の所長は彼を囲んで、電話を聴いていた。不承不承、彼の手錠をはずしたシュレーダーは、用心のため、どんな小さな逃亡の兆しも見逃さないぞと、ドアのすぐ近くに構えた。「こいつらに言うんだ、少年の命がかかっているんだと。こいつら、私の言うことを信じないんだよ。行っていることがわかるか？　フォルカー。ええ？　少年はこの島にいる。この目で見たんだよ！」

石を投げるように受話器を机の上に置いた。保養所の所長がそれをつかんだ。

「もしもし、ベーニッケです。どうしましょうか？　トーン警部」


もう時間がない。じっとここで手をこまねいているわけにはいかない。アウグスト・エマヌエル・アンツはビールを飲み干してから、上着を着て、階段を降りていった。玄関ドアを開けたちょうどそのとき、一人の男が現れた。

「失礼ですが」とその男は言って、手に持った一枚の紙を一瞥した。「ミュンヘンから来られた、アウグスト・アンツさんですね?」

アンツはドアをバタンと閉めて走り出した。

「止まれ! 警察だ!」と男は大声で言って、ピストルを手にとり、後を追った。「止まれ、さもないと撃つぞ!」

アンツにはちゃんと聞こえていたが、立ち止まる気はなかった。時間がないのだ。坊主を救けなきゃ。ほったらかしたままだった。何で、そんなことをしたのだろう。どうして、すぐに気がつかなかったんだ。何かおかしいと思ったんだよ。こっちをじっと見たときに、気がつかなきゃいけなかったんだ。ちくしょう、俺はなんてバカなんだ。本当に俺はバカだ。ラファエルの言う通りだ。俺はバカだ……。

どーんと一撃を食らった。ツルハシで叩かれたような一撃だった。最初彼はすくんだだけだった。そして次の瞬間、地面に倒れていた。アスファルトにゴツンと顔を打って瞳が切れた。彼の上に一人の男が屈み込んだ。ドアで話しかけてきた男だった。顔の血はどうしたのだろう? 男はピストルを手に、きょとんとした顔つきで見ていた。茫然自失といった態で、その口髭を生やした若い男は見ていた。グストルには、相手が何を言っているのかわからなかった。コウモリたちが歯と牙で頭の皮をガリガリやっている。

「聞こえるか?」と警官が訊いた。

「しくじったぜ」とアウグスト・アンツが言った。それから意識を失った。


銃撃は市庁舎のすぐ近くに違いない。反響が非常に大きかったからだ。

「彼を見張っていてくれ!」とシュレーダー刑事が同僚の一人に向かって大声で言った。それから四人は通りを走っていった。アンツが倒れている現場に着いたとき、四人のうちの若い警官はショックのあまり、檻の中の獣のように行ったり来たりして、教会の鐘を三度も打ち鳴らしたりしていた。シュレーダーは、身動きしないアンツのそばに跪いて脈を診た。

「死んでいる」と彼は言った。

市庁舎では、男がもう一人、音もなく床に倒れていた。シュレーダーが見張りを命じた警官だ。意識を失っている。タボール・ズューデンが消えていた。

急勾配の階段を岩場に向けて、彼は走って行った。
彼の心臓は呪わしい時間と同じ速さで脈打っていた。

18　生けるものの幸せ

断崖まであと三〇〇メートルというところで、彼はズドンという音を聞いた。どこか遠くで、港の暗闇の中で。しかし深く考えることもなく、彼はそのまま走っていった。汗をかいていたので、ジャンパーの前を開けて走った。ジャンパーが赤い羽根のようにパタパタとはためいたので、サッと腕を広げた。ウミガラスが見たら驚いたことだろう。何しろ羽は、黒と白だけの鳥だ。

灯台から大きな指のような光線が島と海を照らしている。ラファエルはその指が自分の上を旋回しているのを見た。

突然、どうしようもなく飛び跳ねたくなった。そして彼は跳んだ。すると大地が彼の下で消えてなくなり、ストリート・バスケットボールでゴールを決めた後にときどきするように、自信たっぷりに頭を反らした。そのとき、黒い空はもはや黒くはなく、青くなっていた。昼間のような真っ青な空だった。おじいちゃんと一緒にイーザル川沿いを散歩した日のような空だった。川に石投げをした。平らな石が緑色の水面をひょいひょいと滑っていった。おじいちゃんは急に歌を歌いだした。これまで歌なんか歌ったことなかったのに。英語の歌だった。ラファエルも、一緒に口ずさんで、歌詞も真似て歌った。どんな意味かはわからないままに。青い空の下で二人は一緒に歌った。こんな空はミュンヘンにしかないんだと、おじいちゃんは言った。その空が今頭上に、こんなに近くに見える。そして自然にラファエルは歌いだした。あのとき、イーザル川でおじいちゃんの腕に抱かれているときにとても幸せだった、あの日のように。

着地したのはちょうど保護柵の前だった。草原からずいぶん遠くまでジャンプしたものだ。そこから急斜面を滑って転がっていった。びっくりして鉄製の杭をつかんだ。鉄条網が岩場の先端まで張り巡らされていて、展望台の柵になっていた。滑り落ちないように手と脚を柵にからませて、なんとか立ち上がった。

怖かったのは、ほんの数秒間にすぎなかった。腕と顔の擦り傷は気にならなかったが、傷そのものは焼けるように痛かった。血が地面に落ちるのが見えた。しかし、そんなものは、海から聞こえてくるおじいちゃんの声に比べたらどうでもいい。おじいちゃんが歌う声だ。あのとき聴いた歌だ。続きは今でも覚えている。

鉄条網をなんとかかいくぐって、眼下に広がる深い断崖の底を覗いた。黒い海水が岩に当たって、僕を待っている。やっとこの島を見た。おじいちゃんも知らなかったものも全部見た。おじいちゃんに全部話してあげよう。ゆらゆらと進む大きな船のことや、乗船客を抱きかかえて陸に運んでくれる、力持ちの男たちを乗せた小さなボートのことや、赤い岩のことも。それから、この島に鉄道はないこと、もちろん夢の特別列車ジルバーナーゼが走ってはいないことも。その代わりに、白い鳥たちがイーザル川よりも大きな声で鳴いていることも。他にもっともっと、たくさん思いついたことを話してあげよう。おじいちゃんに会ったら、きっとたくさん思い出すよ。

さあ手を離すよ、と彼は言った。そのとき灯台の光が彼をさっと照らした。手を離すよ。そしたら僕を掴まえて教えてね、ウミガラスってどんな鳥か教えてね。もうひとりでいるのは嫌だ。

それから彼は前屈みになり、鉄条網を掴んでいた右手を離した。風が髪の毛を巻き上げ、左手の指が一本ずつ離れていった。そして口を大きく開けた。目に涙が流れ込んだ。それから、赤いジャンパーを激しく風に靡かせながら、上体をさらに前に曲げた。そして両手を離した。

そのとき、大きな冷たい手が少年の体を掴まえた。靴が砂利の上で滑って脱げてしまい、崖の下の海に落ちてピチャッと音を立てた。ラファエルは両脚をバタバタさせて、手を振りほどこうとしたが、どうしたことか身動きできなかった。猛獣はつかんだ手を緩めなかった。少年は腕を振り回したり、後ろに向けて殴りかかったが、まるで手応えがなかった。ラファエルは断崖に宙吊りになっていたが、左手だけが自由にならなかった。彼は叫んだ。「おじいちゃん！　おじいちゃん！　ここから離してよ、離してよ！」

しかしタボール・ズューデンは少年の手を離すことなど考えなかった。はあはあと喘ぎながら、鼻息も荒く、大きく開いた両脚を踏ん張って、少年の方から吹いてくる風に抵抗した。

やっと少年の体を前から掴まえることができた。両腕を蛸のようにからめて、彼を一センチずつ遮断用のロープの上に引っ張り上げた。その間もラファエルはあちこちに手を振り回したり、足をバタバタさせたりして、まるで荒れ狂った獣のようにジタバタした。へとへとになったズューデンが仰向けに倒れたので、ラファエルは彼の上にどかっと重なって倒れた。

倒れるや否や、ラファエルは再び飛び起きて走り出そうとしたので、ズューデンが彼のジャンパーを掴んだ。ラファエルは器用にくるっと体を回して、ジャンパーから抜け出して一歩前に進んだ。

そのときズューデンがさっと足を出した。サッカー選手の反則プレーみたいに少年の足を引っ掛けて倒した。ラファエルは砂利道に横転した。悔しくて泣きだす前に、ズューデンが彼を引っ張り上げて、斜面を崖の上の道の方に引きずっていった。そして自分の隣りの地面に少年を座らせた。腕を彼の肩に回して、押し潰してしまうくらいに強く引き寄せた。

「痛いよ!」とラファエルが苦しそうに言ったので、ズューデンは掴んだ手を少しゆるめた。

黙って口をポカンと開けたまま、ラファエルはその場に座って泣き始めた。ひとしきりしゃっくりをしたり、しくしく泣いたり、喘いだりした。

ズューデンは何度もラファエルの顔を手で拭ってやった。

やがて二人は薄暗い静かな水平線をじっと眺めていた。イギリスが見えるはずの——あるいはアトランティス大陸があったはずの——方向に向かって。

「気分は良くなったか?」

ズューデンは自分の革のジャケットを脱いで、冷たい草の上に座ったままのラファエルの尻の下に敷いた。

ラファエルは頭を横に振った。涙は枯れていた。両脚を抱えて座り、膝に顎を乗せていた。

「そのペンダント、何のため?」とズューデンの顔を見ずに、ぶっきらぼうに訊いた。

「鷲の絵が描いてあるお守りだ。ものごとを見極めるのに助けになる」

「何を見極めるの?」

「例えば君のこと。何を感じて、何を計画しているのか」黒ズボンに白シャツ姿の彼は、いつものようにシャツの上の方のボタンは開けたままだ。彼が体を動かすたびに、革紐に吊るしたお守りが揺れてキラキラと光った。

「僕のことなんか、わかってほしくない」とラファエルが言った。

ズューデンは彼を引き寄せて黙った。

「どうやって手に入れたの？　それ」

「このお守りは、あるインディアンからの贈り物なんだよ」

「本物のインディアン？」ついうっかり、顔をズューデンに向けてしまった。

「うん。昔、両親と一緒にアメリカのインディアン居留地にいたことがある。居留地というのは……」

「居留地って何なのか、僕知ってる」とラファエルが言って額にしわを寄せた。

「私は両親とそこにいたんだ。だいたい君と同じくらいの歳のころ。呪い師《まじな》に会ってね、別れるときにこのお守りをくれたんだ。それからずっとこれを持っている。気に入ったかい？」

「呪い師に会ったって、病気だったの？」

「母さんがね。で、父さんがその人なら救けてくれるかもしれないと思って連れて行ったんだよ。でもママは元気にはならなかった。それから二、三年は生きていたけど、それから死んでしまった」

「ママがいなくて寂しい？」

「ああ」

「僕、ママなんかいなくても寂しくない」とラファエルは言って、鼻をすすり上げた。「パパもだよ！」

「でも、ママとパパは君に会えなくて寂しがっているよ」

「嘘だ！」

「嘘じゃないさ。君のママはとても会いたがっている。私にはわかる。ママと話したんだ。君のことが心配で病気になってしまった」

「でもパパは違う」

入江の防潮堤に波が押し寄せて、しぶきが飛び散る音が聞こえる。

「僕がここにいるって、どうしてわかったの？」とラファエルが訊いた。脚がむずかゆい感じが、だんだんと上に上がってくる気がした。

「さあどうしてかなあ」とズューデンは言った。

「じゃ、どうして僕はおじいちゃんのところに行っちゃいけないの？　どうしてあんなことしたの？　どうして僕を捕まえたの？　僕に命令なんてできないよ、僕のしたいようにするんだもん！　おじいちゃん、きっと僕のこと怒ってるよ。おじさんにも怒っているよ！」

「私の言葉を覚えているかい？　どうして君がおじいちゃんのことを心配しなくてもいいいか、いつかわけを話してあげるって言ったよね」

　ラファエルは首を振った。あごを膝に押さえつけてジャンパーを指で掻きむしった。むずかゆさが胸にまで達していた。

「君はもう大人だよね、ラファエル」とズューデンは言って彼を見た。

「空を見てるのかい？」

「ううん」

「上を見るんだよ」

「いやだ」

「君のおじいちゃんはね、あの空の上にいるんだよ」

「嘘だ」

「僕たちのことを上から見ているんだ。死んだ人はみんな、ああして、上からこっちを見ているんだ」

　ラファエルは上空を眺めた、星がキラキラ輝いていた。

「あれが目だよ、死んだ人たちの目さ。見えるだろ？そして、その中の二つがおじいちゃんの目なんだ。いつもあそこにいて、君のことを見守ってくれている」

「でもあそこは真っ暗だよ」とラファエルは言って、おじいちゃんの大きな目を探した。

「うん、真っ暗だ。でもみんな怖くなんかないんだ。目はいつも覚めていて、怖さを知らない。ほら、ピカピカ、キラキラ輝いているだろ」

「おじいちゃんの目はどれなの？」

「それはわからない。でも、ずうっと観ていれば、見分けられるよ。毎晩空を眺めるんだ。そしたら、いつか見分けられる時がくるさ。どれがおじいちゃんの目なのかを」

「本当かな」ラファエルはあちこちを見回しながら、眼差しは暗闇の中を灯台の光線のように旋回した。

「私のママもあそこにいる」とズューデンが言った。

「私を見ている。あれがママの目だよ」

「どこ？」

「あそこだよ！」上を指差した。「親友のマルティンもあそこにいる。でも彼の目はまだ見つからないんだ」

「どうして見つからないの？」

「死んでから、あまりたっていないからさ。それに、彼の目を探す時間がなかったしね」

「かわいそうだね」とラファエルが言って、空を見やった。それから顔を下ろして真剣な顔つきでズューデンを見つめた。

「それじゃ、僕のおじいちゃんも、まだちゃんとは死んでいないの？」

「おじいちゃんは死んだ。僕たちもみな死ぬんだ。素晴らしいのは、だからといって怖がる必要はないってことだよ。僕たちはどこにも消えてなくならないんだ。ひとりぼっちじゃない。ほら、空がある。地球がある。海もある。僕たちもみんなその一部なんだよ。生まれては消えてゆくけど、消えたらまた生まれてくるんだ。だから、そのことを知っていれば、生きることは難しいことではないんだ」

「そうかなあ」

　ズューデンは肯いて微笑んだ。二人が歩く断崖の下の方から単調な波の音が聞こえる。

　ラファエルはいろんなことを考えた。空のことや、隠れていた墓場のことや、親切にしてくれて、自分を殴ったりなんかしなかったグストルとフランクのことを思った。お腹の減らない母親のことを、いつも自分を憎んでいた父親のことを、友達のアラースのことを、ガールフレンドのサニーのことを、海の上も走ることができた奇跡の特急ジルバーナーゼのことを思った。そして、さっき岩の上から飛び降りようとしたことを思い出した。そうしたら、どうしてこんなに体が爪先から喉元までむずがゆいのか、やっとわかった。それは、ここにいて、とてもいい気持ちだからだ。そして、こんな気持ちになったのは生まれて初めてだったからだ。そして一生懸命に考えた。これはどういうことなのだろう。

　それから立ち上がってタボール・ズューデンを見下ろし、空を見上げ、片腕を上げ左右に振り始めた。腕が重くなるまで振り続けて、それからもう一方の腕を上げて振り、最後に両方の腕を振った。駅のプラットホームで長い別れの後、その場でとっくに一人きりになってしまったことに気づかない人のように。

　それから、彼はタボール・ズューデンの頭に手を置いた。手はしばらく置いたままでいた。

　元気いっぱいに、二人は帰り道を歩いていった。

エピローグ

タボール・ズューデン主任警部が九歳の少年ラファエルを救出してから八日が経った九月二三日、夏の間待ちに待った太陽が、やっとヘルゴラントにやって来た。ときどきにわか雨は降ったが、それとて降り出したときと同じように、突然あがった。海水は一八度。砂丘の南岸では休暇を楽しむ人々がビーチバレーをしたり、海で泳いだり、寝そべって絵画のような空を見ながら、感嘆の声をあげたりしていた。

そんな日のヘルゴラントの砂丘で、一人の海水パンツ姿の男が、麻の敷物からぬっと起き上がって、奇妙な体操を始めたちょうど同じ時刻に、ミュンヘン警察第一一分署では、分厚い、毛羽立ったコートを着た一人の年老いた女性が、新聞で名前を知ったと言って、フンケル刑事部長を訪ねてきた。彼女はヴァルトラウト・アンツと名乗り、死んだ庭師アウグスト・エマヌエル・アンツの母親だと言った。彼の母親はすでに亡くなったはずだが、とフンケルは応じた。

老女はコートを脱いで、出されたコーヒーを飲もうかどうしようかためらいながら、息子はそう信じていた、そして、それで良かったのかもしれない、と答えた。でも、偶然息子の死を知って、最後のお別れをするために、もう来ることもないと思っていたミュンヘンにもう一度来ることにしたと語った。

息子はどうして撃ち殺されたのか、と彼女は訊いた。フンケルは、あれは不幸な事故で、撃ってしまった若者は大変悔やんでいる、と答えた。

ヴァルトラウト・アンツはベルリンで路上生活をしている。どうしてそこまで身を落としてしまったのか、彼女は詳しくは語らなかった。かつてフライジングから、一人息子を捨てて、突然家を出て行った理由についても同様であった。

アウグスト・アンツはオスト墓地の無縁墓地に葬られた。親友のフランク・オーバーフェルナーの隣だった。フンケルはヴァルトラウト・アンツを墓地に案内した。彼女は墓の前で何も言わずに、二〇分間佇んだ。そしてフンケルとはその後一言も交わすことなく、三時間後には列車に乗り、ベルリンへ帰って行った。

このあばら屋のような老女の訪問は、グストル・アンツを最初に尋問して警察署に連行したラルス・ロスバウムとピット・ゴーベルトにとって、経験の浅い彼らには未だにわけのわからないところだらけのこの事件の全体像に、また一つぼやけたモザイクのタイルが加わったようなものだった。一人の少年が家から出て行ってしまったために、二人の男が死ぬことになり、警察は打つ手もなく傍観するしかなかった。ロスバウムとゴーベルトは繰り返し想像してみた。もし自分たちが別の行動を取っていたらどうなったであろうかと。アンツに対して、あんなに恫喝的にではなくて、もう少し優しく接していれば、もっと信頼してやっていたらと。際限のない自己嫌悪に陥って、何週間もの間、心休まることはなかった。

上司であるフォルカー・トーンがついに彼らに、二、三日休むように勧めた。トーン自身も同じように休暇を取ったが、やはり平静な気持ちにはなれなかった。重傷を負ったフランク・オーバーフェルナーが、どうして救けを呼ばずにカウチにつかまったまま血まみれになっていたのか、それもまだ完全に明らかになったわけではない。凶器のキッチンナイフも発見されていない。同僚が少年を発見し、その命を救ってくれたことには心底ホッとした。フォルカー・トーンはズューデンに対する自分の態度を詫びて、停職処分も解除するかどうか思い悩んだ。しかし結局彼が実行したことは、一枚のファックスをヘルゴラントに送ることだけであった。少年救出についての短い謝意を述べ、残余のことはすべて、本人がミュンヘンに帰ってきてから検討する。以上……。

ズューデンはラファエルに、グストルが死んだことを話した。少年は泣かずに、空を見上げた。晴れた空に目は一つも見つからなかった。

ズューデンは、ラファエルに両親のことも話しておこうと思った。話し始めるやいなや、ラファエルは耳を塞いで、どこかへ行ってしまった。ズューデンがフンケルから聞いた話では、トーマス・フォーゲルがパトロール中の警官に自転車のチェーンで殴りかかり、警察が息子を誘拐したのだと非難した。その後少年福祉局の女性局長がキルステン・フォーゲルと連絡を取り、息子さんと一緒にとりあえず女性専用の福祉施設に入ってはどうかと勧めた。キルステンは断ったらしい。ズューデンはラファエルに、母親に電話するよう説得した。二人は二、三分間言葉少なに話した。キルステンはラファエルが生きていたことが嬉しくて言葉が出なかったのだ。海で泳ぐときは注意するようにと、息子を諭した。

自分がヘルゴラントに来ていなければ、ラファエルは確実に崖から飛び降りていた、とズューデンは思った。しかしその代わりに、アウグスト・アンツは死ななくて済んだかもしれない。彼の命も救うには、どうすればよかったのだ？　行く道は二つに一つしかなかった。そして彼は、無意識のうちに、決心したのだ、取り返しのつかない決心を。どうしてあの若い警官は銃を撃ったのだろう？　アンツに逃げ場はなかったはずだ。上陸用の橋まで逃げる？　なぜ逃げ出したのだろう？

旅行客にジロジロ見られながら、タボール・ズューデンは一日中、ウミガラスの岩からじっと海を眺めていた。そして自分の影に向かって、消えてなくなれ、と諭した。

彼は暖かい砂に埋まっていた左脚一本で立ち上がった。右の足を左脚の太ももに当てて、両腕を上にあげ、手を合わせて—ちょうどターギングの森でやっていたように。ただしここでは、目の前は海と水平線であった。

「すごい」ブルーの海水パンツと麦藁帽をかぶったラファエルが言った。「それでアスフールって本当に地の精なの？」

「そうだよ。なんなら、いつか合わせてあげようか。でも、とってもはにかみ屋なんだよ」

「構わないよ。僕も妖精を知ってるんだ。イーザル川のほとりに住んでいるんだ。あの子だったら、アスフールだって躍り出しちゃうよ！」

何人かの女性の海水浴客が囁き合っている。瞑想するときに、あの「樹」の格好をやってみたけど、この人のようにはいかないわ。この人、颯爽として完璧な形で立ってるものね。声をかけてみようか？　無駄よ。どのみちすぐに、あの子のママがどこからか出てくるに決まってるわ。

「ああ、喉が乾いた！」とラファエルが大声で言って、ズューデンに飛びかかって、砂に押し倒したあと、『デューネン《砂丘》・カフェ』に走って行った。足の裏から砂が飛び散った。

ズューデンは砂の上に仰向きになっていた。このまま起き上がって海に入ろうかな、と思ったちょうどそのとき、二本の脚が目の前に現れた。彼はそれを見上げた。

「やあ、パンク娘じゃないか」と驚いた声をあげて、急いで起き上がろうとした。

旅行バッグを手にしたソーニャ・ファイヤーアーベントが、彼の前に立っていた。髪の毛が太陽のように黄金色に輝いていた。

二人は抱き合った。時間をかけて再会の喜びを確かめ合った。

「どうして前もって電話しなかったんだ?」と彼が訊いた。

「今朝になって決めたのよ、飛んで来ようって。めちゃくちゃ狭いのよね、プロペラ機って。パウルとエヴェリンがよろしくって。とりあえず二人だけの休暇を楽しみたいって。あのデブちゃんたら、もう彼女にぞっこんなんだから。チャーリーもよろしくって言ってたわ。あなたのこと、とても誇りに思うって。でも、なかなか自分でそれを口に出して言えないみたい」

彼は彼女を見つめた。そして、そのままずっと見つめていたかった。

「あなた、本当に飛行機に乗ったのね」と彼女が言った。カフェテラスでラファエルが、コーラの缶を手にして二人を眺めていた。

「そうだよ」と彼は言った。「飛行機に乗って、そして降りたんだ。アザラシの岩場を見たかい?」

「いいえ、そんなのあったかしら?」

「さあね」と彼が言った。

彼女はラファエルに手を振ったが、ラファエルは手を振らなかった。まだ何だか気恥ずかしかった。

すると、にわか雨が降り出し、三人は浜辺のカフェに入った。ラジオの音が大きかった。スープを飲み、ビールを飲んだ。ラファエルはソーニャに軽く挨拶しただけで、一緒のテーブルに座るのは嫌だった。店内をあちこち歩き回ったり、外を眺めたりしていた。雨はやがて上がり、太陽が顔を見せた。

「聞いたわよ。あなたがマスコミを打ち負かしたって」ソーニャは、ソーセージ入り豆スープをおいしそうに口に運びながら言った。

「あいつらを撃退してやった」とズューデンが言った。「脅してやったら、次のフェリーでいそいそと帰っていったよ」

「いったい何をしたの?」

「妖術さ」と言ってビール瓶を持ち上げた。

「ご利益《メーゲ・エス・ニュツェン》がありますように！」ソーニャも自分の瓶を持ち上げた。

「ご利益《メーゲ・エス・ニュツェン》がありますように！」二人は乾杯して飲みながら、目と目を見つめ合った。ラファエルはコーラの缶をしっかりと手に持って、二人の会話が終わるのを待ちきれない様子で聞いていたが、ドアの方に走って行った。

「何も食べたくないのかい？」とズューデンが後ろから呼びかけた。

ラファエルはすでに浜辺にいた。

ラジオから歌が聴こえる。二人が知っている歌だ。

Starwalker, he's a friend of mine, you've seen him looking fine,
（スターウォーカー、彼は私の友達、元気な彼を見たでしょ）

バフィーが歌っている。

He's a straight talker, he's a starwalker, don't drink no wine,
ay way hey o heya ...
（彼は正直、彼はスターウォーカー、ワインは飲まないの）

「溺れそうになった少年のこと、どうなったのか、何か聞いてる？」とソーニャが訊いた。

「意識が戻ったよ。救かるだろう。少年の両親が、うっかりして子供のことを忘れていたと、認めたよ。先にフェリーに乗ったと思ったらしい」

二人は黙って食事を続け、音楽を聴いた。

Lightning woman thunderchild, star soldiers one and all, oh.
sisters, brothers all together ...
（稲妻の女、雷の子供、星の兵士たち、みんなで、ああ、姉妹も、兄弟も一つになって……）

「不思議よね」とソーニャが言った。「今日は九月二三日なの。チャーリーの大切な秘書が、毎年この日になるとどうしようもなく不機嫌になるのよ。どうしてなのか、誰も知らないの。でも今日は珍しく、彼女、不機嫌じゃなかった。今朝七時半にちょっと署に寄ったとき、彼女から機嫌よく挨拶してきて、気をつけて行ってらっしゃいと言って笑ったの。こんなこと、知り合ってから初めてよ。彼女のせいで九月二三日は毎年、署内が暗い空気だったのに」

ズューデンは肩をすくめた。そして、窓の前でラファエルが、興奮した様子で彼に向かって合図を送っているのに気がついた。

「僕たちに何か見せたがっている」と彼は言って立ち上がった。

Holy light guard the night, pray up your medicine song, straight dealer, you're a spirit healer ...
（聖なる灯りが夜を見守る、お薬の歌を歌ってよ、正直な薬屋さん、あなたは心のヒーラー……）

外に出た二人は、他の客たちと同じように、驚きで身動きできずに、島を眺めた。

「こんなの初めて見たよ」とラファエルが言った。

「私も」とソーニャが言った。

赤い岩の上空に虹が見えた。明るい色の門のようにヘルゴラントの両側の海に沈んでいた。厚い雲が太陽の前面に現れて、海水の上に光が射し込んだ。

幻想的なひととき、空と海は一つになった。そして瞬く間にその光景は消えた。

ラファエルはコーラの缶を高く持ち上げ、ソーニャとズューデンが振り向くのを待った。

「ご利益がありますように《メーゲ・エス・ニュッツェン》！」と言って、缶の中身を飲んだ。思いっきり、ごくりごくりと。

解説

今一生

本作の原題は、『別れの発明』(Die Erfindung des Abschieds)だ。ちょっとしゃれっ気を出して和訳するなら、「さよならを教えて」といったところか。

作者は、一九五九年生まれでミュンヘン在住の作家フリードリッヒ・アーニ。本書に登場する〝はみだし刑事〟タボール・ズューデンを主人公にした一連の警察小説シリーズで人気を不動のものにした。この人気シリーズは二〇一八年までに二一巻まで発売されており、本作はその第一作で、出世作といえる。

アーニはシュトゥットガルト犯罪小説賞、バイエルンテレビ賞を数回受賞。ドイツ犯罪小説賞に至っては、七回も受賞している。二〇一〇年、小説「南と空のギタリスト」の脚本でアドルフ・グリム賞を受賞し、二〇一四年には小説「M」が数週間にわたって犯罪スリラーリストに載った。

小説以外に児童書、詩、ラジオ劇、脚本、短編小説なども手がけ、バイエルン美術アカデミーおよびインターナショナルPENクラブのメンバーというから、自他ともに認める多才な作家といえよう。

アーニの本はフランス語、スペイン語、オランダ語、デンマーク語、韓国語、中国語、ポーランド語に翻訳されており、スイスの批評家は一九九〇年代のベスト10の犯罪小説の中で唯一のドイツ語の本として、本作を選んだ。

本作は一九九八年九月にドイツの大手出版社Heyne Verlag（ハイネ・フェアラーク）から最初に刊行された。ハードカバーで四二〇ページもあったが、一三年後の二〇一一年七月に発売されたペーパーバック版は四六四ページ。ドイツ人がどれほど本作を愛しているかがわかる。

物語は、きわめて単純だ。九歳のラファエル・フォーゲル少年の両親は仲が悪く、別居もしており、それぞれに恋人までいる。そんな複雑な家族環境で暮らしていたラファエルは、ただ一人の心のよりどころだった祖父が亡くなったのを機に家出してしまう。

その日からこの少年を探すことに警察官たちが右往左往し、成果の出ない捜査やメディアからの批判などに疲労困憊させられる。もっとも、日本の家出事情に少々くわしい私は、本作で丁寧に描かれたドイツの警察の家出捜査のあり方にまず驚いた。

朝七時に女性警察官が電話で上司に叩き起こされ、九歳の少年が家出したので、少年がいそうな墓地へ一時間以内に急行せよと指示される。そして、同日の午後三時までにはこの家出少年に関係すると思われる一四人の聞き取りがなされ、空からの捜査のためにヘリまで飛ばしている。

翌日には、百人隊を墓地に派遣して一帯をしらみつぶしに捜索させようとの提案も出る。これほどの初動捜査の速さと緊急性の高い事件としての扱いは、日本での行方不明者の捜索ではありえない。

日本の警察は、基本的に刑事事件が起きた後の捜査機関にすぎない。なので、小さい子が森ではぐれたとか、殺人や詐欺などに巻き込まれた可能性が高い場合に限り、職務を遂行する。遺書を残して自殺のおそれがある者や、精神障害者、危険物の携帯者などで自傷他害のおそれのある者は「特異家出人」と呼ばれ、緊急性が高いと判断されて捜索されることもあるが、その他の家出人は捜索されない。

ラファエル少年がいそうだと思われたオスト墓地は、ミュンヘン中央駅から近い位置にある。たとえば、新宿に家出してきた九歳の少年を探してくれという届け出が新宿警察署に受理されても、初動から捜査一課（ドイツでは殺人課）の人間まで駆り出された特別捜査班が組まれることはないし、新宿御苑の上空にヘリを飛ばして新宿一帯を捜査することもありえない。

日本では、二〇一八年度の行方不明者の届出受理数のうち、未成年は、一、二一六人（九歳以下）＋一万六四一八人（一〇歳以上）＝一万七六三四人。未成年の家出人のうち、犯罪の被害に遭ったのは年間三一三人にすぎない（警察庁発表）。家出して犯罪の被害に遭った確率を求めると、三一三人÷一万七、六三四人＝〇、〇一七七…（約一、八％）。日本では家出はこれだけ安全なのだ。本腰を入れて捜索しない警察にも一理はある。

しかし、ドイツには日本とは異なる法制度があり、それが本作の少年に家出を動機づけてしまう深刻な事情になる。

ドイツでは、一九七九年の新親子法によって親の子に対する支配権である

「親権」の概念が放棄され、「配慮権者」という概念に置き換えられた。それゆえ、子どもを適切に養育するための配慮への義務を負う親（配慮権者）には必要な社会的支援を請求する権利があり、義務を負う。

その制度自体は悪くないものの、ドイツには離婚後に夫婦ではなくなった二人による「共同配慮」を選択できる制度があり、ほとんどの親が共同配慮者になってしまう。もちろん、別れた両親が子育て方針をめぐって互いに歩み寄ることを期待することは難しく、結果的に割を食うのは子どもになる。（本作は、新親子法から二〇年後の一九九九年を舞台にしている。刊行年の翌年を舞台にしたのは、著者が同時代の家出少年と少年に対する大人のあり方を物語の主軸に据えたかったからだと思われる）

ラファエル少年は、父が母をベッドに縛り付け、気を失うまでズボンのベルトで殴りつけた一部始終を見ていた。これは「面前ＤＶ」といわれ、日本では心理的虐待をされたとみなされるため、誰かが警察に通報すれば、子どもは児童相談所へ保護される。

ラファエルの父親は、息子とも口をきかず、無視していた。これもネグレクト（育児放棄）という立派な虐待だ。しかも、家出から保護されて帰宅したラファエルは、父親に竹の棒でベッドが血まみれになるほど殴られ、再び家出した。安全な場所を失った彼には、あの世の祖父に会うしか希望がなかったからだ。

こうした悲劇がドイツ国内で珍しいものだったら、本作は決してベストセラーにならなかっただろう。離婚後の「共同配慮」という制度が夫婦間の

ＤＶと子ども虐待を離婚後まで延長させている現実があり、だから多くの読者の共感を得たのだろうと察する。

日本でも離婚後の共同親権を求める声が上がっているが、それに賛同するのはごく一部の親だけだ。ひとり親の元で育っている子どもたちに尋ねると、「離婚後も2人の親に自分のやることなすことに許可が必要になるなんてやめてほしい。両親が違う意見なら、二人から左右に腕を引っ張られるんだよ」と不満をのべる意見がほとんどだ。

著者のアーニは、ウィキペディアによると「教育が不十分な少年の家での地域奉仕を終えた後、一九八一年から一九八九年まで、警察の記者とラジオの作家」を務めたという。「教育が不十分な少年の家」には、どこの国でもＤＶと子ども虐待がつきものだ。

ラファエルの母について、こんな記述がある。

「夫にどんなに苦しめられようと、いじめられようと、そして侮辱されようと、夫から離れようとしないのだ。しかもそれは恐怖心からだけでなく、彼から離れる勇気がなく、また力もないからなのだ」

日本でも虐待死させた母親の事件があると、そんな母親たちを鬼畜のようにバッシングする人が少なからずいるが、彼女らもラファエルの母親と同様に、夫との関係が「共依存」になっている。

共依存の関係にある両者は、自分自身では取りのぞけない空虚感・孤独感・無力感を埋め合わせるために互いに相手を利用し、支配したがる。時には暴力を使い、時には哀れみを演出することで、相手を自分の思い通りに動かしたがるのだ。

もちろん、どちらも自分が愛されたいだけなので、つき合えばつき合うほど両者とも疲弊する。だが、その過程で子どもは両者の犠牲として殴られたり、共感役を強いられたりする。そこで自分自身の尊厳を守って生き残ろうとするなら、親を嫌って家出するしかない。家出とは、安全な生活拠点を求める自主避難なのだから。

ただし、九歳の子どもには、実家以外で生活することなど発想すらできない。そのため、祖父のいるあの世へ行きたいと素朴に願ってしまう。このリアリティある心理描写も、著者が「教育が不十分な少年の家」に奉仕してきた経験の賜物だろう。

主人公のタボール・ズューデンは、人気の警察ミステリーにありがちな「組織のルールより大義を選び、はみ出し刑事として自己流で成果を出す男」であり、捜査が大がかりな割に成果を出せない警察組織とは好対照の存在という設定も、凡庸といえばその通りだ。

しかし、ズューデンのキャラの特異性は、徹底的に捜査対象の気持ちになることにある。周囲の人間が彼を「見者」と呼ぶのも、捜査の成果を出すこと以上にその点にあり、実際ズューデンは誰よりも早くラファエルを見つけ、自殺寸前で食い止めた。

ラファエルには、もう帰りたい家などない。いつかまた死にたくなる日も来るだろう。そんな彼の命を長らえようと、ズューデンはラファエルと末長くつき合い続けると決めたようだ。そして、そんなズューデンの真摯さをラファエルも受け入れ始めていることを匂わせて、物語は終わる。

この家出捜査の過程では、ラファエルに関わった大人の男たちが次々に死んでいる。やがて少年は成長し、自分のために命を落とした大人たちの人生や命の重さの意味を理解し、苦い思いを抱くだろう。きっとズューデンには、そこまで見えているはずだ。この「見者」は読者にそう思わせて、次の事件での活躍を期待させる。

著者のアーニに、いつかは会ってみたいものだ。僕が編集した一〇〇人の虐待サバイバーの手記集『日本一醜い親への手紙』のドイツ語版がドイツで出版されれば、きっと彼や彼の読者のドイツ国民に支持されることだろう。

最後に、本書が日本でかなり売れれば、ズューデンのその後のシリーズの和訳版も出せるかもしれないので、面白いと思った方はSNSで表紙の画像とセットで紹介してほしい。僕も続刊を楽しみにしている。〈了〉

（こん　いっしょう　フリーライター、編集者）

著者紹介

フリードリッヒ・アーニ

1959年、南バイエルン、コッヘル・アム・ゼー生まれ。父親はシリア移民、母親はシュレージア難民。フリーの記者を経て、1996年に本作(原題は「別れの発明」)発表以来、作家活動開始。小説以外に、児童文学、詩、脚本、ラジオドラマなども多数。アーニの作品は多くの外国語に翻訳され、数々の文学賞を受賞している。現在に至るまで、同時に3つの作品(ズューデン・シリーズ)に対してドイツ・ミステリー大賞を1年で受賞した唯一の作家。2010年、小説『ズューデンとエアーギタリスト』の脚本化に対してアドルフ・グリム賞。2011年には長編『ズューデン』が、2014年には長編『M』がドイツ・ミステリー大賞を受賞。国際ペンクラブ会員。ミュンヘン在住。

翻訳者紹介

鄭基成(チョン キソン)

翻訳家。上智大学外国語学部ドイツ語学科、同大学院博士課程単位取得退学、ドイツルール大学ボーフムにて言語学学術博士号取得、上智大学講師、茨城大学教授、同大学名誉教授。

スターウォーカー——ラファエル少年失踪事件

ミュンヘン警察失踪者捜索課警部 タボール・ズューデン シリーズ第一弾

2020年9月10日 初版第1刷発行

著 者 フリードリッヒ・アーニ
訳 者 鄭基成
発行者 鄭基成
発行所 日曜社
〒170-0003 東京都豊島区駒込1-42-1 第3米山ビル4F
電話 090-6003-7891

カバーデザイン 岡本デザイン室
印刷・製本所 藤原印刷株式会社

ISBN 978-4-9909696-1-5

内容紹介

本書の題名『メイク・ザット・チェンジ』は、彼の歌「Man in the Mirror」の中の有名なメッセージ、「僕たちは変わろう、世界を変えよう！」という彼の生涯の目標を宣言した言葉だ。メガスターとしての世界的な影響力を武器に、彼は世界の変革を行おうとした。―ただし世界を支配する巨大な勢力を駆逐することによってではなく、愛、癒し、そして子供を守ることによって。

まさにそれゆえに、マイケルはマスメディアによる根も葉もない誹謗中傷と人物破壊にさらされ、精神の革命家のメッセージはねじ曲げられ、ついには「無害化」される運命を辿った。

本書の著者たちは、長期にわたる綿密な調査を通じてたどり着いた真実を伝えることによって、誰がマイケル・ジャクソンの名誉と影響力を「永遠に」破壊することを望んでいたのかを、明らかにする。

著者紹介

ソフィア・パーデ（1962年生まれ）

リトグラフ作家、ヨーガ指導者、声楽家。1987年から2008年までセミプロのシンガーソングライターとして活動。現在、閲読者、中堅出版社のメデイア担当に従事。

アルミン・リジ（1962年生まれ）

バラモン教修道僧。ヨーロッパとインドのバラモン教修道院で18年間の修行。その間サンスクリット経典および東西の神秘思想の研究に従事し、サンスクリット文学から20以上の作品の（英語からドイツ語への）翻訳に協同参加。1999年からフリーの作家、講演者、およびスピリチュアル・アドバイザーとして活動。詩集（3冊）、精神・哲学的なテーマや現代社会のパラダイム変換についての基礎研究としての著書（9冊）がある。

A5判上製・2段組 900頁　ISBN 978-4-9909696-0-8　C0073　**5,800**円＋税
（独語オリジナル版 Govinda Verlag 2018年）

日曜社（Sonntag Publishing）

〒170-0003　東京都豊島区1-42-1　第3米山ビル4F
TEL：090-6003-7891
mail：nichiyosha1203@gmail.com
H P：http://nichiyosha.tokyo
FAX：**0120-999-968**

一冊から
お気軽に
ご注文
ください！